Korea Foundation

한국국제교류재단

海外所藏 7

한국문화재

일본소장 ④

天理大學
天理圖書館
天理參考館

THE KOREAN RELICS
IN JAPAN ④

Tenri University Central Library
Tenri University Sankokan Museum

해외소장

한국문화재

7

발 간 사

한국국제교류재단은 국내 문화재전문가를 파견하여 해외 박물관 및 대학 등에 소장되어 있는 한국유물들에 대한 실태조사를 계속하여 왔습니다. 이러한 조사활동을 통해 수집된 자료를 토대로 『해외소장 한국문화재』 도록을 시리즈로 발간함으로써 여러 경로로 해외에 유출되었던 우리의 소중한 문화유산을 국내외에 소개하는 계기를 마련하게 된 것은 다행한 일이라 하겠습니다.

이번에 일본의 天理大學 圖書館 및 參考館에 소장된 한국문화재 자료를 종합·정리하여 분야별 한국유물에 대한 소장품 목록과 360여 점의 문화재가 해설기사와 함께 수록된 『해외소장 한국문화재』 도록 7집(일본소장 ④)을 발간하게 된 것을 기쁘게 생각합니다.

이 책자의 발간으로 해외에 소장된 한국문화재에 대한 관심이 보다 높아지고, 국내외 관계전문가들의 연구활동과 일반독자들의 이해를 돕는 데 기여할 수 있게 되기를 바라며, 아울러 해외소장 한국문화재가 올바로 평가받고 연구될 수 있기를 기대합니다.

끝으로, 이번 조사활동과 도록의 발간을 위하여 도움을 아끼지 않으신 조사위원과 조사활동에 협조해주신 일본 天理大學 관계자 여러분께 감사의 뜻을 전합니다.

이사장 김 정 원
한국국제교류재단

FOREWORD

The Korea Foundation has dispatched distinguished Korean art historians and other experts on cultural properties to study and survey the actual state of invaluable Korean relics housed in overseas museums and universities. Fortunately, with the information gathered from these surveys, the Foundation has published a series of books under the general title "Korean Relics in Overseas Collections," which enables us to introduce these precious Korean cultural relics, taken out of the country for various reasons, to people around the world.

We are pleased to present the seventh book in this series: *Korean Relics in Japan*, volume 4. This volume contains a list of Korean relics and approximately 360 illustrations with descriptions, consolidating information on Korean relics preserved in the Tenri University Central Library and the Tenri University Sankokan Museum.

We hope this volume will be of interest to general readers who wish to learn more about Korean cultural assets as well as to scholars in Korea and abroad. As a result of our publication efforts, we hope that Korean cultural relics housed overseas will be properly recognized and appreciated.

Finally, we very much appreciate the efforts of our advisory committee members who made the publication of this volume possible and the cooperation of the staff of the Tenri University who helped make this project a success.

Joungwon Kim
President
The Korea Foundation

조사위원

김　광　언
인하대학교 교수 · 민속학
윤　용　이
원광대학교 교수 · 도자사
유　홍　준
영남대학교 교수 · 회화사

Advisory Committee Members

Kim Kwang-on
Professor, Folklore, Inha University
Yun Yong-i
Professor, History of Ceramics, Wonkwang University
You Hong-june
Professor, History of Paintings, Youngnam University

일러두기

1. 게재된 도판화보는 일본 천리대학 소장의 슬라이드 · 필름 · 카드 자료를 활용함.
2. 박물관 소개기사 및 분야별 해설기사는 백승길 국제박물관협의회 한국위원회 위원장이 영문번역하였음.
3. 유물목록 및 유물의 재질 · 크기 · 시대 등 세부사항은 일본 천리대학부속 천리도서관 및 천리참고관의 소장품목록 카드를 기초로 작성하였음.
4. 재질 · 크기 · 시대 등에 대하여 명기가 되어 있지 않은 것은 확인되지 않은 경우임.

Notes

1. The plates in this publication were prepared from slides, film and cards provided by the Central Library and Sankokan Museum of Tenri University, which the Foundation surveyed.
2. The introduction to the museums and descriptions of the Korean relics were translated into English by Paik Syeung-gil, chairman of the Korean Committee of the International Council of Museums.
3. The catalog listings in this publication and the information concerning the quality of the material, size and period are based on listings from the Central Library and Sankokan Museum of Tenri University.
4. In some cases, the information provided is incomplete or captions have been omitted due to their unavailability.

차 례
CONTENTS

天理圖書館

김 광 언
인하대교수 · 민속학

저 유명한 〈몽유도원도(夢遊桃源圖)〉의 소장처로 우리에게도 낯익은 天理圖書館이 창설된 것은 1925년의 일이다. 직제상으로는 이 도서관이 天理大學에 부속된 기관인 만큼, '天理大學 附屬圖書館'으로 불러야 마땅하지만, 교단 측에서는 처음부터 이 이름을 고집해 왔다. 교단에서는 天理圖書館이 天理敎人의 자질 향상을 위해서 뿐만 아니라 일반 사회를 위한 문화사업을 펼치는 데에도 큰 몫을 해야 한다고 믿었기 때문이다. 이러한 생각은 도서관 설립 목적 가운데 들어 있는 "신자를 위한 봉사는 물론이고 일반 사회인에게도 개방되어야 한다"는 내용에도 잘 드러나 있다.

도서관의 문을 일반인에게 활짝 열어 놓은 것은 물론이거니와, 다른 도서관에서는 하지 않는 巡回文庫를 운영하고 일요강좌와 취미강좌 등을 열어서 일반인의 교양 및 문화 수준을 높이고 강연회와 연극공연까지 자주 열었던 사실은 널리 알려져 있다.

天理圖書館 설립의 주춧돌을 놓은 이는 二代 眞柱 나까야마 쇼젠(中山正善)이다. 初代 眞柱가 사망했을 때 겨우 9살의 소년이던 그는, 1923년 舊制의 大阪高等學校에 들어갔고, 이듬해에 청년회장이 되었으며, 成年에 이른 1925년에는 館長職에 올랐다.

그가 처음으로 벌인 일은 '해외교사 양성을 위한 외국어 학교의 설립'이었으며, 같은 해 4월에는 제1회 입학식을 거행하기에 이르렀다.

외국어학교 출범과 함께 가장 시급한 문제로 떠오른 것이 도서관 건립이었다. 갖추어야 할 책들을 가능한 한 빨리 그리고 완벽하게 모으고 이를 관리·운용할 기관의 필요성이 절실하였던 것이다.

이러한 사정을 배경으로, 새로 생겨날 도서관은 단순히 교단의 일반 성인을 위해서 뿐만 아니라 교육과 연구에도 큰 도움이 될만한 종합 도서관이 되어야 한다는 생각이 싹 텄으며, 첫 단계로 교단 내의 각 기관에 흩어져 있는 책들을 한 곳으로 모으고 이들을 정리하는 작업에 들어갔다. 이러한 일은 급속도로 이루어져서 같은 해 8월에 종합도서관이 외국어학교 3층에 문을 열게 되었다. 현재의 '天理圖書館'이라는 이름도 이 때 생겨났다(당시의 장서는 2만 6천여 권이었다). 그리고 이 이름은, 1927년에 외국어학교가 전문학교로 승격되고 도서관이 직제상으로는 그 부속기관이 되었음에도 바뀌지 않은 채 오늘에 이른다.

天理圖書館의 초기 발전은 二代 眞柱의 은사였고, 종교학자 겸 東京大學 교수였던 아네자끼 조후(姉崎嘲風)가 관동대지진 뒤에 다시 세운 東京大學 부속 도서관장이 된 것이 계기였다. 그가 천리도서관 건립을 종용하고 동시에 조언도 하였던 것이다. 도서관을 짓기 위한 설계도를 만드는 데에 많은 시간이 소요될 것을 걱정한 두 사람은 결국, 동경대학 도서관 재건을 위해 공모했던 작품 가운데 미국 미네소타대학의 설계도를 빌리기로 작정하였다.

천리도서관의 西館은 이것을 바탕으로 건립되었다. 당시의 모든 도서관이 서고와 열람실을 따로 갖추고 있었음에도 이 건물에서는 서고를 건물의 중심부에 두어 기능을 최대한으로 살렸다. 이러한 기능적 개선은 일본에서 처음 이루어졌다. 서고는 20만 권이 들어갈 만한 크기였고(당시로는 최대의 수량이었다), 서고 주위에 열람실과 사서실·연구실 그리고 강당 따위가 들어섰다. 그리고 서고에 해당하는 건물 지붕에는 구리판을 경사지게 덮어서 빗물이 스미지 않고 바로 흘러내리도록 하였다. 당시에는 시멘트 건물 지붕에 방수를 하는 일이 쉽지 않았던 것이다.

이 구리판 지붕은 건물 외관에 아름다운 분위기를 더하는 효과도 가져왔다. 현관을 들어서는 사람은 '石上宅嗣卿顯彰碑'를 마주하게 된다. 이시까미 다꾸시(石上宅嗣, 729~781)는 奈良時代에 벼슬이 大納言에 까지 이르렀던 대귀족으로, 平城京의 자택에 藝亭이라는 건물을 짓고 책을 두어서 많은 학자들의 연구를 도운 인물이다.

따라서 그의 藝亭은 일본 최초의 공공 도서관이기도 하였다. 마침 천리도서관이 낙성된 해가 그의 사후 천백오십년에 해당하고, 또 그 자리가 石上씨 일족이 받들어 왔던 石上神宮의 일부이기도 하여 개관식 당일(10월 18일) 함께 기념제를 거행하고 그 비를 세운 것이다. 이에는 향토 출신 학자의 뛰어난 업적을 기리는 동시에 그 정신을 이어 가고자 하는 결의가 함께 들어 있다고 하겠다. 당시의 장서는 5만 7천 권이었다.

天理教에서 도서관 건립과 확충에 전력을 기울인 데에는 해외 포교자 양성에 박차를 더 하려는 목적도 들어 있었다.

포교 활동을 위해 외국어를 배우고자 하는 사람들의 기본 문헌으로서 구미와 동양 제국의 서적은 말할 것도 없고 특히 중점적 해외 포교지역인 동양에 관한 문헌의 수집이 시급하였던 것이다. 이에 따라 천리도서관에는 地誌나 民俗學 관계의 문헌이 많이 들어왔으며, 그 가운데에 가톨릭 교도들의 해외이민과 포교에 관한 문헌 수집도 상당량에 이르렀다. 이러한 문헌들이 뒤에 해외 포교 활동에 큰 도움이 되었던 것은 물론이다.

현재 이 도서관의 장서가 東京大學이나 京都大學 그리고 早稻田大學에 비해 더 많은 것은 아니지만, 1976년에 뉴욕에서 나온 도서관 평가서에, 세계 각국의 중요 도서관 3백 곳 가운데 일본의 도서관은 7개가 포함되었고, 그중 天理圖書館이 뽑힌 것은 이 도서관이 이미 세계적인 위치를 차지하였음을 알 수 있는 좋은 증거인 것이다.

개관 30주년인 1955년에는 서고를 비롯하여 여러 공간을 넓혀야 한다는 의견이 대두되었고, 1961년 마침내 착공에 들어가 2년 4개월 만인 1963년에 지금의 東館이 완성되었다.

장방형의 대지 위에 세워진 서관은 4층이고 동관은 6층이며, 이들 사이에 서고를 배치해서 각 관내의 공간으로부터 같은 거리가 되게 하였다. 지하에는 기계실·제본실·사진실·숙직원실·창고 따위가, 1층에는 서고 외에 휴게실·열람실·정리실이, 2층에는 관장실·연구실·진열실이 있으며, 3층 이상은 서고로 쓴다.

현재 총 연면적은 10,722㎡(3,243평)이고 장서는 159만여 책에 이르며 일본서와 양서의 비율은 3대 1 정도이다.

장서는 일반적으로 각 분야에 걸쳐 널리 수집해서 기본 도서는 매우 충실하게 갖추었으며, 창설자의 뜻에 따라 宗敎·東洋·近東·아프리카·人類·民族·地理·言語·國文學 등 제 분야의 전문적인 문헌 수집에도 힘을 써서 정선된 자료를 거의 모두 수장하게 되었다. 따라서 이러한 분야에 관한 한, 매우 귀중한 문헌도 적지 않게 모을 수 있었다. 이 밖에 신간서적은 말한 것도 없고 古書·稀觀書·古文書·自筆原稿類도 상당량을 갖추고 있다.

여러 문헌 가운데 특필할 만한 것은 동서 세계의 교섭사에 관한 문헌, 나아가 가톨릭의 동양 전도사 자료, 고대 그리스도교 문헌, 일본과 네델란드 교섭사 자료 등이다. 그리고 일본 역사 연구 및 세계 문화사 연구에 빼놓을 수 없는 귀중본만도 10여 종이 넘는다.

또 일본 문학 가운데 특히 에도시대(江戶時代) 문학에 있어서는 連歌·俳諧·小說·戲曲類를 비롯해서 國學·地誌·歌舞·藝術 분야 등 폭넓게 수집되었으며, 芭蕉·西鶴·近松·秋成·馬琴·守部·宣長·春海 등 문학자에 관한 직접적인 자료도 적지 않다. 특히 芭蕉의 『貝おほひ』(寬文十二年刊本), 西鶴의 『獨吟百韻自註繪卷』 『馬琴日記』 따위는 귀중자료로 널리 알려져 있다.

이 밖에 외국의 보물 및 국보급에 해당하는 많은 典籍·資料를 비롯해서 저명한 古版本과 古版畫, 古地圖 등의 집성, 중국의 宋·元·明代의 稀觀典籍 또한 풍부하며, 이 가운데 국보인 『播磨國風土記』를 비롯해서 구텐베르크의 초간본인 『四十二行聖書』(原刊一葉), 『毛詩要義』(宋版) 등도 포함되어 있다.

약 6천 종이 넘는 국내·국외의 간행물 가운데 첫 권부터 완간까지 갖춘 것도 적지 않으며, 明治·大正時代의 귀중 문헌과 괴테를 비롯한 서양 문인들의 自筆書翰集, 鷗外·荷風 등 근대 일본 문호들의 개인 자료에 이르기까지 하나하나 들어 설명하기 어려울 정도이다.

또, 에도시대 『淨瑠璃本』 版木 1만 5천 장(七行本 약 三百五十外題), 本居宣長의 『訂正古訓古事記』 版木, 大小 170장, 『古義堂貴書』 版木 약 1천 200장, 江戶 말기 木活字 약 5만 개, 歐州製 地球儀와 天球儀 약 50개 등의 참고품도 특별하다.

天理圖書館에 이처럼 방대한 양의 희귀본이 들어올 수 있었던 데에는 二代 眞柱의 좋은 책을 많이 모으고자 하는 열정 외에 아네자끼 조후(姉崎嘲風), 니이무라 이주루(新村出), 마키하라 다이조(穎原退藏) 등 여러 碩學들의 지도와 조언이 큰 도움이 되었다.

그러나 세계적인 문화재 수집이 열정이나 조언만으로 이루어지는 것이 아니다. 이에는 막대한 자금이 조달되어야 한다. 이를 위해 교단 내부에 생겨난 후원회가 尊經旦那會이다. 이에 참가한 유지들은 자기들로서는 읽을 수도 없고, 또 그럴 필요도 없는(?) 세계적인 희귀본을 도서관이 모아들이는 데에 최대의 노력을 기울여 왔다. 그리고 이러한 활동은 二代 眞柱의 인품과 덕망에 대한 확고한 믿음이 있었기에 가능하였다. 天理圖書館 수장품 가운데 일본의 국보로 지정된 것이 6권이고, 중요문화재로 뽑힌 것이 61권(우리의 〈夢遊桃源圖〉도 이 가운데 하나로 1950년 8월 29일에 지정되었다)에 이르는 것도 이들의 헌신적인 노력의 결과라고 하겠다.

天理圖書館 창립 이래 수장된 크고 작은 각종 文庫는 200여 개나 되며 그 가운데에도 綿屋文庫·古義堂文庫·吉田文庫·近世文庫 등은 자랑거리의 하나로 손꼽힌다.

綿屋文庫는 1937년에 二代 眞柱인 中山 집안에서 기증한 것이다. 連歌와 俳諧書를 중심으로 勝峰晋風文庫·川西和露文庫, 후지이 시에이(藤井紫影)와 이시다 겐키(石田元季) 두 박사의 장서 및 比田紫水文庫 등이 추가되어, 連歌와 俳諧에 관련된 서적은 1만 7천 점에, 책 수는 2만 9천여 권에 이른다.

古義堂文庫는 京都 伊藤家의 古義堂이 소장했던 장서 및 稿本類로서 이 가운데에는 국보로 지정된 『歐陽文忠公集』도 들어 있다. 약 5천여 점에, 책 수는 1만여 권에 이른다.

吉田文庫는 京都의 吉田神道家의 전래수장품의 일부로 7천여 점이다. 記紀類 등 뛰어난 자료가 많다.

近世文庫는 奈良 王寺町의 호이 요시타로(保井芳太郎)가 가지고 있던 고서 및 고문서이다. 近世 大和의 寺社·支配·庶民關係의 文書·記錄·地圖 따위가 주류를 이루며 수는 약 6만 점이다. 그리고 그 이후에도 꾸준히 수집을 계속해서 현재는 20수만 점을 갖추게 되어 地方史 연구에 귀중한 자료 구실을 한다.

天理大 參考館

김 광 언
인하대교수·민속학

"일본의 문화, 특히 정신 문화의 뿌리를 이루는 유교나 불교, 그리고 문자는 모두 조선 반도에서 직접 들어온 것입니다. 물질문화에 있어서도 많은 것이 건너왔습니다. 여러분이 매일 쓰시고 계신 茶碗이나 찻잔의 뿌리를 거슬러 올라가면 古墳時代 (3~6세기) 스에키(須惠器)에 이르게 되지만, 그것조차도 조선 삼국시대의 질그릇 기술을 익혀서 만들게 된 것입니다. 지금, 세상에 큰 화제를 일으키고 있는 후지노키 (藤の木) 古墳의 호화스런 출토품도, 요시노가리(吉野ケ里) 유적의 청동기와 유리 제품도, 조선 반도의 수준 높은 문물을 받아들인 결과에 지나지 않습니다.

이번의 전시는 고대 조선 반도의 고고학 유물 약 100점을 뽑아서, 조선 반도의 독자적인 문물의 전개를 감상해 주시기 바라면서, 아울러 저쪽과 우리와의 문화 교류의 몇 가지 구체적인 보기를 살펴보실 수 있게 된다면 큰 다행이라고 생각합니다."

이 글은 천리대 참고관의 한국실 머리에 걸린 안내판 내용으로, 일본에서 3년 간 유학 생활을 보냈을 뿐만 아니라, 한국과 일본의 문화교류 문제에 대해 오늘날까지 큰 관심을 가지고 공부해 오고 있는 내게 큰 충격을 안겨 주었다. 한국으로부터의 문화 전파 사실을 이처럼 솔직하게 털어놓은 글은 처음 대하기 때문이다.

과거는 물론이고 지금도, 그리고 일본의 대표적 인류학자라는 사람까지도 "일본 문화는 대륙에서 …… 운운" 하거나, "중국에서 조선을 거쳐 ……" 하는 것이 고작이다. 특별히 문물의 원산지를 밝힐 필요가 없을 때에는 건너온 나라의 이름을 드는 것이 상식이다. 예컨대 우리는 "불교는 중국에서 들어왔다."고 말하고 "고구마는 대마도에서 건너왔다."고 이른다. 세계의 다른 나라도 마찬가지이다. 그런데 유독 일본에서는 이러한 상식이 통하지 않는다. 1991년에 나온 역사책에도 "고아시아 사람들이 조선 반도를 거쳐 일본으로 들어왔다."고 적혀 있다. 고아시아 사람들이 밤낮을 이어 줄달음질을 쳐서 일본으로 갔다는 말인가? 그들은 이 땅에 들어와 대를 이어 살면서 '한국인'이 되었으며, 따라서 일본에 건너간 사람들은 한국인이었던 것이다. '대륙 운운' 하는 기록을 대할 때마다 '일본은 아직 멀었구나.' 하는 생각을 지우기 어렵다.

이러한 현실에 견주면 이 현판의 내용은 참으로 파격이 아닐 수 없다. 나는 마치 전기에 감전된 사람처럼, 서서 움직일 줄을 몰랐다. 그리고 '일본에도 이 사실을 숨기거나 우물우물 뭉개려 들지 않고 바른대로 말하는 기관이 있구나.' 하는 점에 어떤 안도감마저 들었다.

거듭 말하면 "일본 정신문화의 뿌리가 모두 조선 반도에서 직접 들어왔다."고 설명하는 글은 천리대 참고관의 것이 일본 전국을 통틀어 오직 하나뿐이거니와, 앞으로 다른 곳에서 더는 나오지 않을 것으로 믿어진다.

天理教道友社長은 참고관에 수장된 우리 유물의 한국어판 도록(『韓國의 民俗』 1987년, 三省言語硏究院)을 내면서 이렇게 말하였다.

"우리가 이 물건을 모은 시기는, 한국의 민중이 고통을 받은 때였습니다. 그 무렵에는 우리 스스로도 역시, '인류는 하나'라는 믿음 때문에 일본 제국주의자들로부터 크게 탄압을 받았습니다. 우리는 천황이나 일본 제국의 국법보다도 인간의 마음을 더 귀하게 여겼습니다. 한국민이 일제의 쇠사슬에 묶여 고생하였던 시기인 1925년, 우리는 외국어대학을 설립, 조선어과를 창설하였습니다. 불행하게도 당시는 한국이 일본의 식민지하에 있었으므로, 일본 정부는 한국어는 외국어가 아닐 뿐 아니라, 도리어 한국인이 모국어를 잊고 일본어를 익혀야 한다고 강분했었습니다. 천리교 2대 교주였던 나까야마 쇼젠(中山正善)은, 그러한 일본 정부의 의견에 맞서면서 갖가지 탄압을 받았습니다. …… 지금도 나까야마 쇼젠의 뜻을 담은 建學의 정신은 살아 있으며, 이 대학 안에 있는 '조선학회'의 활동도 활발합니다. …… 이 책에 수록된 물건들은 물론 그 당시 한국의 보물들로 우리가 일시 보관하고 있을 뿐, 언젠가는 한국 민중에게 돌아가야 한다고 믿고 있습니다.

1986년에는 그 동안 우리가 간직해 온 물건들에 대해, 우선 일본말로 책을 펴냈으며 그 뒤로 늘 이 책이 한국에서도 출간되어, 그 내용이 직접 한국인들에게 알려지기를 바라왔습니다. ……"

이 글에는 우리가 일본 제국주의자들로부터 큰 곤욕을 겪은 점에 대한 곡진한 이해와 위로의 뜻이 담겨 있다. 그리고 "한국의 보물들이 언젠가는 한국 민중에게 돌아가야 한다고 믿는다."는 대목에서는 가슴이 뭉클해지는 감동이 인다. 종교의 힘은 참으로 위대한 것이라 하겠다.

천리대 참고관에는 우리 유물뿐 아니라 중국과 옛 만주, 그리고 중앙 아시아를 비롯한 세계 각지의 유품이 보존되어 온다. 그리고 그 수집 동기는 종교적인 데에서 비롯되었다. 곧 '사람을 이해하는 하나의 방법으로서, 각 지방 사람들이 만들었거나 또는 그들이 사용하였던 물건을 이해하는 일에서부터 시작하는 것도 하나의 방안으로 여겨져서' 수집 활동을 벌이게 된 것이다. 그 첫걸음은 2대 眞柱 나까야마 쇼젠에 의해서 이루어졌다. 그는 '세계는 하나의 형제'라는 천리교의 가르침을 실천하는 데에는, 만든 사람과 그것을 사용한 사람의 마음이 담긴 물건을 이해하는 것이 지름길이라고 믿었고, 스스로 앞장 서서 서민들의 실생활을 피부로 느낄 수 있는 여러 가지 생활용품을 모았으며, 또 많은 전도자들에게도 이 일을 강조하였던 것이다.

그는 1926년의 한국과 만주의 유물 수집 여행에서 돌아와 '韓·滿 여행 전람회'를 열어서 교인들뿐만 아니라 일반 사회인들의 관심을 불러 일으켰고, 1930년에는 중국에서 돌아온 바로 뒤에 '중국 풍속 전람회'를 개최하였다. 그리고 이들 전시품을 천리대에 기증하였고, 대학에서는 '해외 사정 참고품실'을 마련하였다. 이들 수집품들이 외국어 교육과 해외 전도의 참고가 된 것은 물론이다.

수집 물품이 늘어남에 따라 '해외 사정 참고품실'은 '해외 사정 참고관'으로 바뀌었고 독립 건물로 옮겨갔다. 그리고 이것은 다시 '천리대 참고관'이 되어 오늘에 이른다.

한편, 1924년에는 대학 안에 '한국관'까지 세워졌다. 이것은 '한국의 민가를 옮겨 세운 것만이 아니라, 한국인 가족이 실제로 생활하면서 학생들과 자유롭게 교제·간담하는 장소'로도 이용되었다고 한다. 일본 최초의, 유일한 한국 관계 야외 박물관이었던 셈이다. 천리대학에 일찍부터 조선어과가 생기고 조선학회가 조직된 것도 우리나라에 대한 이같은 관심이 배경이 되었던 것이다. 조선학회에서는 해마다 한국학보가 나오고 있으며 일본 학자들뿐만 아니라 한국의 학자들도 많은 논문을 발표하였다. 그리고 참고관뿐만 아니라 도서관에도 〈몽유도원도〉를 비롯한 우수한 우리 예술품이 다수 소장된 점도 기억해둘 만하다.

재일 사학자인 김달수(金達壽)는 나까야마 쇼젠과 이 참고관에 대해 이렇게 말한다.

"내가 천리대 참고관을 찾은 것은 지금으로부터 이십 수 년 전, 천리대학이 개최하는 조선학회 학술회의에 참석한 때가 처음이 아니었던가 합니다. 그 후에도 내가 조선학회에 참석할 때는 늘 참고관을 찾았는데, 그런 일에서 나까야마 쇼젠 2대 진주와도 한두 번 만날 기회가 있었습니다.

그는 큰 인물이라 할 수 있는 磊落한 풍모를 갖추고 있어서 '아아, 이러한 진주이기 때문에 저런 참고관도 ……' 하고 생각했던 일을 지금도 똑똑히 기억하고 있습니다. 물론 나뿐만 아니라 우리들 한국인이 천리대 참고관을 찾는 까닭은, 이곳에는 다른 아시아 제국 및 한국의 코너가 있기 때문인데, 그것은 모두가 2대 진주의 덕택입니다.

가령 천리교 2대 진주 기념실이란 브로슈어에 있는 '2대 진주의 海外巡教槪略'을 보면, 2대 진주는 열아홉 번이나 해외 나들이를 하였는데 그중 일곱 번이 '한반도 및 중국' '한반도'로 되어 있었습니다. 특히 한반도에 대하여는 특별한 친밀감을 가지고 있었던 게 아니었나 나는 생각합니다."

1995년 3월 말 현재의 수장 점수는 다음과 같다.

나　　라	점　수	나　　라	점　수
한　　　　국	1,094	북 아 시 아	119
중　　　　국	6,446	서 아 시 아	587
대　　　　만	1,757	아 프 리 카	2,163
동 남 아 시 아	3,142	남 아 메 리 카	2,166
멜 라 네 시 아	1,506	중 앙 아 메 리 카	875
미 크 로 네 시 아	108	북 아 메 리 카	556
폴 리 네 시 아	379	유　　　　럽	682
오 스 트 레 일 리 아	80	기　　　　타	393
남 아 시 아	1,464		
중 앙 아 시 아	1,481	총　　　　계	25,078

이 같은 자료 외에 天然産物, 화폐, 천리교 해외포교 자료도 해외 민속실에 소장되어 있다. 또 考古美術 자료 또한 적지 않아서 일본 6000점, 한국 800점, 동남아시아 300점, 중국 3000점, 오리엔트 3700점, 기타 1200점이다.

비록 '참고관'이라 불리기는 하지만, 엄청난 수장품 수와 수집 지역의 광범함으로 보면, 어디에 내놓아도 빠지지 않을 훌륭한 박물관이라 하겠다. 전시품들은 민속자료·고고미술자료·교통문화자료의 세 부류로 나누고, 이들을 다시 지역과 연대에 따라 늘어 놓았다. 1실에서 8실 및 15실은 민속자료, 9실에서 14실, 그리고 2棟 복도는 고고미술자료, 3棟의 3층 홀은 교통문화자료 전시장이다.

이를 조금 더 구체적으로 살펴보면 다음과 같다.

第1실　　북아시아·조선반도

이 방에 전시된 우리 유물은 주로 조선시대 후기 이후의 民具로, 탈, 악기, 장승, 김치 항아리와 독, 복식 용품, 식기류, 神像類, 문방구류, 가구 공예품, 혼례용 나무 기러기 등이다. 전시품 수는 171점이다.

第2실　　中國(漢族)
第3실　　대만 원주민
第4실　　중국의 상점 간판
第5실　　대만의 배·떼배
第6실　　동남아시아
第7실　　아메리카·서아시아
第8실　　오세아니아
第9실　　중국(선사·은·주)
第10실　　중국(한·육조)
第11실　　중국(수·당)
第12실　　일본
第13실　　조선반도

이 방의 진열품은 신석기시대에서 고려시대에 이르는 출토품이 주류를 이룬다. 경상남도 沙下面에서 나온 빗살문토기와 돌도끼를 비롯하여 평양 부근의 낙랑묘 출토품으로 알려진 구리거울, 쇠칼, 漆器, 玳瑁甲으로 만든 빗, 구리로 만든 시루, 금동 장식품, 항아리 등이다. 또 낙랑군 시대의 것으로 보이는 금동제 蓋弓帽와 경상북도 지역에서 나온 금귀고리, 은제 帶金具, 마구, 도끼, 토기 등도 빼어난 예술품이다. 그리고 매우 희귀한 백제시대의 세귀항아리(三耳壺)는 자랑거리이다.

이 밖에 경주 부근에서 나온 陶製의 젓대(橫笛), 印花文盒 등은 통일신라시대의 것이고, 경기도 개성 부근에서 출토된 청동제 化粧具와 整髮具 등은 고려시대의 생활상을 엿볼 수 있는 귀중한 자료이다.

第14실　　오리엔트
第15실　　일본·아이누

천리대 참고관에서는 지금도 세계 각지의 문화 유산들을 꾸준히 수집해 오고 있는데, 1994년 11월 14일부터 22일까지의 9일 동안 한 학예원이 우리나라 부산과 경주 지역에서 수집한 민속품 및 교통문화자료는 다음과 같다.

• 민속품

① 빨래방망이, ② 옷 두 벌, ③ 팽이 6개, ④ 팽이(다른 종류), ⑤ 북, ⑥ 구슬(어린

이 구슬치기용), ⑦ 제기, ⑧ 공기, ⑨ 널(널뛰기용), ⑩ 화투・빠찡꼬・탈

• 교통문화자료
① 부산역 승차권, ② 부산 지하철 1호선 온천장역 승차권 , ③ 부산 동래 금정산 로프웨이(케이블카) 승차권, ④ 경주역 승차권, ⑤ 부산 고속버스터미널 승차권, ⑥ 시각표(고속버스), ⑦ 관광 안내표

이러한 유물 수집 외에 여러 박물관과 연구소를 방문하고 고고학 관련 유적을 돌아보기도 한 학예원은 제25회 및 제26회의 월례 연구회에서 그 성과에 대해 발표하였다. 한편, 앞에서 든『한국의 민속』한국어판에는 247점의 우리 민속품과 〈조선통신사도(朝鮮通信使圖)〉가 소개되었다.

Tenri University Central Library

Kim Kwang-on
Professor of Folklore
Inha University

Tenri University Central Library, which became famous for acquiring the painting *Dream Journey to the Peach Blossom Paradise* by An Kyŏn of the Chosŏn Dynasty, was established in 1925. Although the library is attached to Tenri University, it does not confine access to university students only, because the religious order believed that the library should play a role not only in educating its believers but also in conducting cultural activities and other services for the general public. The library not only opened its doors to the public but also instituted various community outreach activities such as a mobile library, Sunday lectures, leisure programs, and music recitals as a means of benefiting the public. Other libraries of the time did not engage in such activities.

The founder of the library is Nakayama Shozen, the second patriarch of Tenrikyo, who was only nine years old when the first patriarch died. He entered Osaka High School in 1923, became the president of a young men's association the following year, and in 1925 was promoted to the Order's office in charge of business affairs. The first thing he did was to create a foreign-language school for the education of missionaries of the Order. In April 1925, the school held its first entrance ceremony. The next urgent business after the establishment of the foreign-language school was to create a library in which to build a significant collection of books. The leaders of Tenrikyo began to think that the library should thus become a general library that would serve not only the Order but also the general public. As a first step, they began to pool all the books and documents scattered around their various offices into the library and to classify them. The work progressed so rapidly that the library was opened in August of the same year on the third floor of its foreign-language school; the Tenri Library initially had a collection of more than 26,000 books. The library retained its name after the foreign-language school became a college in 1927, even when the library was annexed to the college.

The rapid development of the library during this initial phase was due to the advice of Anezaki Chofu, a teacher of the second patriarch of Tenrikyo, a renowned scholar of religion and professor of Tokyo University who became the librarian of the rebuilt Tokyo University Library after the great Kanto earthquake. He recommended that a library be built and offered his professional advice for its construction. The professor and the patriarch, who were concerned about the long time that would be required to prepare construction plans, agreed to use a plan submitted by a team of designers from the University of Minnesota in the United States for the reconstruction of Tokyo University Library. The west wing of Tenri Library was built on this plan. In contrast to the established convention of the time to separate a library's stacks from the reading rooms, in this library the stacks were located at the center of the building in order to maximize their various functions; it was the first library with this kind of design in Japan. The library had the capacity to store 200,000 books, and thus it was the largest in Japan at the time; reading rooms, librarians' offices, research offices, and an auditorium were positioned around the stacks. The sloping roof of the library building was covered with copper plating in order to prevent rainwater from seeping into the building. At the time, it was technically difficult to waterproof a cement building. This copper-plated roof also served to add beauty to the appearance of the building.

Upon crossing the threshold of the library, one comes across the memorial stone of an eighth-century high-ranking Japanese official who built a "Pavilion of the Arts" in his residence in Heijokyo and who collected books to aid scholars' studies, thus founding the first public library in Japan. The year Tenri Library was dedicated happened to be the 1150th anniversary of this official's death, and the site of the library was near his family shrine (Ishikami Tagushi); a memorial service was held on October 18 in the same year this memorial stone was erected. The memorial stone embodies the achievements of local historians and their resolution to inherit and pass on the medieval Japanese official's spirit to posterity. This library's collection at that time numbered a little over 57,000 volumes.

The reason why Tenrikyo poured its efforts into the creation and expansion of this library was partly to expedite the education of missionaries going abroad. To help those wishing to propagate their faith overseas learn foreign languages, it was urgent for the library to collect books from Eastern and Western countries, especially books on Asian countries, the main target for propagation. Books on the topographies and ethnographies of Japan's neighbors characterize the library's collection. Especially noteworthy are the books and documents related to the emigration of Catholics from their native countries and their missionary works abroad. These books helped Tenrikyo greatly in its own missionary activities.

Tenri Library's collection cannot compete with that of the libraries at Tokyo, Kyoto, and Waseda Universities, but according to an assessment of libraries worldwide published in 1976 in New York, seven Japanese libraries are included among the three hundred major libraries of the world, and the fact that Tenri Library is found among the seven is proof that it is a world-class library.

In 1955, when Tenri Library observed its 30th anniversary, the need to expand the library and other facilities was first voiced. Soon afterward, construction of a new building began; this was completed in 1964 and opened as Tenri's east wing.

The four-story west wing and six-story east wing occupy a rectangular area, with the stacks in between the two wings. The underground area is occupied by a machine room, a bookbinding facility, a photo lab, storage, and maintenance facilities. The first floor is occupied by the library, rest rooms, reading rooms and various offices. The second floor is occupied by the librarian's office, research offices, and display rooms. The floors above the third floor are used to store books. The library covers 10,722 square meters and has a collection of nearly 1.6 million books and related materials. The ratio between Japanese and European books is three to one.

The substantial collection, according to the wishes of its founder, covers all fields of learning: religion, the Orient, the Near East, Africa, anthropology, ethnography, geography, language, literature, and more. There are many antique books and documents, rare books, manuscripts, and of course new books.

Most noteworthy among Tenri's collection of documents are those books related to East-West relations, Catholic missionary activities in the Orient, the ancient Christians, and Japanese relations with the Netherlands. There are also a dozen very important books on the study of Japanese history and world cultural history.

The library's collection of Japanese literature and arts, especially from the Edo period, ranges over all genres: poetry, novels, drama, Japanese learning, topography, music and dance, and the visual arts. Most noteworthy are firsthand materials on Japanese literature, especially on Basho, Saikaku, Chikamatsu, Bakin, Ube, Norinaga, and Harumi. Basho's poems (the edition of the 12th year of Kammon), Saikaku's *Dokugin-hyakuin*, *Jishu-emak*, and Bakin's diaries stand out as important materials.

Also, Tenri has many very valuable foreign books, documents and materials, antique wood-block printed books, and antique prints and maps. There are many rare Chinese books from the Sung, Yuan, and Ming Dynasties including the Japanese national treasure *Harimakoku-Fudoki* (*Natural Features of the Harima Fiefdom*), a first edition of Gutenberg's Bible, and a Sung edition of *Mooshiyoogi*.

Among more than 6,000 different domestic and foreign periodicals, there are many complete sets; there is also much important literature from the Meiji and Taisho periods, handwritten letters by leading writers such as Goethe, and many other literary materials from premodern Japan by writers such as Oogai and Katuu. The amount of material is indeed voluminous.

Other treasures and reference materials at Tenri include 15,000 leaves of wood-block printed books by Jooruri; 170 leaves of *Teiseikokun Kojiki*, a wood-block printed book by Motoori-Norinaga; 1,200 leaves of valuable wood-block printed books published by Kogidoo in the Edo period; some 50,000 pieces of wooden type from the late Edo period; and 50 different kinds of European-made terrestrial globes and celestial globes.

Needless to say, it was the passion of the second patriarch to collect as many books as possible; this was also the advice of eminent scholars of the time such as Anezaki Chofu, Niimura Izuru, and Makihara Taizo.

However, it is impossible to collect world-class cultural treasures through passion and advice only. At least as important is adequate funding. The Tenriyko Order created an association of supporters, Sonkei Danakai, for this purpose. The members of this association poured their efforts into the library to establish a world-class collection of rare and important books, even though they didn't need these books for their own purposes. This kind of effort was possible because of their firm convictions and personal integrity, and because of the virtue of the second patriarch of Tenrikyo. Among the rare books in the library are 6 books designated as Japanese national treasures and 61 books and other works designated as Japanese important cultural properties (the painting *Dream Journey to the Peach Blossom Paradise* is among these, being so designated on August 29, 1950). More than 200 private collections of books have found their way into the Tenri Library since its opening, among them Wataya bunko, Kogidoo bunko, Yoshida bunko, and Kinsei bunko. Wataya bunko was donated to the library in 1937 by the family of the second patriarch Nakayama; this donation was followed by Katsumine-chimpuu bunko and Kawanishi-waro bunko, the collections of the scholars Fujii Shiei and Ishida Genki, and Kitada-shisui bunko. Kogidoo bunko is composed of books and manuscripts donated by Kogidoo of the Ito family of Kyoto; the collection numbers about 10,000 volumes, including a prose collection by Ooyoo Fumitada designated as a Japanese national treasure.

Yoshida bunko is part of the family heirloom of Yoshida Shinto of Kyoto; the collection numbers more than 7,000 volumes, the chronicles being the collection's standouts.

Kinsei bunko is composed of 60,000 old books and documents collected by Hoi Yoshitaro of Nara, Japan, including books on premodern temples and shrines of Yamato, the relationship between the ruling classes and the common people, and maps. These documents and maps have been collected continuously over the centuries. They are very important for the study of the local history of the Nara area.

Tenri University Sankokan Museum

Kim Kwang-on
Professor of Folklore
Inha University

"Confucianism, Buddhism, and literature, which constitute the root of Japanese culture, in particular Japanese spiritual culture, were directly imported from the Korean peninsula from across the sea. If you trace back the roots of Japanese tea bowls and teacups, you will find Sueki vessels in ancient burial mounds of the third to the sixth centuries that were fashioned after Paekche's techniques of earthenware production. The splendid burial objects unearthed from the Tomb of Fujinoki and the bronze vessels from the Yoshinokari site are indications that Japan imported high-quality cultural items and techniques from the Korean peninsula.

"It is fortunate that if you wish to appreciate the independent development of culture on the Korean peninsula through some one hundred carefully selected Korean artifacts, and at the same time to examine some concrete examples of cultural exchanges between Japan and Korea…"

The above is a translation of part of the introduction panel hung in front of the Korea section of the Tenri University Sankokan Museum. It was shocking to read such an introductory message even for me, who has studied in Japan for more than three years and who has had a great interest in the cultural exchanges between the two countries. I have never come across such a candid acknowledgment of Japan's indebtedness to Korean culture. In the past as well as today, even well-known Japanese anthropologists equivocate about "Japanese culture…from the Continent…" or "Japanese culture…through the Korean peninsula from China…" It is a common practice to indicate the country of transmission when there is no need to identify the country of origin. For example, we say that "Buddhism was introduced from China" without mentioning the religion's Indian origins, or "Sweet potatoes came across the sea from Tsushima." This is the universal practice.

This practice has not been followed by the Japanese. A history book published in 1991 explains that "an ancient Asian people came to Japan through the Korean peninsula." Does this imply that the ancient Asian people hurried day and night across the continent to reach Japan? They probably came to Korea and lived in settlements there for generations, becoming "Koreans," before continuing their migration across the sea to the islands of Japan. Whenever I come across references to the "continent" in reading about the origin of the Japanese people and culture, I cannot suppress my murmuring, "Japan has a very long way yet to come to herself."

Given this background, the statements made on the panel are so unprecedented that I was petrified on the spot, as if I had been struck by lightning. On the other hand, I felt quite relieved that there is a Japanese institute that does not conceal, equivocate, or gloss over Japan's indebtedness to Korea, and that "calls a spade a spade."

To reiterate, the explanation that "the root of Japanese culture, in particular spiritual culture, was introduced directly from the Korean peninsula" epitomizes the uniquely broad-minded attitude taken by Tenri University Sankokan Museum; I don't believe that other institutions in Japan will be quick to follow this example.

The president of the lay believers' association of Tenrikyo states in the museum's Korean-language catalogue of Korean art works, published in 1987:

"At the time when we collected these art works, it was a time of suffering for the Korean people. We were also persecuted at that time by the Japanese imperialists because of our faith in 'one humanity.' We held our humanity in higher esteem than the Japanese emperor or the laws of the empire. In 1925, when the Korean people were suffering from Japanese occupation, we established a foreign-language school with a department of Korean language.

"Unfortunately, since Korea was at that time a Japanese colony, the Japanese imperial government argued that the Korean language was not a foreign language; they had to learn Japanese and give up speaking their own language. The second patriarch of Tenrikyo, Nakayama Shozen, challenged the opinion of the Japanese government and consequently became a target of their oppression.···Nakayama's philosophy of education, which embodies his spirit, is still vigorously alive, and the Korean Society (Chosen Gakkai) set up at the university is also very active.

"I believe that the art works included in this catalogue are treasures of Korea in our temporary custodianship, and will someday be returned to the Korean people.

"After publishing the Japanese-language edition of this catalogue in 1986, I wished to publish a Korean-language edition in order for the Korean people to have direct access to this collection."

The above quotation contains a sincere understanding and recognition of the Korean people's suffering at the hands of the Japanese imperialists. The phrase "I believe that the artworks will someday be returned to the Korean people" brings a lump to my throat. So great is the power of religion!

This museum preserves not only Korean artifacts but also those from China including Manchuria, Central Asia, and other regions of the world. The collection was begun with a religious motive "as a means of understanding people through the objects they have either fabricated or used." It was started by the second patriarch of Tenrikyo, Nakayama Shozen, who believed that the most effective way to put into practice Tenrikyo's teaching of brotherhood is to understand the objects that reveal the mind of the people who have fabricated or used them. He himself was a pioneer in collecting the daily utensils of common people, and he urged his missionaries to do the same.

After his return home in 1926 from a tour of Korea and Manchuria, he organized an exhibition of his collection, which attracted the interest of his coreligionists and other Japanese people; he also exhibited Chinese folkloric items in 1930 after returning from a collecting expedition in that country. Later he donated his entire collection to Tenri University; the collection was displayed in a room under the title "Reference Materials for Foreign Affairs." This collection was used in foreign-language studies and religious mission work.

As the collection increased in size and its name was changed to "Reference Collection of Foreign Affairs," it was moved to an independent building, the present Tenri University Sankokan Museum.

In 1924, Tenri University set up a "Korea House," a traditional commoner's house that was moved from Korea complete with its family, who freely associated and spoke with Japanese students. It was, so to speak, the first open-air museum related to Korea. The university had established from its early days a department of Korean language and had organized the Korean

Society, which continues to publish the annual *Journal of Korean Studies* to which not only Japanese but also many Korean scholars have contributed their articles on Korean studies. The University Central Library has also many outstanding Korean art works including An Kyŏn's *Dream Journey to the Peach Blossom Paradise*.

Kim Talsu, a Korean historian who resided in Japan, has the following to say about Nakayama Shozen and the Tenri University Sankokan Museum:

"It was more than 20 years ago that I first visited this museum when I was participating in a meeting of the Korean Society. Since then, whenever I have had a chance to take part in the society's meeting, I have never failed to visit the museum. It was during these visits that I had met once or twice the second patriarch of Tenrikyo, Nakayama Shozen.

"He was such an open-hearted man that I knew he was capable of managing and expanding such a museum. The reason why I and many other Koreans visited the museum was that it had exhibition areas specifically for Asian countries and for Korea, again thanks to the second patriarch Nakayama.

"According to the brochure on the second patriarch's memorial hall, Nakayama made 19 foreign tours, 7 of them to the Korean peninsula and China. Perhaps he had a special interest in the Korean peninsula."

The museum's collection as of the end of March 1995 is as follows:

Region	No. of Items	Region	No. of Items
Korea	1,094	Central Asia	1,481
China	6,446	North Asia	119
Taiwan	1,757	West Asia	587
Southeast Asia	3,142	Africa	2,163
Melanesia	1,506	South America	2,166
Micronesia	108	Central America	875
Polynesia	379	North America	556
Australia	80	Europe	682
South Asia	1,464	Total	25,078

The museum also contains many natural products, coins, and items used in missionary work. There are abundant archaeological objects: 6,000 from Japan, 800 from the Korean peninsula, 300 from Southeast Asia, 3,000 from China, 3,700 from the Orient, and 1,200 from other countries.

Even though the museum is called a "reference hall," its enormous collection and wide-ranging display areas combine to make this museum significant indeed.

The collection is classified into three categories: folklore, archaeology, and transportation culture; these are exhibited according to regions and chronology. Rooms 1 through 8 and 15 exhibit folklore materials, rooms 9 through 14 and the corridors of the second building exhibit archaeological objects, and the hall on the third floor of the third building displays transportation-related items.

The items exhibited in each of the 15 rooms are:

Room 1. Northeast Asia and the Korean peninsula
About 170 items that highlight various features of traditional Korean culture are displayed such as folk tools and furnishings, masks, musical instruments, figures of tutelary deities, large

and small earthenware jars, costumes, utensils, tableware, paintings of deities, writing materials and writing tables, furniture, handicrafts, and wooden wedding geese.

Room 2. China (the Han race)

Room 3. Taiwan (indigenous people)

Room 4. Chinese signboards

Room 5. Taiwanese boats

Room 6. Southeast Asia

Room 7. America and West Asia

Room 8. Oceania

Room 9. China (prehistoric and Yin, Zhou Dynasties periods)

Room 10. China (Han and the Six Dynasties periods)

Room 11. China (Sui and T'ang Dynasties periods)

Room 12. Japan

Room 13. The Korean peninsula

This room primarily exhibits burial objects from the prehistoric to the Koryŏ periods, including comb-pattern pottery and stone axes from Saha-myŏn, Kyŏngsangnam-do; bronze mirrors, iron daggers, lacquerware, tortoiseshell combs, copper steamers, gilt-bronze ornaments, and jars believed to be from the ancient tomb of Lolang near P'yŏngyang; gilt-bronze caps from the Lolang period; miscellaneous gold earrings, silver belts, harnesses, axes, and pottery; and a very rare pottery jar with three ears of the Paekche period.

Other items include a pottery flute and a bowl with lid with a stamped floral design of the Unified Silla period; and bronze cosmetic and hair-dressing implements of the Koryŏ period excavated from the Kaesŏng area.

Room 14. The Orient

Room 15. Japan (the Ainu tribe)

The museum is still actively collecting cultural relics from all over the world. For example, one of the museum's curators made a nine-day collecting tour to Pusan and Kyŏngju from November 14 to 22, 1994. On this trip, he collected folklore items such as laundry poles, *yut* sticks (for a traditional game utilizing four sticks), tops, a drum, glass beads used for games, jackstones, a seesaw board, playing cards, pachinko balls, and masks; and transportation materials such as train tickets from Pusan Station, subway tickets from Pusan, cable car tickets from Kumjŏngsan in Pusan, train tickets from Kyŏngju Station, bus tickets from Pusan Express Bus Station, an express bus timetable, and a tourist brochure.

Besides collecting such trivia, the curator visited many museums, research institutes, and historical and archaeological sites in the area, and presented his findings at the Tenri Museum's 25th and 26th monthly research meetings.

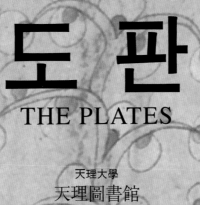

도 판
THE PLATES

天理大學
天理圖書館
天理參考館

Tenri University Central Library
Tenri University Sankokan Museum

| 天理大學 天理圖書館 夢遊桃源圖 | 天理大學 天理圖書館 肖像畫 |

■ 도판목차

天理大學
天理參考館

天理大學

天理圖書館
Tenri University Central Library

夢遊桃源圖

1. 몽유도원도의 표제 및 시문(夢遊桃源圖 表題 及 詩文) 안평대군(安平大君)
   조선, 1447년. 비단에 먹자 · 주자(朱字).
   Title and poem of *Dream Journey to the Peach Blossom Paradise*.
   By Prince Anp'yŏng(1418~1453).
   Chosŏn Dynasty, Dated 1447. Ink on silk.

2. 몽유도원도(夢遊桃源圖)　안견(安堅)
조선, 1447년. 비단채색. 38.6×106.2cm.
일본 주요문화재.
Dream Journey to the Peach Blossom Paradise. By An Kyŏn.
Chosŏn Dynasty, Dated 1447. Color on silk.
Important cultural property of Japan.

3. 몽유도원도(夢遊桃源圖)의 부분
Detail of the painting in plate No. 2.

4. 몽유도원도(夢遊桃源圖)의 부분
Detail of the painting in plate No. 2.

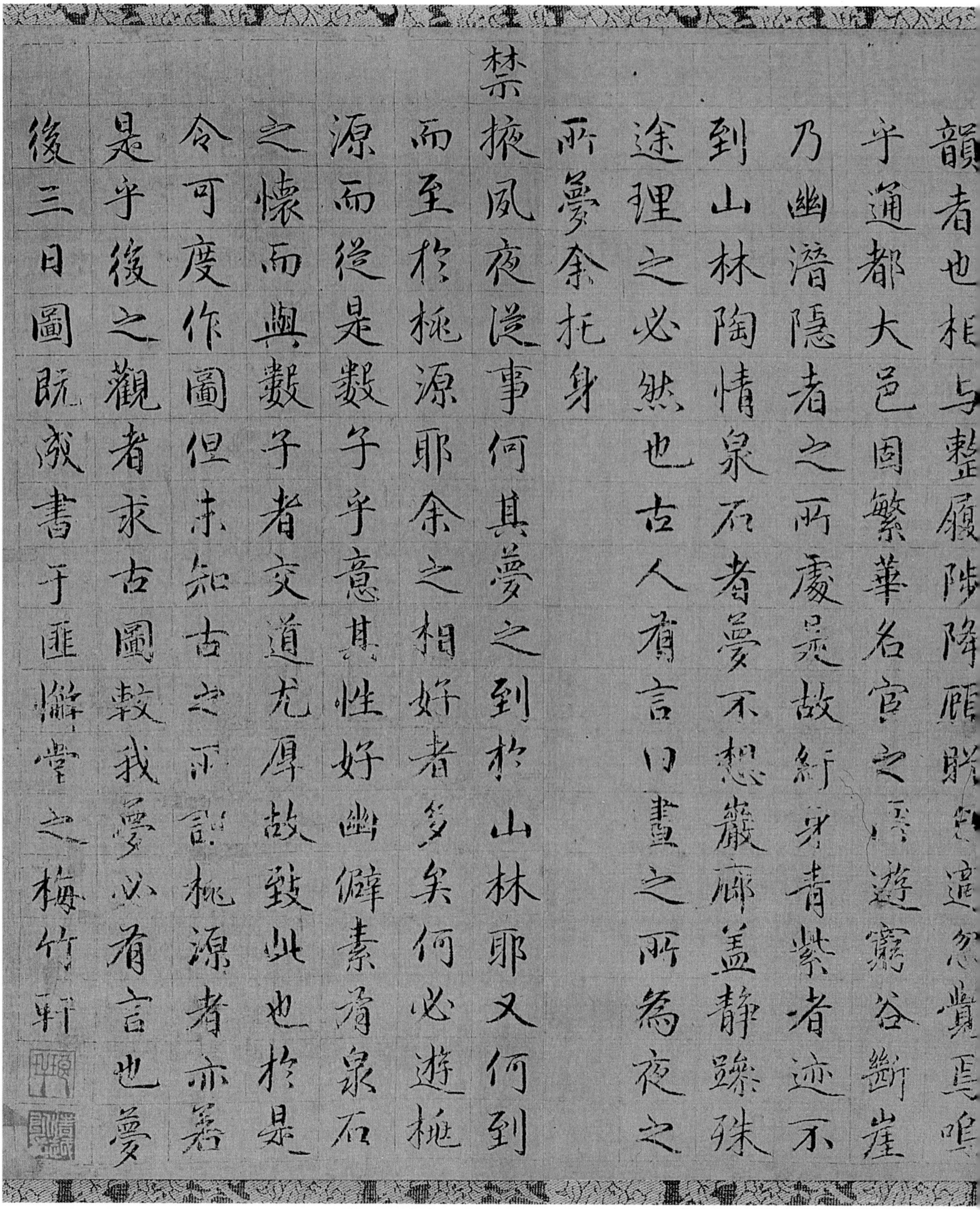

韻者也相与整履階降顧盼逸然賞焉唱

守通都大邑固繁華名官之□遊窮谷斷崖

乃幽潛隱者之□處是故新芽青紫者迹不

到山林陶情泉石者夢不想巖廊盖静躁殊

途理之必然也古人有言曰畫之所為夜之

所夢余托身

禁掖風夜從事何其夢之到於山林耶又何到

而至於桃源耶余之相好者多矣何必遊桃

源而從是數子者乎意其性好幽僻素有泉石

之懷而與數子者交道尤厚故致此也於是

令可度作圖但未知古之平訓桃源者亦若

是乎後之觀者求古圖較我夢必有言也夢

後三日圖既成書于匪懈堂之梅竹軒

5. 발문(跋文) 안평대군(安平大君)
　　조선, 1447년. 비단묵서. 38.6×70.5cm.
　　Explication. By Prince Anp'yŏng(1418~1453).
　　Chosŏn Dynasty, Dated 1447. Ink on silk.

歲丁卯四月二十日夜余方就枕精神蓬棚
睡之熟也夢亦至焉忽與仁叟至一山下層
巖深壑嵘崒霧宵有桃花數十株微徑抵林
表而分歧細徨竚立莫適所之遇一人山冠
野服長揖而謂余曰從此徑以北入谷則桃
源也余與仁叟策馬尋之崖磴卓犖林薈薈
巑溪回路轉蓋百折而欲迷入其谷則洞中
曠谺可二三里四山壁立雲霧掩霭遠近桃
林照暎蒸霞又有竹林荸宇槃局半閒土砌
巳沈無鷄犬牛馬前川唯有扁舟隨浪游移
情境蕭條若仙府然於是蜘躕瞻眺者久之
謂仁叟曰架巖鑿谷開家室豈不是歟實桃
原同也宛有數人住多乃貞父乞肖等司吳

6. 몽유원서(夢遊源序)　박팽년(朴彭年)
조선, 1447년. 종이묵서. 38.6×85.7cm.
Preface to *Dream Journey*.
By Pak P'aeng-nyŏn(1417~1456).
Chosŏn Dynasty, Dated 1447. Ink on paper.

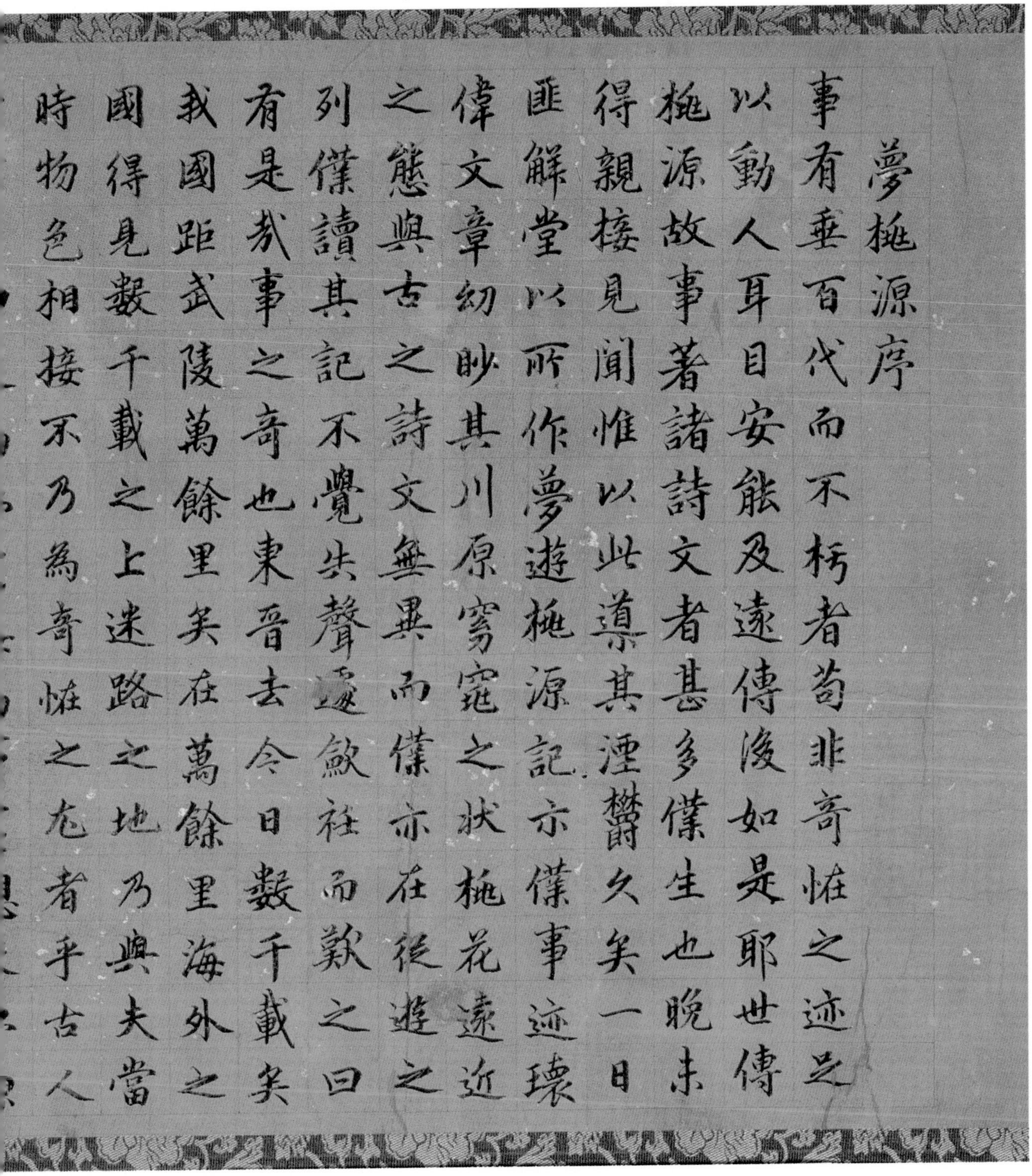

夢桃源序

事有垂百代而不朽者苟非奇恠之迹之

以動人耳目安能及遠傳後如是耶世傳

桃源故事著諸詩文者甚多儻生也晚未

得親接見聞惟以此導其湮鬱久矣一日

匪解堂以所作夢遊桃源記亦儻事迹璟

偉文章幼眇其川原窈寵之状桃花遠近

之態與古之詩文無異而儻亦在従遊之

列儻讀其記不覺夫聲邊歔社而歎之曰

有是我事之奇也東晉去今日數千載矣

我國距武陵萬餘里矣在萬餘里海外之

國得見數千載之上迷路之地乃與夫當

時物色相接不乃為奇恠之尤者乎古人

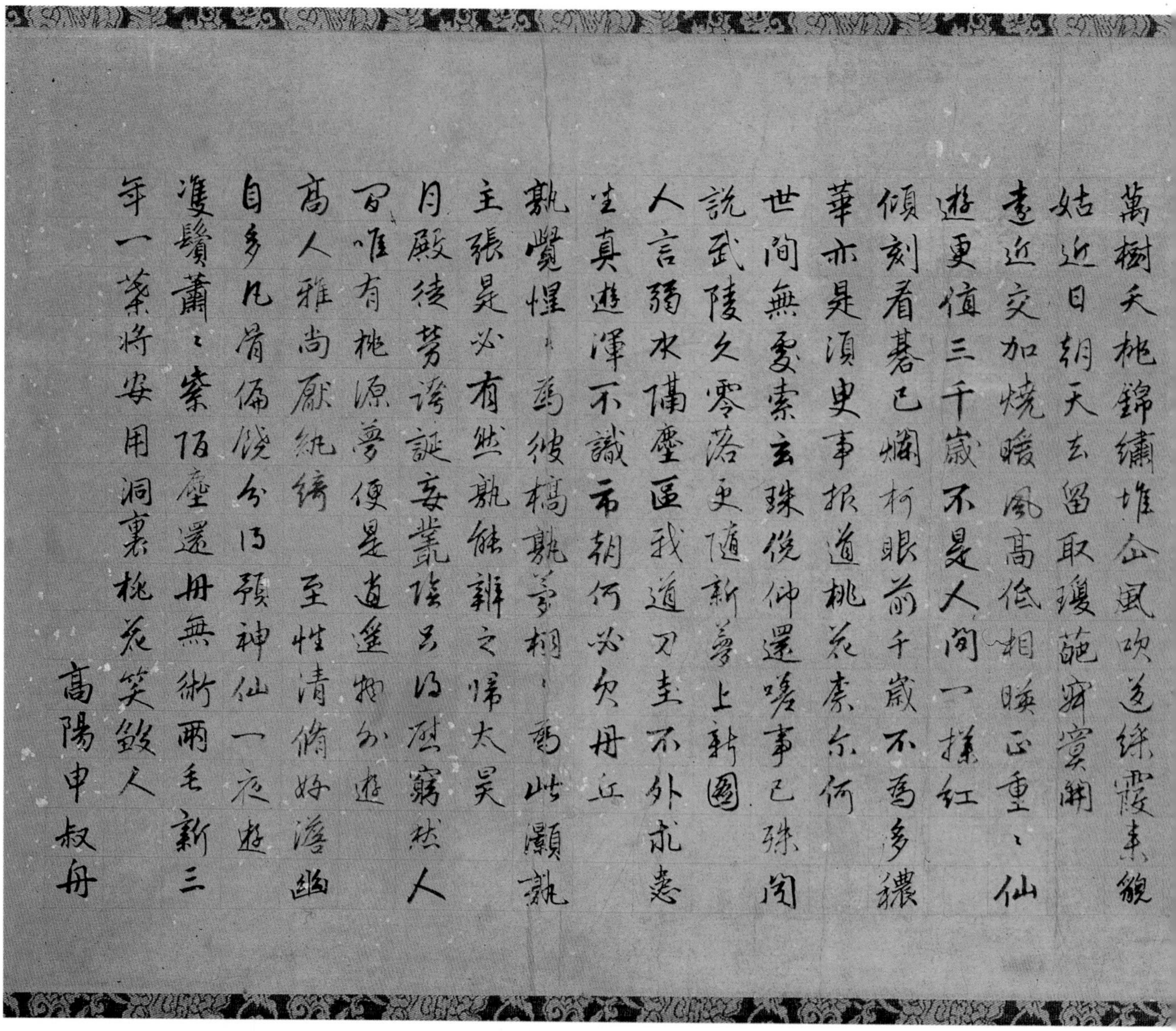

萬樹夭桃錦繡堆公風吹送綠霞素貌
姑近日朝天玄留取瓊葩寶宴開
意近交加燒暖風高低相暎正重〻仙
遊更值三千歲不是人間一樣紅
傾刻看著碁已爛柯眼前千歲不爲多穠
華亦是須臾事振道桃花素杰何
世間無憂素玄珠俊仲還嗟事已殊閑
說武陵水零落史隨新夢上新圖
人言弱水備塵匣我道刃圭不外求意
生真遊渾不識而朝何必欠毋正
戭覽惺〻寫彼橋戭夢棲〻寫此顯戭
主張是必有然戭能辨之啼太吳
月殿徒芳誕妾妄業瑤只乃歷窮狀人
可唯有桃源夢便是造物的遊
高人雅尚厭紈綺至性清俏好濤幽
自多凡骨儷今乃預神仙一夜遊
復鬚蕭〻萦佰塵還冊無術兩毛新三
年一葉將安用洞裏桃花笑殺人

高陽申叔舟

7. 시문(詩文)　신숙주(申叔舟)
　조선, 1447년. 종이묵서. 38.6×108.6cm.
　Poem. By Sin Suk-chu(1417~1475).
　Chosŏn Dynasty, Dated 1447. Ink on paper.

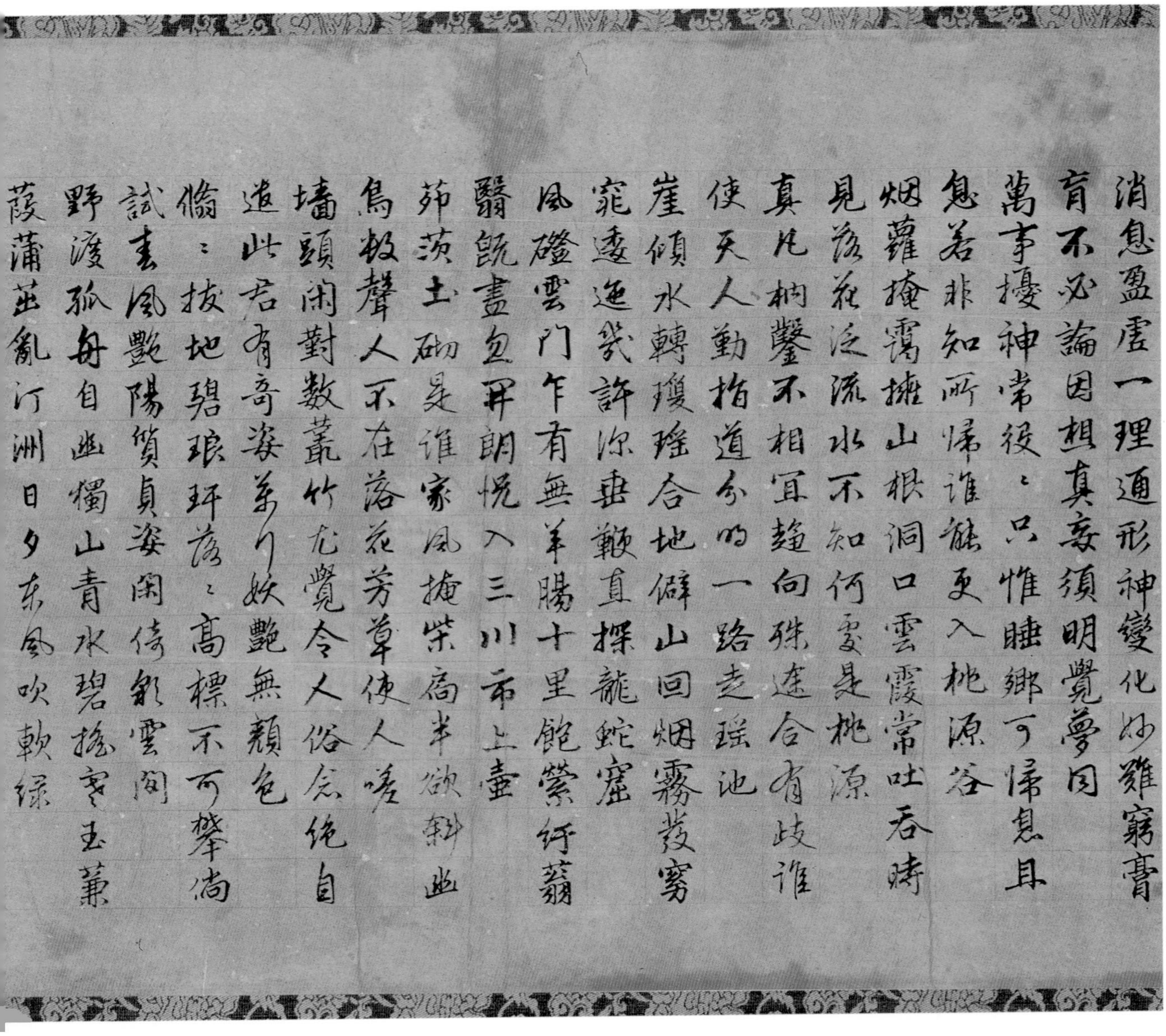

消息盈虚一理通形神變化妙難窮膏
育不必論因想真妄須明覺夢因
萬事擾神常役役只惟睡鄉可歸息且
息若非知所歸誰能更入桃源谷
見後花泛流水不知何處是桃源
烟蘿掩霭擁山根洞口雲霞常吐吞時
真凡相鑒不相宜趨向殊途合有歧誰
使天人勤指道分明一路走瑶池
崖傾水轉瓊合地僻山回烟霧藏窈
寵遠逕送發許你盡鞭直探龍蛇窟
風磴雲門午有無羊腸十里飽縈纡藹
翳既盡魚耳朗悅入三川市上壺
莿蕷土砌是誰家風掩紫高半欲斜幽
鳥牧聲人不在落花芳草使人嗟
墙頭閑對數叢竹尤覽令人俗念絕自
進此君有奇姿高標不可攀尚
倚:拔地碧琅玕葉:妖艶無顏色
試畫東風質貞姿閑倚郁雲閣
野渡孤舟自幽獨山青水碧掩寒玉蕭
葭蒲茁亂汀洲日夕東風吹軟綠

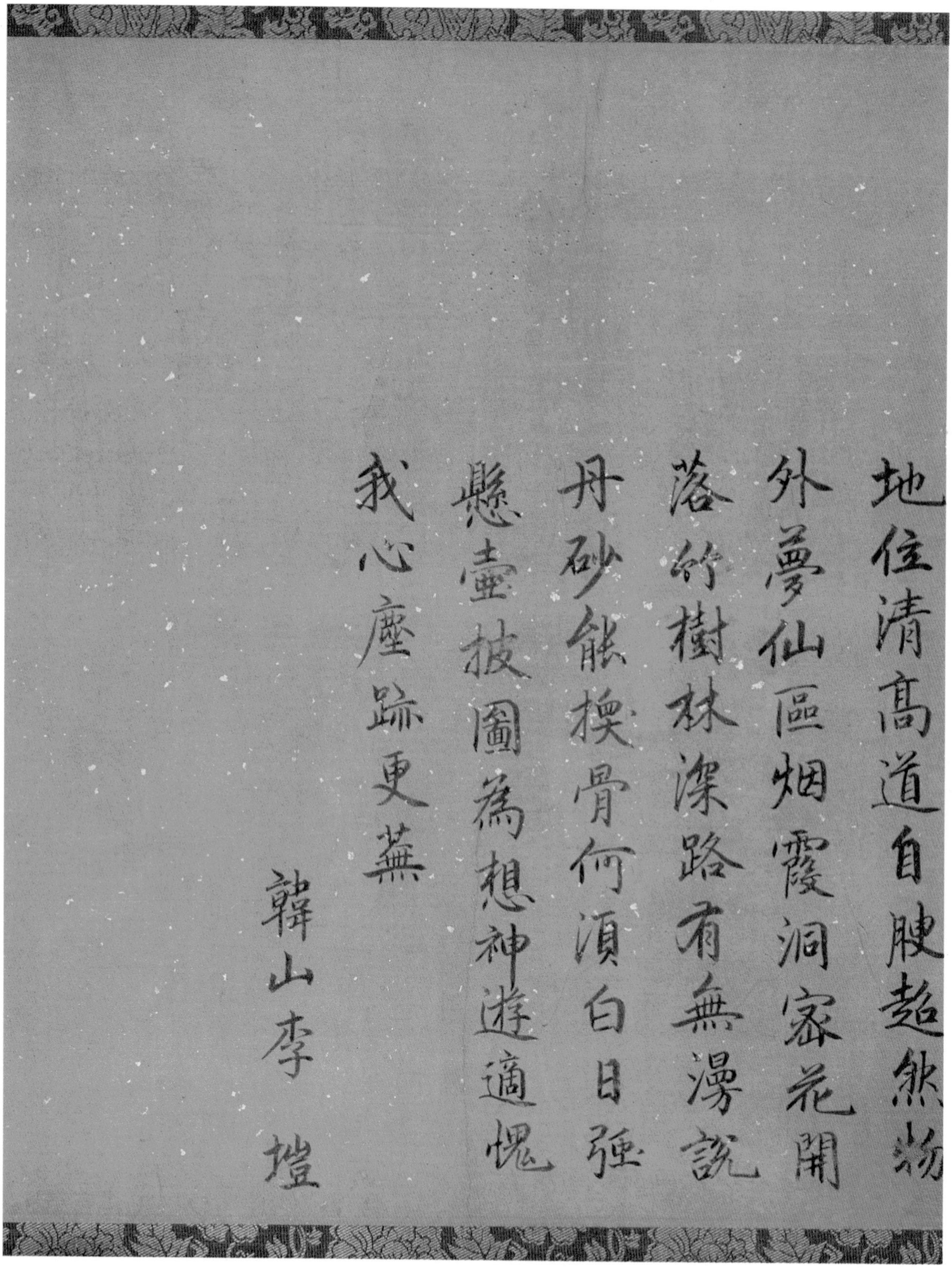

地位清高道自腴超然物
外夢仙區烟霞洞家花開
落竹樹林深路有無湯說
丹砂能換骨何須白日强
懸臺披圖爲想神遊適愧
我心塵跡更蕪

韓山李塏

8. 시문(詩文)　이개(李塏)
　조선, 1447년. 종이묵서. 38.6×30.3cm.
　Poem. By Yi Kae(1417~1456).
　Chosŏn Dynasty, Dated 1447. Ink on paper.

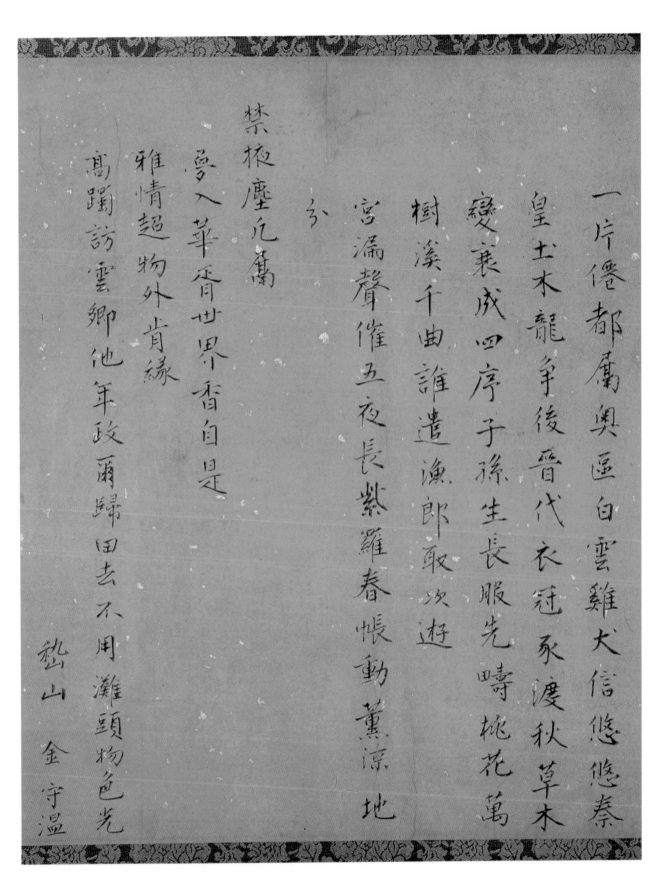

一片僊都屬奧區白雲雞犬信悠悠秦

皇土木龍爭後晉代衣冠象渡秋草木

變桑成四序子孫生長服先疇桃花萬

樹溪千曲誰遣漁郎取次遊

宮漏聲催五夜長紫羅春帳動薰涼地

分

禁掖塵凡萬

夢入華胥世界香自是

雅情超物外肯緣

高躅訪雲鄉他年政爾歸田去不用灘頭物色光

乭山 金守溫

9. 시문(詩文)　김수온(金守溫)
　　조선, 1447년. 종이묵서. 38.6×41.9cm.
　　Poem. By Kim Su-on(1409~1481).
　　Chosŏn Dynasty. Dated 1447. Ink on paper.

10. 시문(詩文) 하연(河演)
조선, 1447년. 종이묵서. 38.6×90.3cm.
Poem. By Ha Yŏn(1376~1453).
Chosŏn Dynasty, Dated 1447. Ink on paper.

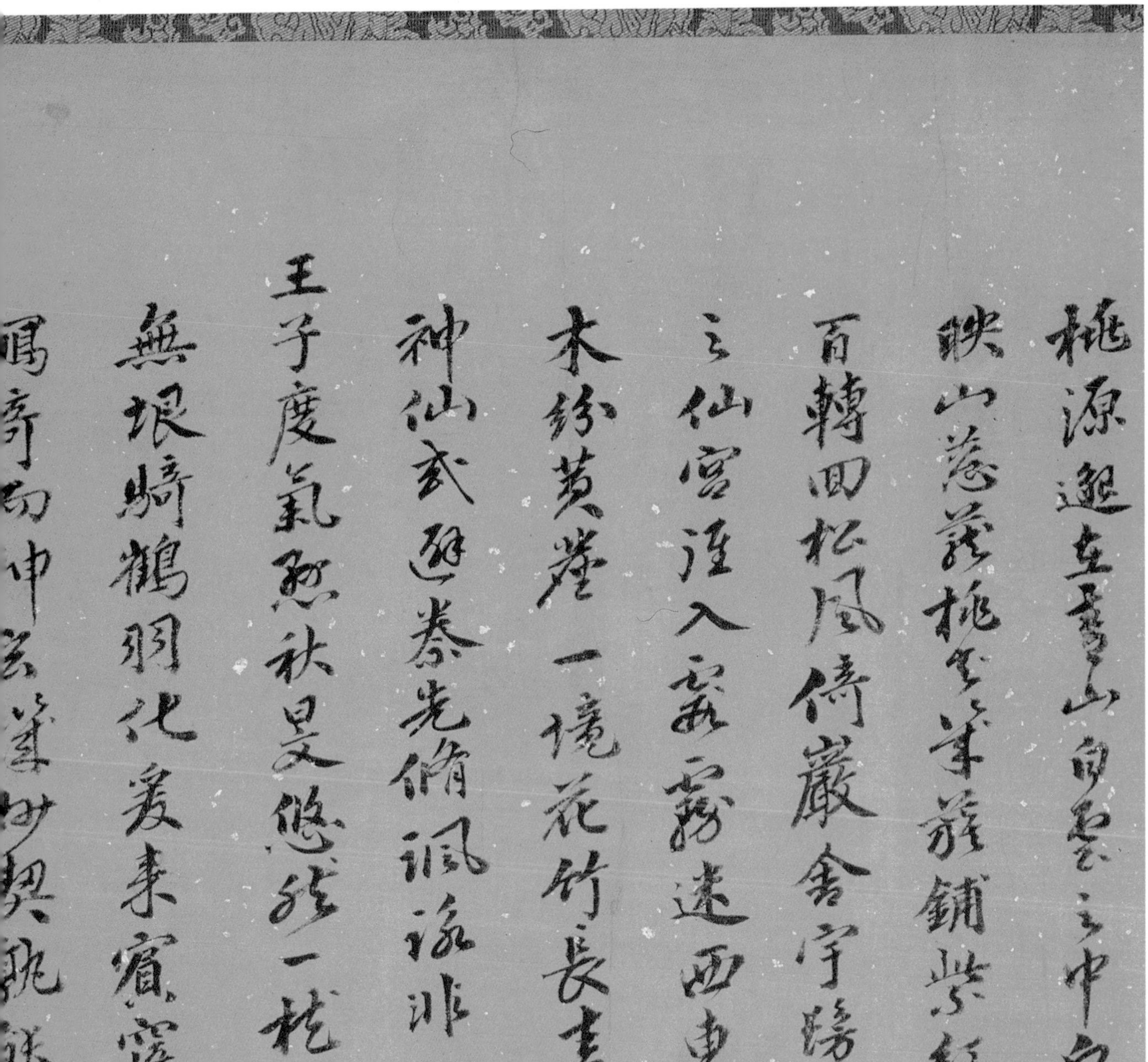

桃源迢迢青草山自雲多心中白雲堆

映山慈芘桃雲筆蔟鋪紫紅清溪

百轉四松風倚巖舍宇隔玉洞

三仙宮洋入雲霧迷西東九州平

木紛黃蓋一境花竹長青春蒼云

神仙武邏奉先脩諷詠非一人

王子度氣烈秋旻悠然一枝帆兀

無垠崎鵝羽化美來賓窈窕羅模

屬齊而申洪筆妙契靚張中盡

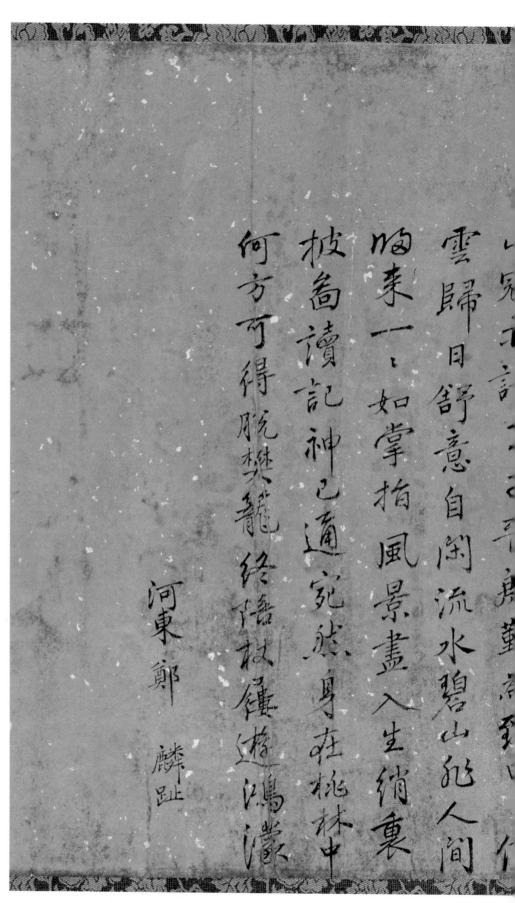

雲歸日暮意自閒 流水碧山非人間
嚮來一一如掌指 風景盡入生綃裏
披圖讀記神已遊 宛然身在桃林中
何方可得脫樊籠 絡隱杖藜遊鴻濛

河東鄭　麟趾

11. 시문(詩文)　정인지(鄭麟趾)
조선, 1447년. 종이묵서. 38.6×47.8cm.
Poem. By Chŏng In-ji(1396~1478).
Chosŏn Dynasty, Dated 1447. Ink on paper.

曾聞海中有蓬瀛洪濤縹緲空嬰情
又聞上界有真仙飛昇無術難攀緣
嗟我爾爾在塵囂種種兩鬢今蒼蒼
緬憶桃源詰其深漁郎一辭寧復尋
昌黎達者不釋疑據俗士詮哉
高軒妙得存壹氣無為無滑保良貴
不待飡霞飲沆瀣遠超氛埃陋迫隘
竃匙瞿明入同門修邃萬封桃花村

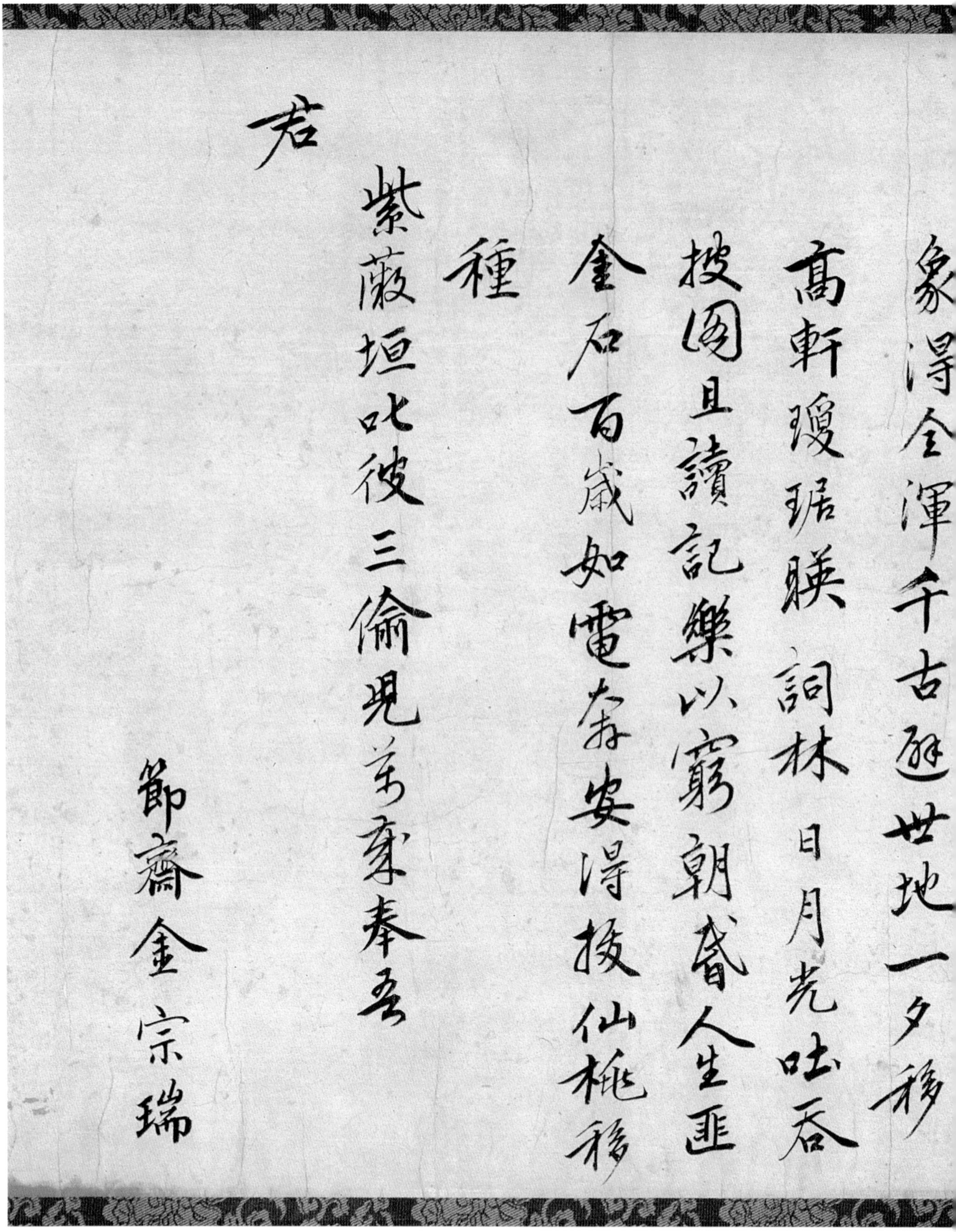

象得全渾千古逈世地一夕移
高軒瓊琚膌　詞林日月光吐呑
搜圃且讀記樂以窮朝香人生逛
金石百歲如電奔安得挼仙桃移
種
紫薇垣吡彼三倫晃萬秉奉玄
君
節齋金宗瑞

12. 시문(詩文)　김종서(金宗瑞)
　　조선, 1447년. 종이묵서. 38.6×68.8cm.
　　Poem. By Kim Chong-sŏ(1390~1453).
　　Chosŏn Dynasty, Dated 1447. Ink on paper.

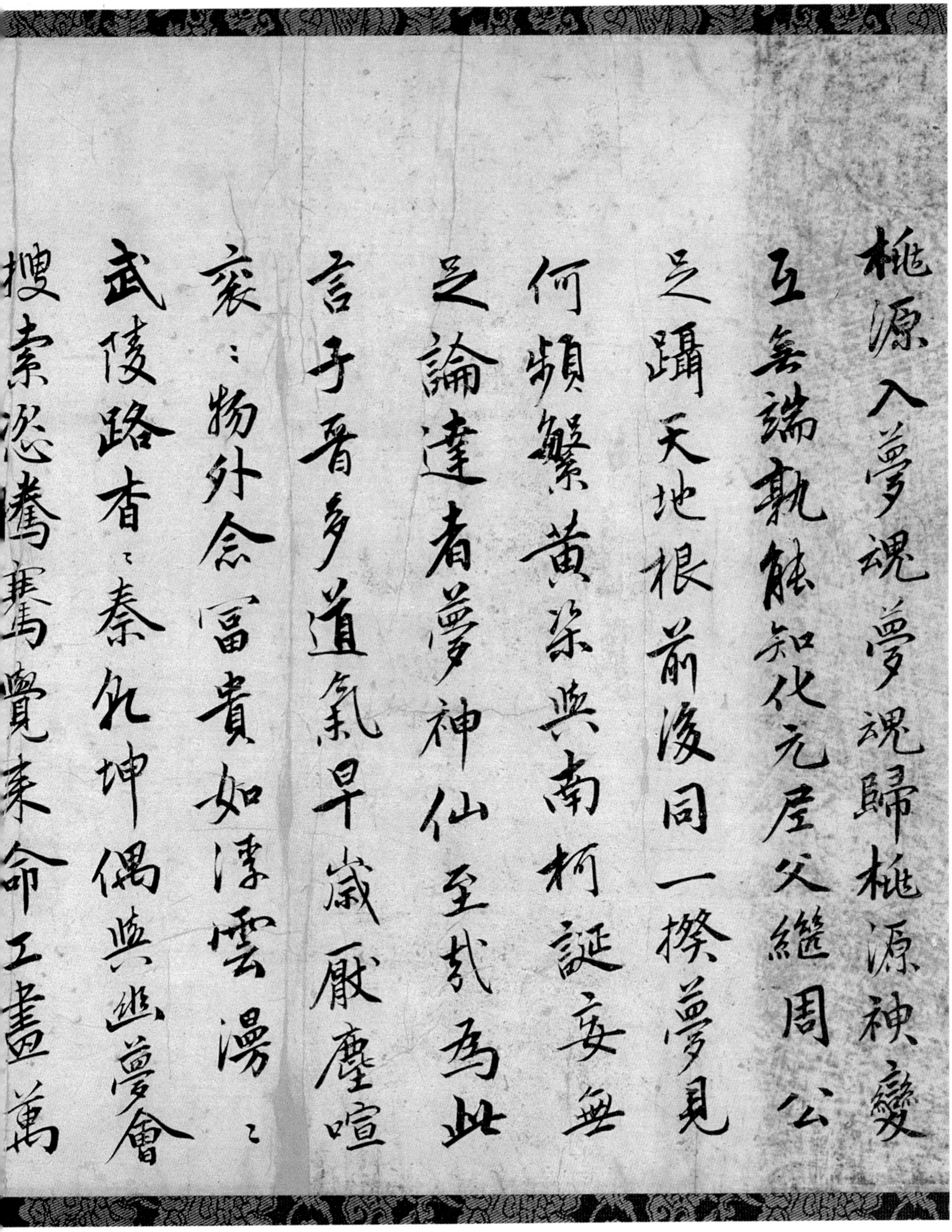

桃源入夢魂夢魂歸桃源神變

五無端執體知化元屋父繼周公

之蹄天地根前後同一撩夢見

何頻鱉黃染與南柯誕妄無

之論達者夢神仙至我為此

言子晉多道氣早歲厭塵喧

裘裘物外念富貴如浮雲湯湯

武陵路者秦氏坤偶與幽夢會

搜索恣騰騫覺來命工畫萬

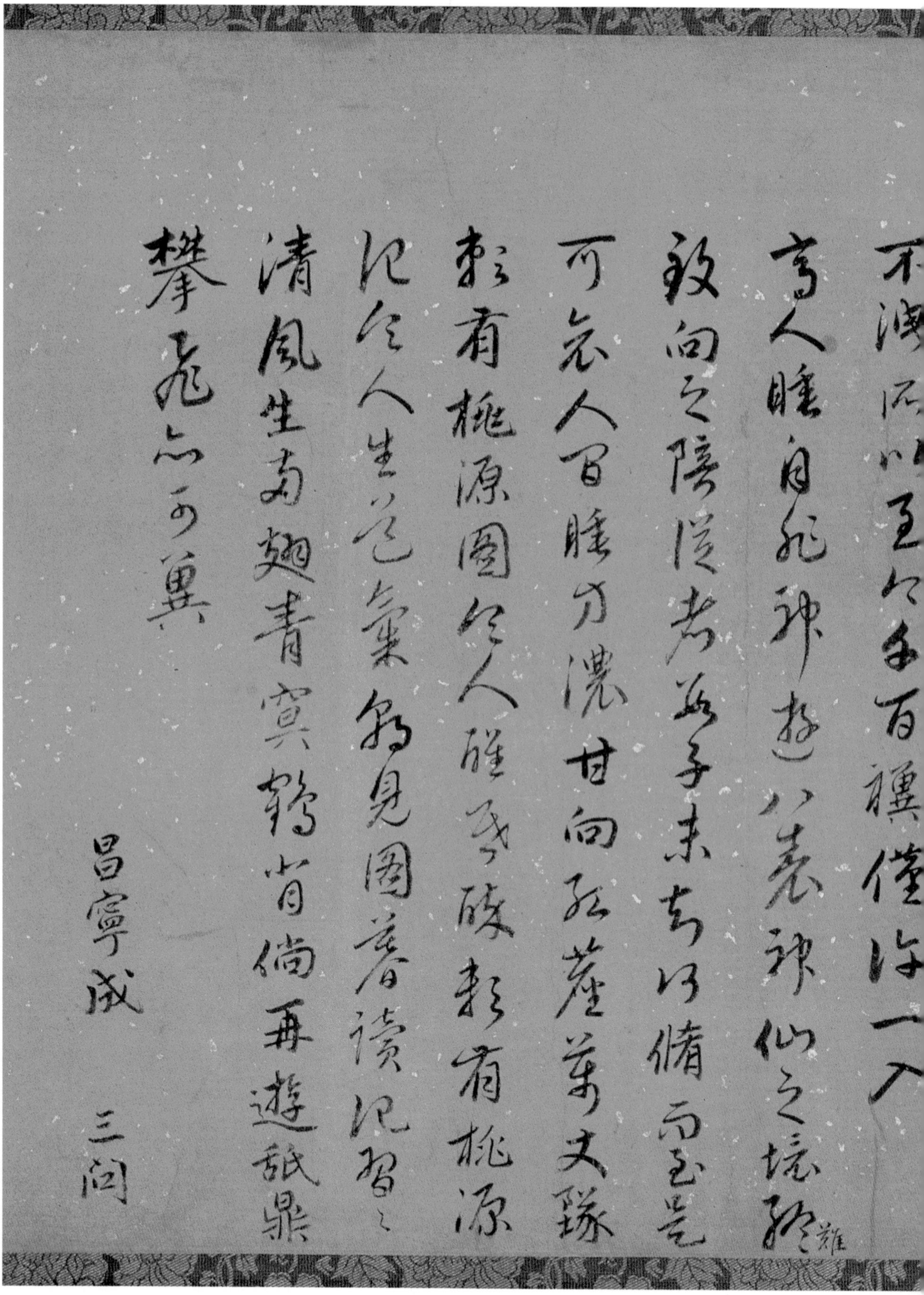

攀危石而可冀

清風生高趣青冥鶴唳偏再遊舐鼎

况吾人生此意氣動見圖善讀况習之

抑有桃源圖令人醒覺彭影有桃源

可无人百睡力濃甘向孤蓬莫文隊

敦向之隱侶考致予未去口惰而忌

高人睡自龍神遊入蓑琳仙之境㙮

不渠同以至几千百撰僅許一入

昌寧成　三問

13. 시문(詩文)　성삼문(成三問)
　　조선, 1447년. 종이묵서. 38.6×60.9cm.
　　Poem. By Sŏng Sam-mun(1418~1456).
　　Chosŏn Dynasty, Dated 1447. Ink on paper.

相見桃源圖善讀桃源詩如信乎

古有桃源神仙之說殆誕偽莫若桃

源不神仙之可望世一片桃源地因

吾晉人远去之想亦夢之而已矣不

然千搜之至索未必遂須不改至今

懍千古人誓桃乃望之与仙枉辱仙

境為人久溪舟一覺後夢乃高考世

一三座舍之暑坐人（善清净十分秘

天理大學

天理圖書館
Tenri University Central Library

肖像畫帖

제 1 권

전 23점

精神所注皓髮颯爽
起自滄波元老之像

領相金致仁

1. 김치인초상(金致仁肖像)
　　조선. 19세기. 비단채색. 56.1×41.2cm.
　　Portrait of Kim Ch'i-in(1716～1790). Anonymous.
　　Chosŏn Dynasty, 19th century. Color on silk.

領相洪樂性

相以心心如像不蕡
旡助者像耶

2. 홍낙성초상(洪樂性肖像)
　조선, 19세기. 비단채색. 56.1×41.2cm.
　Portrait of Hong Nak-sŏng(1718～1798). Anonymous.
　Chosŏn Dynasty, 19th century. Color on silk.

其言期～其容頎～
其量坦～其心欵～

左相李溵

3. 이은초상(李溵肖像)
조선, 19세기. 비단채색. 56.1×41.2cm.
Portrait of Yi Ŭn(1722~1781). Anonymous.
Chosŏn Dynasty, 19th century. Color on silk.

危處做安＜憂思危
試元相瑞翼＜之儀

4. 정존겸초상(鄭存謙肖像)
　조선, 19세기. 비단채색. 56.1×41.2cm.
　Portrait of Chŏng Chon-gyŏm(1722～1794). Anonymous.
　Chosŏn Dynasty, 19th century. Color on silk.

其如則子戴巾帛
正文彷一部春秋
砥柱屹然看時峙
号攙樹之惇儵

領議政桐原徐公五十七歳真

命善

5. 서명선초상(徐命善肖像)
　조선, 19세기. 비단채색. 56.1×41.2cm.
　Portrait of Sŏ Myŏng-sŏn(1728～1791). Anonymous.
　Chosŏn Dynasty, 19th century. Color on silk.

事業都歸方寸
精神寺在阿睹
只言此公且直矣
宣云朗於分歗

右相鄭弘淳

6. 정홍순초상(鄭弘淳肖像)
　조선, 19세기. 비단채색. 56.1×41.2cm.
Portrait of Chŏng Hong-sun(1720~1784). Anonymous.
Chosŏn Dynasty, 19th century. Color on silk.

右相文衡李徽之

濯濯芳耿然介〻
是文〻團公之佳子
嫩然

7. 이휘지초상(李徽之肖像)
조선, 19세기. 비단채색. 56.1×41.2cm.
Portrait of Yi Hwi-ji(1715~1785). Anonymous.
Chosŏn Dynasty, 19th century. Color on silk.

左相文衡李福源

不求赫赫譽內蘊外
盡世而稱儒相

8. 이복원초상(李福源肖像)
　　조선, 19세기. 비단채색. 56.1×41.2cm.
　　Portrait of Yi Pok-wŏn(1719～1792). Anonymous.
　　Chosŏn Dynasty, 19th century. Color on silk.

9. 조경초상(趙璥肖像)
　　조선, 19세기. 비단채색. 56.1×41.2cm.
　　Portrait of Cho Kyŏng(1727~1787). Anonymous.
　　Chosŏn Dynasty, 19th century. Color on silk.

領相李在協

小事糊塗大事
不糊塗一寸之
心豈儀是圖

10. 이재협초상(李在協肖像)
　조선. 19세기. 비단채색. 56.1×41.2cm.
　Portrait of Yi Chae-hyŏp(1731∼1790). Anonymous.
　Chosŏn Dynasty, 19th century. Color on silk.

11. 유언호초상(俞彦鎬肖像)
조선, 19세기, 비단채색, 56.1×41.2cm.
Portrait of Yu Ŏn-ho(1730∼1796). Anonymous.
Chosŏn Dynasty, 19th century. Color on silk.

左相李性源

12. 이성원초상(李性源肖像)
조선, 19세기. 비단채색. 56.1×41.2cm.
Portrait of Yi Sŏng-wŏn(1725~1790). Anonymous.
Chosŏn Dynasty, 19th century. Color on silk.

領相蔡濟恭

上

13. 채제공초상(蔡濟恭肖像)
조선, 19세기. 비단채색. 56.1×41.2cm.
Portrait of Ch'ae Che-gong(1720~1799). Anonymous.
Chosŏn Dynasty, 19th century. Color on silk.

左相文衡金鍾秀

立慬獨任大義在野
不愛緇塵是所謂跡
突兀心空藪庶人耶

14. 김종수초상(金鍾秀肖像)
조선, 19세기. 비단채색. 56.1×41.2cm.
Portrait of Kim Chong-su(1728～1799). Anonymous.
Chosŏn Dynasty, 19th century. Color on silk.

左相金履素

15. 김이소초상(金履素肖像)
　　조선. 19세기. 비단채색. 56.1×41.2cm.
　　Portrait of Kim I-so(1735~1798). Anonymous.
　　Chosŏn Dynasty, 19th century. Color on silk.

領相李秉模

16. 이병모초상(李秉模肖像)
조선, 19세기. 비단채색. 56.1×41.2cm.
Portrait of Yi Pyŏng-mo(1742〜1806). Anonymous.
Chosŏn Dynasty, 19th century. Color on silk.

右相 尹蓍東

17. 윤시동초상(尹蓍東肖像)
　　조선, 19세기, 비단채색, 56.1×41.2cm.
　　Portrait of Yun Si-dong(1729~1797). Anonymous.
　　Chosŏn Dynasty, 19th century. Color on silk.

領相沈煥之

18. 심환지초상(沈煥之肖像)
　　조선, 19세기. 비단채색. 56.1×41.2cm.
　　Portrait of Sim Hwan-ji(1730~1802). Anonymous.
　　Chosŏn Dynasty, 19th century. Color on silk.

稽古之功其書滿箱
龍泓菩薩且荼寒雪

大冢宰三館大學士內閣學士徐晚榮徐公六十六歲眞
命膺

19. 서명응초상(徐命膺肖像)
조선, 19세기. 비단채색. 56.1×41.2cm.
Portrait of Sŏ Myŏng-ŭng(1716~1787). Anonymous.
Chosŏn Dynasty, 19th century. Color on silk.

不可及表其愚
改歸曰王不及
高何乎

判樞文衡吳載純

20. 오재순초상(吳載純肖像)
조선, 19세기. 비단채색. 56.1×41.2cm.
Portrait of O Chae-sun(1727～1792). Anonymous.
Chosŏn Dynasty, 19th century. Color on silk.

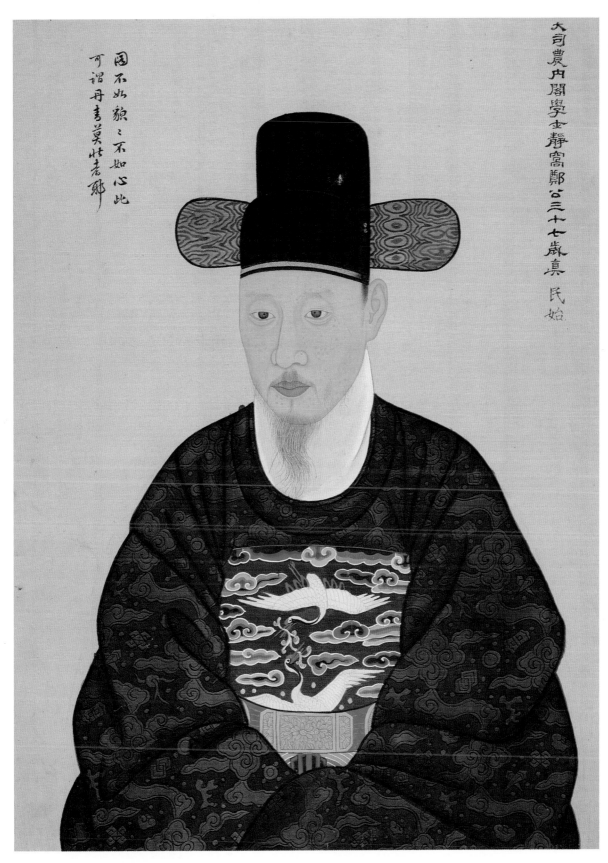

大司農內閣學士靜窩鄭公三十七歲眞 民始

固不如貌之不如心此
可謂丹青莫此者耶

21. 정민시초상(鄭民始肖像)
　　조선, 19세기. 비단채색. 56.1×41.2cm.
　　Portrait of Chŏng Min-si(1745～1800). Anonymous.
　　Chosŏn Dynasty, 19th century. Color on silk.

判書徐有隣

22. 서유린초상(徐有隣肖像)
조선, 19세기. 비단채색. 56.1×41.2cm.
Portrait of Sǒ Yu-rin(1738~1802). Anonymous.
Chosǒn Dynasty, 19th century. Color on silk.

海上之流耶山
中之宰邪安
滂十年之滅雷
眥中之磊塊耶

判框趙暾

23. 조돈초상(趙暾肖像)
　　조선, 19세기. 비단채색. 56.1×41.2cm.
　　Portrait of Cho Ton(1308～1380). Anonymous.
　　Chosŏn Dynasty, 19th century. Color on silk.

제 2 권

전 60점

李益齋 齋賢

1. 이제현초상(李齊賢肖像)
　조선, 19세기, 종이채색, 51.2×39.5cm.
　Portrait of Yi Che-hyŏn(1287～1367). Anonymous.
　Chosŏn Dynasty, 19th century. Color on paper.

崔孤雲

2. 최치원초상(崔致遠肖像)
조선. 19세기. 종이채색. 51.2×39.5cm.
Portrait of Ch'oe Ch'i-wŏn(857～ ?). Anonymous.
Chosŏn Dynasty, 19th century. Color on paper.

平章事崔惟善

3. 최유선초상（崔惟善肖像）
　조선, 19세기. 종이채색. 51.2×39.5cm.
　Portrait of Ch'oe Yu-sŏn(? ～1075). Anonymous.
　Chosŏn Dynasty, 19th century. Color on paper.

遠東伯金應河

4. 김응하초상(金應河肖像)
　　조선, 19세기. 종이채색. 51.2×39.5cm.
　　Portrait of Kim Ŭng-ha(1580~1619). Anonymous.
　　Chosŏn Dynasty, 19th century. Color on paper.

安晦軒裕亨 順興人官 謐文成

5. 안향초상(安珦肖像)
　조선. 19세기. 비단채색. 51.2×39.5cm.
　Portrait of An Hyang(1243〜1306). Anonymous.
　Chosŏn Dynasty, 19th century. Color on silk.

鄭圃隱夢周字達可丁丑生延日人官高麗侍中諡文忠壽五十六

6. 정몽주초상(鄭夢周肖像)
   조선. 19세기. 비단채색. 51.2×39.5cm.
   Portrait of Chŏng Mong-ju(1337~1392). Anonymous.
   Chosŏn Dynasty, 19th century. Color on silk.

周慎齋世鵬字景游恭原人官戶秦

7. 주세붕초상(周世鵬肖像)
　조선, 19세기. 비단채색. 51.2×39.5cm.
　Portrait of Chu Se-bung(1495～1554). Anonymous.
　Chosŏn Dynasty, 19th century. Color on silk.

梅月堂金時習字悅卿江陵人

8. 김시습초상(金時習肖像)
  조선, 19세기. 비단채색. 51.2×39.5cm.
  Portrait of Kim Si-sŭp(1435~1493). Anonymous.
  Chosŏn Dynasty, 19th century. Color on silk.

河敬齋演字淵亮晉州人官領議政謚文孝壽七十八
丙辰

9. 하연초상(河演肖像)
  조선, 19세기. 비단채색. 51.2×39.5cm.
  Portrait of Ha Yŏn(1376～1453). Anonymous.
  Chosŏn Dynasty, 19th century. Color on silk.

敬腐夫人李氏存吾女

10. 하연부인초상(河演夫人肖像)
   조선. 19세기. 비단채색. 51.2×39.5cm.
   Portrait of Wife of Ha Yŏn(? ～ ?). Anonymous.
   Chosŏn Dynasty, 19th century. Color on silk.

林忠愍慶業字英伯平澤人官平兵

11. 임경업초상(林慶業肖像)
조선, 19세기. 비단채색. 51.2×39.5cm.
Portrait of Im Kyŏng-ŏp(1594~1646). Anonymous.
Chosŏn Dynasty, 19th century. Color on silk.

黃芝川 廷彧

12. 황정욱초상(黃廷彧肖像)
　조선, 19세기. 비단채색. 51.2×39.5cm.
　Portrait of Hwang Chŏng-uk(1532～1607). Anonymous.
　Chosŏn Dynasty, 19th century. Color on silk.

李漢陰德馨字明甫辛酉生廣州人官領議政諡文翼壽五十三

13. 이덕형초상(李德馨肖像)
   조선, 19세기. 비단채색. 51.2×39.5cm.
   Portrait of Yi Tŏk-hyŏng(1561~1613). Anonymous.
   Chosŏn Dynasty, 19th century. Color on silk.

朴思庵淳字和叔癸未生忠州人官領議政諡文忠壽六十七

14. 박순초상(朴淳肖像)

　　조선, 19세기. 비단채색. 51.2×39.5cm.

　　Portrait of Pak Sun(1523 ～ 1589). Anonymous.

　　Chosŏn Dynasty, 19th century. Color on silk.

李梧里元翼亨公勳

15. 이원익초상(李元翼肖像)
　　조선. 19세기. 비단채색. 51.2×39.5cm.
　　Portrait of Yi Wŏn-ik(1547∼1634). Anonymous.
　　Chosŏn Dynasty, 19th century. Color on silk.

李迂齋厚源

16. 이후원초상(李厚源肖像)
　　조선, 19세기. 비단채색. 51.2×39.5cm.
　　Portrait of Yi Hu-wŏn(1598~1660). Anonymous.
　　Chosŏn Dynasty, 19th century. Color on silk.

金三淵昌翁字子益

17. 김창흡초상(金昌翁肖像)
　　조선, 19세기. 비단채색. 51.2×39.5cm.
　　Portrait of Kim Ch'ang-hŭp(1653∼1722). Anonymous.
　　Chosŏn Dynasty, 19th century. Color on silk.

金渼湖元行

18. 김원행초상(金元行肖像)
조선, 19세기. 비단채색. 51.2×39.5cm.
Portrait of Kim Wŏn-haeng(1702∼1772). Anonymous.
Chosŏn Dynasty, 19th century. Color on silk.

19. 초상화(肖像畵)
　　조선, 19세기. 비단채색. 51.2×39.5cm.
　　Portrait of a Korean official. Anonymous.
　　Chosŏn Dynasty, 19th century. Color on silk.

李廞川濡字子雨乙酉生全州人官領議政諡惠定壽七十六

20. 이유초상(李濡肖像)
　조선, 19세기. 비단채색. 51.2×39.5cm.
　Portrait of Yi Yu(1645～1721). Anonymous.
　Chosŏn Dynasty, 19th century. Color on silk.

李
睡谷畲字子三
德水人官左議政

21. 이여초상(李畲肖像)
　　조선, 19세기. 비단채색. 51.2×39.5cm.
　　Portrait of Yi Yŏ(1645~1718). Anonymous.
　　Chosŏn Dynasty, 19th century. Color on silk.

申寒竹堂銋字華仲已卯生平山人官判書諡忠景壽八十一

22. 신임초상(申銋肖像)
조선, 19세기. 종이채색. 51.2×39.5cm.
Portrait of Sin Im(1642~1725). Anonymous.
Chosŏn Dynasty, 19th century. Color on paper.

俞領相拓基字展甫辛未生杞溪人謚文憲壽七十七

23. 유척기초상(俞拓基肖像)
　　조선, 19세기. 비단채색. 51.2×39.5cm.
　　Portrait of Yu Ch'ŏk-ki(1691～1767). Anonymous.
　　Chosŏn Dynasty, 19th century. Color on silk.

李陶谷宜顯字德哉己酉生龍仁人官領議政謚文簡壽七十七

24. 이의현초상(李宜顯肖像)
　　조선, 19세기. 비단채색. 51.2×39.5cm.
　　Portrait of Yi Ŭi-hyŏn(1669～1745). Anonymous.
　　Chosŏn Dynasty, 19th century. Color on silk.

任水村陞字大沖庚辰生豊川人官判書謚文僖壽八五

25. 임방초상(任陸肖像)
　　조선, 19세기. 비단채색. 51.2×39.5cm.
　　Portrait of Im Pang(1640～1724). Anonymous.
　　Chosŏn Dynasty, 19th century. Color on silk.

鄭刱書亨復

26. 정형복초상(鄭亨復肖像)
조선, 19세기. 비단채색. 51.2×39.5cm.
Portrait of Chŏng Hyŏng-bok(1686~1769). Anonymous.
Chosŏn Dynasty, 19th century. Color on silk.

柳晚村復明

27. 유복명초상(柳復明肖像)
　　조선, 19세기. 비단채색. 51.2×39.5cm.
　　Portrait of Yu Pok-myŏng(1685~1760). Anonymous.
　　Chosŏn Dynasty, 19th century. Color on silk.

趙判書榮進字汝楫癸未生楊州人壽七十三

28. 조영진초상(趙榮進肖像)
　　조선, 19세기. 비단채색. 51.2×39.5cm.
　　Portrait of Cho Yŏng-jin(1703～1775). Anonymous.
　　Chosŏn Dynasty, 19th century. Color on silk.

尹圃巖鳳朝字鳴叔庚申生坡平人官判書壽八十二

29. 윤봉조초상(尹鳳朝肖像)
　　조선, 19세기. 비단채색. 51.2×39.5cm.
　　Portrait of Yun Pong-jo(1680～1761). Anonymous.
　　Chosŏn Dynasty, 19th century. Color on silk.

尹石門鳳五字季章戊辰生坡平人官判書壽八十二

30. 윤봉오초상(尹鳳五肖像)
조선, 19세기. 비단채색. 51.2×39.5cm.
Portrait of Yun Pong-o(1688~1769). Anonymous.
Chosŏn Dynasty, 19th century. Color on silk.

金知事元澤

31. 김원택초상(金元澤肖像)
　조선, 19세기. 비단채색. 51.2×39.5cm.
　Portrait of Kim Wŏn-t'aek(? ～1766). Anonymous.
　Chosŏn Dynasty, 19th century. Color on silk.

李判書之億字德裕己卯生延安人壽七十二

32. 이지억초상(李之億肖像)
　조선, 19세기, 비단채색, 51.2×39.5cm.
　Portrait of Yi Chi-ŏk(1699～1770). Anonymous.
　Chosŏn Dynasty, 19th century. Color on silk.

120

李晉庵天輔字宜叔戊寅生延安人官領議政諡文簡壽六十四

33. 이천보초상(李天輔肖像)
　　조선, 19세기. 비단채색. 51.2×39.5cm.
　　Portrait of Yi Ch'ŏn-bo(1698～1761). Anonymous.
　　Chosŏn Dynasty, 19th century. Color on silk.

李三洲鼎輔字士受癸酉生延安人官判書壽七十四

34. 이정보초상(李鼎輔肖像)
조선, 19세기. 비단채색. 51.2×39.5cm.
Portrait of Yi Chŏng-bo(1693〜1766). Anonymous.
Chosŏn Dynasty, 19th century. Color on silk.

李朔書吉輔

35. 이길보초상(李吉輔肖像)
　조선, 19세기. 비단채색. 51.2×39.5cm.
　Portrait of Yi Kil-bo(1699～1771). Anonymous.
　Chosŏn Dynasty, 19th century. Color on silk.

123

李奉朝賀喆輔

36. 이철보초상(李喆輔肖像)

조선, 19세기. 비단채색. 51.2×39.5cm.
Portrait of Yi Ch'ŏl-bo(1691～1775). Anonymous.
Chosŏn Dynasty, 19century. Color on silk.

尹判書陽來宗李亨癸丑生坡平人壽七十九

37. 윤양래초상(尹陽來肖像)
조선, 19세기, 비단채색. 51.2×39.5cm.
Portrait of Yun Yang-rae(1673～1751). Anonymous.
Chosŏn Dynasty, 19th century. Color on silk.

尹判書汲字景孺丁丑生坡平人壽七十四

38. 윤급초상(尹汲肖像)
조선, 19세기. 비단채색. 51.2×39.5cm.
Portrait of Yun Kŭp(1679~1770). Anonymous.
Chosŏn Dynasty, 19th century. Color on silk.

朴判書文秀字成甫高靈人諡忠憲

39. 박문수초상(朴文秀肖像)
조선, 19세기. 비단채색. 51.2×39.5cm.
Portrait of Pak Mun-su(1691~1756). Anonymous.
Chosŏn Dynasty, 19th century. Color on silk.

李領相宗城字子固壬申生慶州人謚孝剛壽六十八

40. 이종성초상(李宗城肖像)
　조선, 19세기. 비단채색. 51.2×39.5cm.
　Portrait of Yi Chong-sŏng(1692～1759). Anonymous.
　Chosŏn Dynasty, 19th century. Color on silk.

南雷淵有容字德我戎寅生寅宁人官判書謚文淸壽七十六

41. 남유용초상(南有容肖像)
조선. 19세기. 비단채색. 51.2×39.5cm.
Portrait of Nam Yu-yong(1698～1773). Anonymous.
Chosŏn Dynasty, 19th century. Color on silk.

黄江漢景源字大卿己丑生長水人官判書謚文景

42. 황경원초상(黃景源肖像)
조선, 19세기. 비단채색. 51.2×39.5cm.
Portrait of Hwang Kyŏng-wŏn(1709~1787). Anonymous.
Chosŏn Dynasty, 19th century. Color on silk.

金判敦寧相奭字君弼庚午生延安人壽七十六

43. 김상석초상(金相奭肖像)
　조선, 19세기, 비단채색, 51.2×39.5cm.
　Portrait of Kim Sang-sŏk(1690～1765). Anonymous.
　Chosŏn Dynasty, 19th century. Color on silk.

金領相載瓚字國賓丙寅生延安人謚文忠壽八十二

44. 김재찬초상(金載瓚肖像)
조선, 19세기. 비단채색. 51.2×39.5cm.
Portrait of Kim Chae-ch'an(1746～1827). Anonymous.
Chosŏn Dynasty, 19th century. Color on silk.

洪判書象漢字雲章豐山人謚正惠壽六十九

45. 홍상한초상(洪象漢肖像)
   조선, 19세기. 비단채색. 51.2×39.5cm.
   Portrait of Hong Sang-han(1701~1769). Anonymous.
   Chosŏn Dynasty, 19th century. Color on silk.

洪領相樂性字子安戊生豊山人謚孝安壽八十

46. 홍낙성초상(洪樂性肖像)
조선, 19세기. 비단채색. 51.2×39.5cm.
Portrait of Hong Nak-sŏng(1718∼1798). Anonymous.
Chosŏn Dynasty, 19th century. Color on silk.

趙判書重晦

47. 조중회초상(趙重晦肖像)
조선, 19세기, 비단채색, 51.2×39.5cm.
Portrait of Cho Chung-hoe(1711～1782). Anonymous.
Chosŏn Dynasty, 19th century. Color on silk.

權判書善字道而

48. 권도초상(權嶹肖像)
조선, 19세기. 비단채색. 51.2×39.5cm.
Portrait of Kwŏn To(1710~1791). Anonymous.
Chosŏn Dynasty, 19th century. Color on silk.

尹領相東度字景中丁亥生破平人諡靖文壽六十二

49. 윤동도초상(尹東度肖像)

조선. 19세기. 비단채색. 51.2×39.5cm.
Portrait of Yun Tong-do(1707~1768). Anonymous.
Chosŏn Dynasty. 19th century. Color on silk.

李左相
璟字厚玉
甲戌生
延安人謚
忠翼壽
六十八

50. 이후초상(李珝肖像)
조선, 19세기. 비단채색. 51.2×39.5cm.
Portrait of Yi Hu(1694~1761). Anonymous.
Chosŏn Dynasty, 19th century. Color on silk.

趙左相文命字叔章旱庚申生豊壤人諡文忠壽五十三

51. 조문명초상(趙文命肖像)
조선, 19세기. 비단채색. 51.2×39.5cm.
Portrait of Cho Mun-myŏng(1680∼1732). Anonymous.
Chosŏn Dynasty, 19th century. Color on silk.

宋左相寅明字聖賓巳巳生鷹山人諡忠憲壽五十八

52. 송인명초상(宋寅明肖像)

조선, 19세기. 비단채색. 51.2×39.5cm.
Portrait of Song In-myŏng(1689~1746). Anonymous.
Chosŏn Dynasty, 19th century. Color on silk.

趙領相顯命字雄晦辛未生豊壤人謚忠孝壽六十二

53. 조현명초상(趙顯命肖像)
　　조선, 19세기. 비단채색. 51.2×39.5cm.
　　Portrait of Cho Hyŏn-myŏng(1690~1752). Anonymous.
　　Chosŏn Dynasty, 19th century. Color on silk.

趙右相載浩字景大壬午生豐壤人壽六十一

54. 조재호초상(趙載浩肖像)
　　조선, 19세기. 비단채색. 51.2×39.5cm.
　　Portrait of Cho Chae-ho(1702～1762). Anonymous.
　　Chosŏn Dynasty, 19th century. Color on silk.

李判書德壽字聖必癸丑生全主教人壽七十二

55. 이덕수초상(李德壽肖像)
　　조선, 19세기. 비단채색. 51.2×39.5cm.
　　Portrait of Yi Tŏk-su(1673～1744). Anonymous.
　　Chosŏn Dynasty, 19th century. Color on silk.

吳右相命恒字士常癸丑生海州人謚忠孝壽五十六

56. 오명항초상(吳命恒肖像)
조선, 19세기. 비단채색. 51.2×39.5cm.
Portrait of O Myŏng-hang(1673～1728). Anonymous.
Chosŏn Dynasty, 19th century. Color on silk.

韓
領
相
翼
暮
字
敬
夫
癸
未
生
清
州
人
壽
七
十
九

57. 한익모초상(韓翼暮肖像)

조선, 19세기. 비단채색. 51.2×39.5cm.
Portrait of Han Ik-mo(1703～1781). Anonymous.
Chosŏn Dynasty, 19th century. Color on silk.

閔右相百祥字履之辛卯生驪興人諡正獻壽五十一

58. 민백상초상(閔百祥肖像)
조선, 19세기. 비단채색. 51.2×39.5cm.
Portrait of Min Paek-sang(1711~1761). Anonymous.
Chosŏn Dynasty, 19th century. Color on silk.

李左相昌誼字聖方甲申生全州人謚翼獻壽六十九

59. **이창의초상(李昌誼肖像)**
조선, 19세기. 비단채색. 51.2×39.5cm.
Portrait of Yi Ch'ang-ŭi(1704~1772). Anonymous.
Chosŏn Dynasty, 19th century. Color on silk.

具判書允明

60. 구윤명초상(具允明肖像)
　　조선, 19세기. 비단채색. 51.2×39.5cm.
　　Portrait of Ku Yun-myŏng(1711～1797). Anonymous.
　　Chosŏn Dynasty, 19th century. Color on silk.

제 3 권

전 58점

崔平章惟善

1. 최유선초상(崔惟善肖像)
　조선, 19세기, 비단채색, 37.0×29.1cm.
　Portrait of Ch'oe Yu-sŏn(? ~1075). Anonymous.
　Chosŏn Dynasty, 19th century. Color on silk.

李益齋齊賢

2. 이제헌초상(李齊賢肖像)
　조선, 19세기. 비단채색. 37.0×29.1cm.
　Portrait of Yi Che-hyŏn(1287～1367). Anonymous.
　Chosŏn Dynasty, 19th century. Color on silk.

金仙源尚容

3. 김상용초상(金尙容肖像)
　조선. 19세기. 비단채색. 37.0×29.1cm.
Portrait of Kim Sang-yong(1561～1637). Anonymous.
Chosŏn Dynasty, 19th century. Color on silk.

李彛川濡

4. 이유초상(李濡肖像)
　　조선, 19세기. 비단채색. 37.0×29.1cm.
　　Portrait of Yi Yu(1645～1721). Anonymous.
　　Chosŏn Dynasty, 19th century. Color on silk.

林忠愍·慶業

5. 임경업초상(林慶業肖像)
　조선, 19세기. 비단채색. 37.0×29.1cm.
　Portrait of Im Kyŏng-ŏp(1594～1646). Anonymous.
　Chosŏn Dynasty, 19th century. Color on silk.

李迁齋厚源

6. 이후원초상(李厚源肖像)
　조선, 19세기. 비단채색. 37.0×29.1cm.
　Portrait of Yi Hu-wŏn(1598～1660). Anonymous.
　Chosŏn Dynasty, 19th century. Color on silk.

7. 초상화(肖像畵)
　조선, 19세기. 비단채색. 37.0×29.1cm.
　Portrait of a Korean official. Anonymous.
　Chosŏn Dynasty, 19th century. Color on silk.

尤庵先生

8. 송시열초상(宋時烈肖像)
조선, 19세기. 비단채색. 37.0×29.1cm.
Portrait of Song Si-yŏl(1607~1689). Anonymous.
Chosŏn Dynasty, 19th century. Color on silk.

崔孤雲

9. 최치원초상(崔致遠肖像)
　조선. 19세기. 비단채색. 37.0×29.1cm.
　Portrait of Ch'oe Ch'i-wŏn(857~ ?). Anonymous.
　Chosŏn Dynasty, 19th century. Color on silk.

安文成公

10. 안향초상(安珦肖像)
　　조선, 19세기. 비단채색. 37.0×29.1cm.
　　Portrait of An Hyang(1243~1306). Anonymous.
　　Chosŏn Dynasty, 19th century. Color on silk.

李溪陰德馨

11. 이덕형초상(李德馨肖像)
　조선, 19세기. 비단채색. 37.0×29.1cm.
　Portrait of Yi Tŏk-hyŏng(1561～1613). Anonymous.
　Chosŏn Dynasty, 19th century. Color on silk.

黃芝川廷彧

12. 황정욱초상(黃廷彧肖像)
　조선, 19세기. 비단채색. 37.0×29.1cm.
　Portrait of Hwang Chŏng-uk(1532～1607). Anonymous.
　Chosŏn Dynasty, 19th century. Color on silk.

李疎齋頣命

13. 이이명초상(李頣命肖像)
　　조선, 19세기. 비단채색. 37.0×29.1cm.
　　Portrait of Yi I-myŏng(1658～1722). Anonymous.
　　Chosŏn Dynasty, 19th century. Color on silk.

尹明齋挺

14. 윤증초상(尹拯肖像)
　　조선. 19세기. 비단채색. 37.0×29.1cm.
　　Portrait of Yun Chǔng(1629~1711). Anonymous.
　　Chosǒn Dynasty, 19th century. Color on silk.

趙二憂堂泰采

15. 조태채조상(趙泰采肖像)
조선. 19세기. 비단채색. 37.0×29.1cm.
Portrait of Cho T'ae-ch'ae(1660~1722). Anonymous.
Chosŏn Dynasty, 19th century. Color on silk.

李寒圃齋健命

16. 이건명초상(李健命肖像)
　　조선. 19세기. 비단채색. 37.0×29.1cm.
　　Portrait of Yi Kŏn-myŏng(1663~1722). Anonymous.
　　Chosŏn Dynasty, 19th century. Color on silk.

鄭
文
巖
澔

17. 정호초상(鄭澔肖像)
　　조선, 19세기. 비단채색. 37.0×29.1cm.
　　Portrait of Chŏng Ho(1648～1736). Anonymous.
　　Chosŏn Dynasty, 19th century. Color on silk.

李陶谷宜顯

18. 이의현초상(李宜顯肖像)
조선, 19세기. 비단채색. 37.0×29.1cm.
Portrait of Yi Ŭi-hyŏn(1669～1745). Anonymous.
Chosŏn Dynasty, 19th century. Color on silk.

趙鶴巖文命

19. 조문명초상(趙文命肖像)
조선, 19세기. 비단채색. 37.0×29.1cm.
Portrait of Cho Mun-myŏng(1680~1732). Anonymous.
Chosŏn Dynasty, 19th century. Color on silk.

金清沙在魯

20. 김재로초상(金在魯肖像)
　　조선, 19세기. 비단채색. 37.0×29.1cm.
　　Portrait of Kim Chae-ro(1682～1759). Anonymous.
　　Chosŏn Dynasty, 19th century. Color on silk.

俞知守齋拓基

21. 유척기초상(兪拓基肖像)

조선, 19세기. 비단채색. 37.0×29.1cm.
Portrait of Yu Ch'ŏk-ki(1691～1767). Anonymous.
Chosŏn Dynasty, 19th century. Color on silk.

趙忠孝顯命

22. 조현명초상(趙顯命肖像)
조선, 19세기. 비단채색. 37.0×29.1cm.
Portrait of Cho Hyŏn-myŏng(1690~1752). Anonymous.
Chosŏn Dynasty, 19th century. Color on silk.

李晉庵天輔

23. 이천보초상(李天輔肖像)
조선, 19세기. 비단채색. 37.0×29.1cm.
Portrait of Yi Ch'ŏn-bo(1698~1761). Anonymous.
Chosŏn Dynasty, 19th century. Color on silk.

関正戱百祥

24. 민백상초상(閔百祥肖像)
  조선, 19세기. 비단채색. 37.0×29.1cm.
  Portrait of Min Paek-sang(1711~1761). Anonymous.
  Chosŏn Dynasty, 19th century. Color on silk.

洪翼靖鳳漢

25. 홍봉한초상(洪鳳漢肖像)
조선, 19세기. 비단채색. 37.0×29.1cm.
Portrait of Hong Pong-han(1713~1778). Anonymous.
Chosŏn Dynasty, 19th century. Color on silk.

金吉   亭致仁

26. 김치인초상(金致仁肖像)
　　조선, 19세기. 비단채색. 37.0×29.1cm.
　　Portrait of Kim Ch'i-in(1716～1790). Anonymous.
　　Chosŏn Dynasty, 19th century. Color on silk.

趙竹石㪌字光瑞官判書

27. 조돈초상(趙㪌肖像)
　　조선, 19세기. 비단채색. 37.0×29.1cm.
　　Portrait of Cho Ton(1308∼1380). Anonymous.
　　Chosŏn Dynasty, 19th century. Color on silk.

28. 초상화(肖像畫)
조선, 19세기. 비단채색. 37.0×29.1cm.
Portrait of a Korean official. Anonymous.
Chosŏn Dynasty, 19th century. Color on silk.

韓領相翼謩

29. 한익모초상(韓翼謩肖像)
　　조선, 19세기. 비단채색. 37.0×29.1cm.
　　Portrait of Han Ik-mo(1703～1781). Anonymous.
　　Chosŏn Dynasty, 19th century. Color on silk.

尹刑書陽來

30. 윤양래초상(尹陽來肖像)
  조선, 19세기. 비단채색. 37.0×29.1cm.
  Portrait of Yun Yang-rae(1673~1751). Anonymous.
  Chosŏn Dynasty, 19th century. Color on silk.

趙
悔
軒
觀
彬

31. 조관빈초상(趙觀彬肖像)
    조선, 19세기. 비단채색. 37.0×29.1cm.
    Portrait of Cho Kwan-bin(1691～1757). Anonymous.
    Chosŏn Dynasty, 19th century. Color on silk.

尹近庵汲

32. 윤급초상(尹汲肖像)
   조선, 19세기. 비단채색. 37.0×29.1cm.
   Portrait of Yun Kŭp(1679~1770). Anonymous.
   Chosŏn Dynasty, 19th century. Color on silk.

南雷淵有容

33. 남유용초상(南有容肖像)
　조선, 19세기. 비단채색. 37.0×29.1cm.
　Portrait of Nam Yu-yong(1698~1773). Anonymous.
　Chosŏn Dynasty, 19th century. Color on silk.

朴荊書文秀

34. 박문수초상(朴文秀肖像)
조선, 19세기. 비단채색. 37.0×29.1cm.
Portrait of Pak Mun-su(1691~1756). Anonymous.
Chosŏn Dynasty, 19th century. Color on silk.

金夢窩昌集

35. 김창집초상(金昌集肖像)
　　조선, 19세기. 비단채색. 37.0×29.1cm.
　　Portrait of Kim Ch'ang-jip(1648～1722). Anonymous.
　　Chosŏn Dynasty, 19th century. Color on silk.

金三淵昌翁

36. 김창흡초상(金昌翁肖像)
조선. 19세기. 비단채색. 37.0×29.1cm.
Portrait of Kim Ch'ang-hǔp(1653~1722). Anonymous.
Chosŏn Dynasty, 19th century. Color on silk.

朴思庵淳

37. 박순초상(朴淳肖像)
    조선, 19세기, 비단채색, 37.0×29.1cm.
    Portrait of Pak Sun(1523 ～1589). Anonymous.
    Chosŏn Dynasty, 19th century. Color on silk.

李梧里元翼

38. 이원익초상(李元翼肖像)
　조선, 19세기. 비단채색. 37.0×29.1cm.
　Portrait of Yi Wŏn-ik(1547〜1634). Anonymous.
　Chosŏn Dynasty, 19th century. Color on silk.

金文谷壽恒

39. 김수항초상(金壽恒肖像)
   조선, 19세기. 비단채색. 37.0×29.1cm.
   Portrait of Kim Su-hang(1629～1689). Anonymous.
   Chosŏn Dynasty, 19th century. Color on silk.

黃判書欽

40. 황흠초상(黃欽肖像)
　　조선, 19세기. 비단채색. 37.0×29.1cm.
　　Portrait of Hwang Hŭm(1639~1730). Anonymous.
　　Chosŏn Dynasty, 19th century. Color on silk.

190

姜
白
閣
觀

41. 강현초상(姜鋧肖像)
  조선, 19세기. 비단채색. 37.0×29.1cm.
  Portrait of Kang Hyŏn(1650 ~ 1733). Anonymous.
  Chosŏn Dynasty, 19th century. Color on silk.

任水村隆

42. 임방초상(任埅肖像)

조선, 19세기. 비단채색. 37.0×29.1cm.

Portrait of Im Pang(1640~1724). Anonymous.

Chosŏn Dynasty, 19th century. Color on silk.

43. 초상화(肖像畵)
　　조선, 19세기. 비단채색. 37.0×29.1cm.
　　Portrait of a Korean official. Anonymous.
　　Chosŏn Dynasty, 19th century. Color on silk.

金將軍應河

44. 김응하초상(金應河肖像)
조선, 19세기. 종이채색. 37.0×29.1cm.
Portrait of Kim Ŭng-ha(1580∼1619). Anonymous.
Chosŏn Dynasty, 19th century. Color on silk.

金判書起宗

45. 김기종초상(金起宗肖像)
  조선, 19세기. 비단채색. 37.0×29.1cm.
  Portrait of Kim Ki-jong(1585～1635). Anonymous.
  Chosŏn Dynasty, 19th century. Color on silk.

46. 초상화(肖像畵)
　　조선. 19세기. 비단채색. 37.0×29.1cm.
　　Portrait of a Korean official. Anonymous.
　　Chosŏn Dynasty, 19th century. Color on silk.

鄭圓隱

47. 정몽주초상(鄭夢周肖像)
　　조선, 19세기. 비단채색. 37.0×29.1cm.
　　Portrait of Chŏng Mong-ju(1337～1392). Anonymous.
　　Chosŏn Dynasty, 19th century. Color on silk.

李
牧
隱

48. 이색초상(李穡肖像)
　　조선, 19세기. 비단채색. 37.0×29.1cm.
　　Portrait of Yi Saek(1328～1396). Anonymous.
　　Chosŏn Dynasty, 19th century. Color on silk.

198

黄厖村喜

49. 황희초상(黃喜肖像)
　　조선, 19세기. 비단채색. 37.0×29.1cm.
　　Portrait of Hwang Hŭi(1363～1452). Anonymous.
　　Chosŏn Dynasty, 19th century. Color on silk.

199

河敬齋演

50. 하연초상(河演肖像)
　조선, 19세기. 비단채색. 37.0×29.1cm.
　Portrait of Ha Yŏn(1376～1453). Anonymous.
　Chosŏn Dynasty, 19th century. Color on silk.

金梅月堂時習

51. 김시습초상(金時習肖像)
조선, 19세기. 비단채색. 37.0×29.1cm.
Portrait of Kim Si-sŭp(1435~1493). Anonymous.
Chosŏn Dynasty, 19th century. Color on silk.

周慎齋世鵬

52. 주세붕초상(周世鵬肖像)
조선, 19세기, 비단채색, 37.0×29.1cm.
Portrait of Chu Se-bung(1495～1554). Anonymous.
Chosŏn Dynasty, 19th century. Color on silk.

趙
荷
棲
璥

53. 조경초상(趙璥肖像)
  조선, 19세기. 비단채색. 37.0×29.1cm.
  Portrait of Cho Kyŏng(1727∼1787). Anonymous.
  Chosŏn Dynasty, 19th century. Color on silk.

54. 초상화(肖像畵)
조선, 19세기. 비단채색. 37.0×29.1cm.
Portrait of a Korean official. Anonymous.
Chosŏn Dynasty, 19th century. Color on silk.

金海石載瓚

55. 김재찬초상(金載瓚肖像)
　　조선, 19세기, 비단채색, 37.0×29.1cm.
　　Portrait of Kim Chae-ch'an(1746～1827). Anonymous.
　　Chosŏn Dynasty, 19th century. Color on silk.

韓領相用龜

56. 한용구초상(韓用龜肖像)
　　조선, 19세기. 비단채색. 37.0×29.1cm.
　　Portrait of Han Yong-gu(1747~1828). Anonymous.
　　Chosŏn Dynasty, 19th century. Color on silk.

石尚書星

57. 석성초상(石星肖像)　명(明)
　　조선, 19세기. 비단채색. 37.0×29.1cm.
　　Portrait of Sŏk Sŏng(? ～ ?). Anonymous.
　　Chosŏn Dynasty, 19th century. Color on silk.

李提督如松

58. 이여송초상(李如松肖像) 명(明)
조선, 19세기. 비단채색. 37.0×29.1cm.
Portrait of Yi Yŏ-song(? ～1598). Anonymous.
Chosŏn Dynasty, 19th century. Color on silk.

제 4 권

전 60점

李別書昌壽字德翁庚寅生全州人謚文嚴壽六十六

1. 이창수초상(李昌壽肖像)
　조선, 19세기. 종이채색. 50.1×35.1cm.
　Portrait of Yi Ch'ang-su(1710~1787). Anonymous.
　Chosŏn Dynasty, 19th century. Color on paper.

金
泰
判
尚
迪

2. 김상적초상(金尙迪肖像)
　　조선, 19세기. 종이채색. 50.1×35.1cm.
　　Portrait of Kim Sang -jŏk(1708～1750). Anonymous.
　　Chosŏn Dynasty, 19th century. Color on paper.

3. 초상화(肖像畵)
  조선, 19세기. 종이채색. 50.1×35.1cm.
  Portrait of a Korean official. Anonymous.
  Chosŏn Dynasty, 19th century. Color on paper.

金判書漢喆

4. 김한철초상(金漢喆肖像)
조선, 19세기. 종이채색. 50.1×35.1cm.
Portrait of Kim Han-ch'ŏl(1701～1759). Anonymous.
Chosŏn Dynasty, 19th century. Color on paper.

5. 초상화(肖像畵)
　　조선, 19세기. 종이채색. 50.1×35.1cm.
　　Portrait of a Korean official. Anonymous.
　　Chosŏn Dynasty, 19th century. Color on paper.

金泰利
勉行

6. 김면행초상(金勉行肖像)
　　조선, 19세기. 종이채색. 50,1×35,1cm.
　　Portrait of Kim Myŏn-haeng(1702~?). Anonymous.
　　Chosŏn Dynasty, 19th century. Color on paper.

7. **초상화(肖像畵)**
조선, 19세기. 종이채색. 50.1×35.1cm.
Portrait of a Korean official. Anonymous.
Chosŏn Dynasty, 19th century. Color on paper.

南滄亭泰齋

8. 남태제초상(南泰齊肖像)
조선, 19세기. 종이채색. 50.1×35.1cm.
Portrait of Nam T'ae-je(1699~1776). Anonymous.
Chosŏn Dynasty, 19th century. Color on paper.

趙参判榮祿

9. 조영록초상(趙榮祿肖像)
　조선, 19세기. 종이채색. 50.1×35.1cm.
　Portrait of Cho Yŏng-rok(1702~1788). Anonymous.
　Chosŏn Dynasty, 19th century. Color on paper.

10. 초상화(肖像畵)
　　조선, 19세기. 종이채색. 50,1×35,1cm.
　　Portrait of a Korean official. Anonymous.
　　Chosŏn Dynasty, 19th century. Color on paper.

李森字茂叔丁巳生咸平人官武兵判

11. 이삼초상(李森肖像)
 조선, 19세기. 종이채색. 50.1×35.1cm.
 Portrait of Yi Sam(1677~1735). Anonymous.
 Chosŏn Dynasty, 19th century. Color on paper.

李判書重庚字白也庚申生全州人壽七十八

12. 이중경초상(李重庚肖像)
조선, 19세기. 종이채색. 50.1×35.1cm.
Portrait of Yi Chung-kyŏng(1680~1757). Anonymous.
Chosŏn Dynasty, 19th century. Color on paper.

13. 초상화(肖像畵)
    조선, 19세기. 종이채색. 50.1×35.1cm.
    Portrait of a Korean official. Anonymous.
    Chosŏn Dynasty, 19th century. Color on paper.

14. 초상화(肖像畵)
조선, 19세기. 종이채색. 50.1×35.1cm.
Portrait of a Korean official. Anonymous.
Chosŏn Dynasty, 19th century. Color on paper.

15. 초상화(肖像畫)
　　조선, 19세기. 종이채색. 50.1×35.1cm.
　　Portrait of a Korean official. Anonymous.
　　Chosŏn Dynasty, 19th century. Color on paper.

高判尹夢聖癸酉生濟州人壽八十三

16. 고몽성초상(高夢聖肖像)
조선, 19세기. 종이채색. 50.1×35.1cm.
Portrait of Ko Mong-sŏng(1693~1775). Anonymous.
Chosŏn Dynasty, 19th century. Color on paper.

17. 초상화(肖像畵)
조선, 19세기. 종이채색. 50.1×35.1cm.
Portrait of a Korean official. Anonymous.
Chosŏn Dynasty, 19th century. Color on paper.

18. 초상화(肖像畵)
조선, 19세기. 종이채색. 50.1×35.1cm.
Portrait of a Korean official. Anonymous.
Chosŏn Dynasty, 19th century. Color on paper.

19. 초상화(肖像畵)
　　조선, 19세기. 종이채색. 50.1×35.1cm.
　　Portrait of a Korean official. Anonymous.
　　Chosŏn Dynasty, 19th century. Color on paper.

20. 초상화(肖像畵)
조선, 19세기. 종이채색. 50.1×35.1cm.
Portrait of a Korean official. Anonymous.
Chosŏn Dynasty, 19th century. Color on paper.

21. 초상화(肖像畵)
조선, 19세기. 종이채색. 50.1×35.1cm.
Portrait of a Korean official. Anonymous.
Chosŏn Dynasty, 19th century. Color on paper.

22. 초상화(肖像畵)
　　조선, 19세기. 종이채색. 50.1×35.1cm.
　　Portrait of a Korean official. Anonymous.
　　Chosŏn Dynasty, 19th century. Color on paper.

23. 초상화(肖像畵)
조선, 19세기. 종이채색. 50.1×35.1cm.
Portrait of a Korean official. Anonymous.
Chosŏn Dynasty, 19th century. Color on paper.

24. 초상화(肖像畵)
　　조선, 19세기. 종이채색. 50.1×35.1cm.
Portrait of a Korean official. Anonymous.
Chosŏn Dynasty, 19th century. Color on paper.

25. 초상화(肖像畵)
조선, 19세기. 종이채색. 50.1×35.1cm.
Portrait of a Korean official. Anonymous.
Chosŏn Dynasty, 19th century. Color on paper.

26. 초상화(肖像畵)
   조선, 19세기. 종이채색. 50.1×35.1cm.
   Portrait of a Korean official. Anonymous.
   Chosŏn Dynasty, 19th century. Color on paper.

27. 초상화(肖像畵)
조선, 19세기. 종이채색. 50.1×35.1cm.
Portrait of a Korean official. Anonymous.
Chosŏn Dynasty, 19th century. Color on paper.

28. 초상화(肖像畫)
　　조선, 19세기. 종이채색. 50,1×35,1cm.
　　Portrait of a Korean official. Anonymous.
　　Chosŏn Dynasty, 19th century. Color on paper.

魚判書有龍字景雨戊午生咸從人壽八十七

29. 어유룡초상(魚有龍肖像)
　　조선, 19세기. 종이채색. 50.1×35.1cm.
　　Portrait of Ŏ Yu-ryong(1678~1764). Anonymous.
　　Chosŏn Dynasty, 19th century. Color on paper.

30. 초상화(肖像畵)
조선, 19세기. 종이채색. 50.1×35.1cm.
Portrait of a Korean official. Anonymous.
Chosŏn Dynasty, 19th century. Color on paper.

31. 초상화(肖像畵)
　　조선, 19세기. 종이채색. 50.1×35.1cm.
　　Portrait of a Korean official. Anonymous.
　　Chosŏn Dynasty, 19th century. Color on paper.

32. 초상화(肖像畵)
조선. 19세기. 종이채색. 50.1×35.1cm.
Portrait of a Korean official. Anonymous.
Chosŏn Dynasty, 19th century. Color on paper.

242

33. 초상화(肖像畵)
조선, 19세기. 종이채색. 50.1×35.1cm.
Portrait of a Korean official. Anonymous.
Chosŏn Dynasty, 19th century. Color on paper.

34. 초상화(肖像畵)
조선, 19세기. 종이채색. 50.1×35.1cm.
Portrait of a Korean official. Anonymous.
Chosŏn Dynasty, 19th century. Color on paper.

35. 초상화(肖像畵)
  조선, 19세기. 종이채색. 50.1×35.1cm.
  Portrait of a Korean official. Anonymous.
  Chosŏn Dynasty, 19th century. Color on paper.

36. 초상화(肖像畵)
조선, 19세기. 종이채색. 50.1×35.1cm.
Portrait of a Korean official. Anonymous.
Chosŏn Dynasty, 19th century. Color on paper.

37. 초상화(肖像畵)
　　조선, 19세기. 종이채색. 50.1×35.1cm.
　　Portrait of a Korean official. Anonymous.
　　Chosŏn Dynasty, 19th century. Color on paper.

38. 초상화(肖像畵)
조선, 19세기. 종이채색. 50,1×35,1cm.
Portrait of a Korean official. Anonymous.
Chosŏn Dynasty, 19th century. Color on paper.

39. 초상화(肖像畵)
조선, 19세기. 종이채색. 50.1×35.1cm.
Portrait of a Korean official. Anonymous.
Chosŏn Dynasty, 19th century. Color on paper.

40. 초상화(肖像畫)
　조선. 19세기. 종이채색. 50.1×35.1cm.
Portrait of a Korean official. Anonymous.
Chosŏn Dynasty, 19th century. Color on paper.

250

41. 초상화(肖像畵)
　　조선. 19세기. 종이채색. 50.1×35.1cm.
　　Portrait of a Korean official. Anonymous.
　　Chosŏn Dynasty, 19th century. Color on paper.

42. 초상화(肖像畵)
조선, 19세기. 종이채색. 50,1×35,1cm.
Portrait of a Korean official. Anonymous.
Chosŏn Dynasty, 19th century. Color on paper.

43. 초상화(肖像畵)
조선, 19세기. 종이채색. 50.1×35.1cm.
Portrait of a Korean official. Anonymous.
Chosŏn Dynasty, 19th century. Color on paper.

44. 초상화(肖像畵)
조선, 19세기. 종이채색. 50.1×35.1cm.
Portrait of a Korean official. Anonymous.
Chosŏn Dynasty, 19th century. Color on paper.

鄭判書壽期字舜年甲辰生延日人壽八十九

45. 정수기초상(鄭壽基肖像)
조선, 19세기. 종이채색. 50.1×35.1cm.
Portrait of Chŏng Su-gi(1664~1752). Anonymous.
Chosŏn Dynasty, 19th century. Color on paper.

46. 초상화(肖像畵)
   조선, 19세기. 종이채색. 50.1×35.1cm.
   Portrait of a Korean official. Anonymous.
   Chosŏn Dynasty, 19th century. Color on paper.

宋判書昌明字聖元巳巳生牖山人壽七十九

47. 송창명초상(宋昌明肖像)
　　조선, 19세기. 종이채색. 50.1×35.1cm.
　　Portrait of Song Ch'ang-myŏng(1689~1769). Anonymous.
　　Chosŏn Dynasty, 19th century. Color on paper.

黃判書欽字敬之己卯生昌原人

48. 황흠초상(黃欽肖像)
　　조선, 19세기. 종이채색. 50.1×35.1cm.
　　Portrait of Hwang Hŭm(1639～1730). Anonymous.
　　Chosŏn Dynasty, 19th century. Color on paper.

258

姜判書銀字子精庚寅生晉州人

49. 강현초상(姜鋧肖像)
　　조선, 19세기. 비단채색. 50.1×35.1cm.
　　Portrait of Kang Hyŏn(1650~1733). Anonymous.
　　Chosŏn Dynasty, 19th century. Color on silk.

50. 초상화(肖像畵)
조선, 19세기. 비단채색. 50.1×35.1cm.
Portrait of a Korean official. Anonymous.
Chosŏn Dynasty, 19th century. Color on silk.

金右相宇杭字濟仲己丑生金海人謚忠靖壽七十五

51. 김우항초상(金宇杭肖像)
조선, 19세기. 비단채색. 50.1×35.1cm.
Portrait of Kim U-hang(1649～1723). Anonymous.
Chosŏn Dynasty, 19th century. Color on silk.

南
領
相
九
萬
字
雲
路
巳
巳
生
直
寧
人
謚
文
忠
壽
八
十
三

52. 남구만초상(南九萬肖像)
조선. 19세기. 종이채색. 50.1×35.1cm.
Portrait of Nam Ku-man(1629~1711). Anonymous.
Chosŏn Dynasty, 19th century. Color on paper.

李判書周鎮字文甫辛未生德水人謚忠靖壽五十九

53. 이주진초상(李周鎭肖像)
　　조선, 19세기. 비단채색. 50.1×35.1cm.
　　Portrait of Yi Chu-jin(1691～1749). Anonymous.
　　Chosŏn Dynasty, 19th century. Color on silk.

李判書景祐字孝錫乙酉生龍仁人

54. 이경호초상(李景祐肖像)
조선, 19세기. 비단채색. 50.1×35.1cm.
Portrait of Yi Kyŏng-ho(1705～1779). Anonymous.
Chosŏn Dynasty, 19th century. Color on silk.

沈判書鑴字

55. 심수초상(沈鑴肖像)
　조선. 19세기. 비단채색. 50.1×35.1cm.
　Portrait of Sim Su(1707~1776). Anonymous.
　Chosŏn Dynasty, 19th century. Color on silk.

56. 초상화(肖像畵)
조선, 19세기. 비단채색. 50.1×35.1cm.
Portrait of a Korean official. Anonymous.
Chosŏn Dynasty, 19th century. Color on silk.

金領相在魯字仲禮壬戌生淸風人諡忠靖壽七十七

57. 김재로초상(金在魯肖像)
　조선, 19세기. 비단채색. 50.1×35.1cm.
　Portrait of Kim Chae-ro(1682∼1759). Anonymous.
　Chosŏn Dynasty, 19th century. Color on silk.

金領相致仁字公恕丙申生清風人謚憲肅壽七十五

58. 김치인초상(金致仁肖像)

조선, 19세기. 비단채색. 50,1×35,1cm.
Portrait of Kim Ch'i-in(1716~1790). Anonymous.
Chosŏn Dynasty, 19th century. Color on silk.

趙判書暾字光瑞號竹石

59. 조돈초상(趙暾肖像)
조선, 19세기. 비단채색. 50.1×35.1cm.
Portrait of Cho Ton(1308~1380). Anonymous.
Chosŏn Dynasty, 19th century. Color on silk.

60. 송재경초상(宋載經肖像)
　　조선, 19세기. 비단채색. 50.1×35.1cm.
　　Portrait of Song Chae-kyŏng(1718~1793). Anonymous.
　　Chosŏn Dynasty, 19th century. Color on silk.

天理大學

天理參考館

Tenri University Sankokan Museum

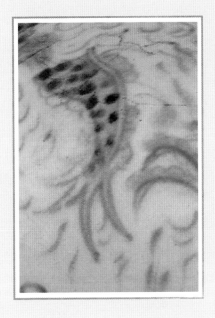

1. 마제석검(磨製石劍)
   청동기시대. 길이(右) 42.4cm.
   Daggers, polished stone.
   Bronze Age. Length(right) 42.4cm.

2. 동검(銅劍)
   초기철기시대, 기원전 3~2세기. 길이(右) 19.8cm.
   Daggers, bronze.
   Early Iron Age, B.C. 3rd-2nd century. Length(right) 19.8cm.

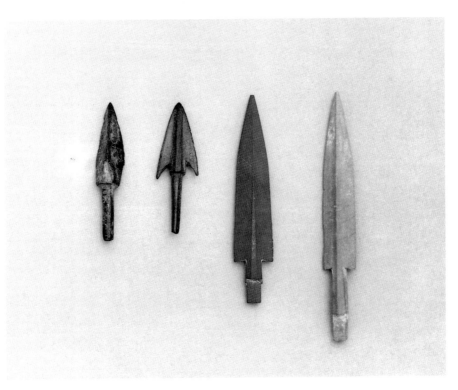

3. 동촉 · 석촉(銅鏃 · 石鏃)
    초기철기시대. 길이(左) 5.7cm.
    Arrowheads, bronze and stone.
    Early Iron Age. Length(left) 5.7cm.

4. 철촉(鐵鏃)
    부여(扶餘) 출토. 초기철기시대. 길이(右) 13.9cm.
    Arrowheads, iron.
    From Puyŏ, Ch'ungch'ŏngnam-do.
    Early Iron Age. Length(right) 13.9cm.

5. 동제마형대구(銅製馬形帶鉤)
　　삼국시대. 길이(上) 9.9cm.
　　Belt hooks in the shape of a horse, bronze.
　　Three Kingdoms period. Length(top) 9.9cm.

6. 철제재갈(鐵製銜)
　　경상남도(慶尙南道) 출토. 삼국시대. 길이 35.0cm.
　　Horse bit, iron. From Kyŏngsangnam-do.
　　Three Kingdoms period. Length 35.0cm.

7. 금동운주(金銅雲珠)
   경상남도(慶尙南道) 출토. 삼국시대. 지름(右) 19.9cm.
   Harness fittings for crossbelts, gilt bronze. From Kyŏngsangnam-do.
   Three Kingdoms period. Diameter(right) 19.9cm.

8. 철제검릉형행엽(鐵製劍菱形杏葉)
   경상남도(慶尙南道) 출토. 삼국시대. 길이(左) 26.5cm.
   Knife and chestnut-shaped horse ornaments, iron.
   From Kyŏngsangnam-do.
   Three Kingdoms period. Length(left) 26.5cm.

9. 심엽형금동비(心葉形金銅轡)
　　경상남도(慶尙南道) 출토. 삼국시대. 길이 10.5cm.
　　Heart-shaped harness, gilt bronze.
　　From Kyŏngsangnam-do.
　　Three Kingdoms period. Length 10.5cm.

10. 금동봉황장식칼고리(金銅鳳凰環刀裝飾)
  삼국시대. 길이(左) 10.9cm.
  Ringed sword handles with phoenix designs, gilt bronze.
  Three Kingdoms period. Length(left) 10.9cm.

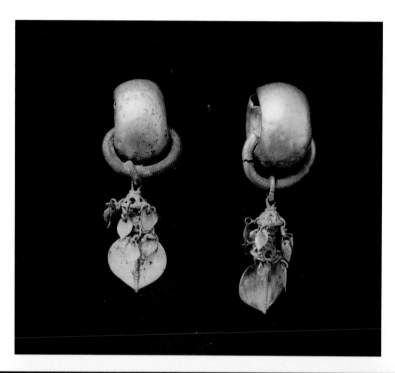

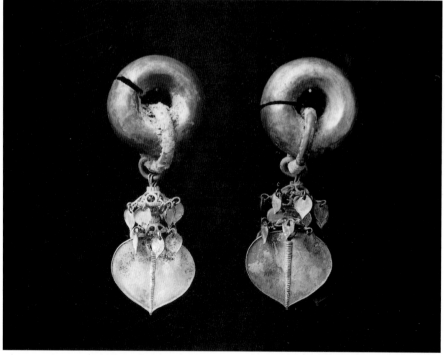

11 · 12. 금제태환이식(金製太環耳飾)
　　　경상남도(慶尙南道) 출토. 삼국시대. 길이 7.2cm.
　　　Earrings, gold.
　　　From Kyŏngsangnam-do.
　　　Three Kingdoms period. Length 7.2cm.

13. 금제세환이식(金製細環耳飾)
경상남도(慶尙南道) 출토. 삼국시대. 길이 5.9cm.
Earrings, gold.
From Kyŏngsangnam-do.
Three Kingdoms period. Length 5.9cm.

14. 금제세환이식(金製細環耳飾)
경상남도(慶尙南道) 출토. 삼국시대. 길이 6.8cm.
Earrings, gold.
From Kyŏngsangnam-do.
Three Kingdoms period. Length 6.8cm.

15. 금제세환이식(金製細環耳飾)
경상남도(慶尙南道) 출토. 삼국시대. 길이 7.0cm.
Earrings, gold.
From Kyŏngsangnam-do.
Three Kingdoms period. Length 7.0cm.

16 · 17. 금동제투각금관(金銅製透刻金冠)
평양(平壤) 부근 출토. 삼국시대. 높이 14.2cm.
Crown with a latticework decoration, gilt bronze.
From near P'yŏngyang, P'yŏngannam-do.
Three Kingdoms period. Height 14.2cm.

18. 금동제대구(金銅製帶具)
   고려, 12~13세기. 길이 10.0cm.
   Belt fittings, gilt bronze.
   Koryŏ Dynasty, 12th-13th century. Length 10.0cm.

19. 은제대금구(銀製帶金具)
   경상북도(慶尙北道) 출토. 삼국시대. 각 길이 6.0cm.
   Belt fittings, silver.
   From Kyŏngsangbuk-do.
   Three Kingdoms period. Length, each, 6.0cm.

20. 동제과대금구(銅製銙帶金具)
　　고려, 12~13세기. 각 길이 7.2cm.
　　Belt fittings, bronze.
　　Koryŏ Dynasty, 12th-13th century. Length, each, 7.2cm.

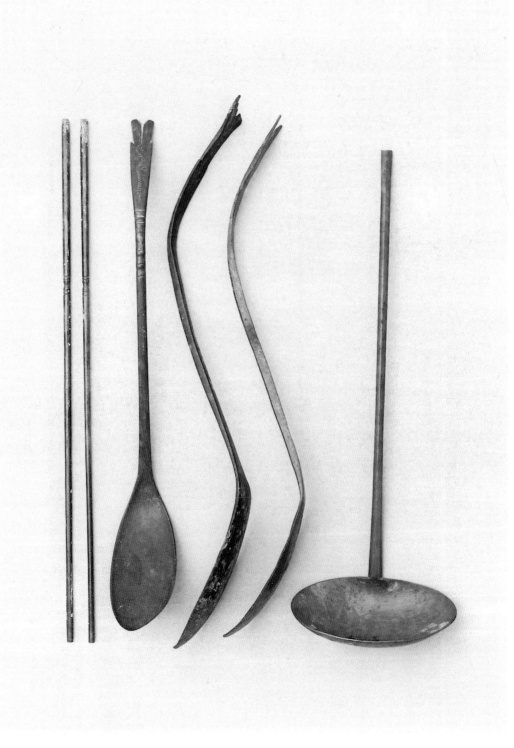

21. 동제수저(銅製匙箸)
개성(開城) 부근 출토. 고려, 12~13세기. 길이 26.2cm.
Spoons and chopsticks, bronze. From near Kaesŏng, Kyŏnggi-do.
Koryŏ Dynasty, 12th-13th century. Length 26.2cm.

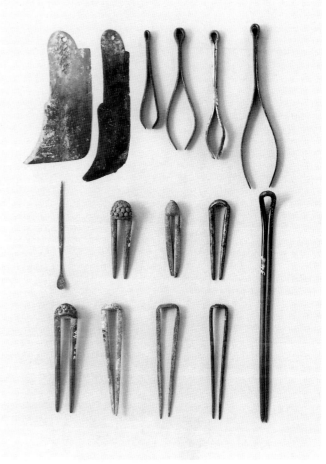

22. 동제도자(銅製刀子)
　개성(開城) 부근 출토.
　고려, 12~13세기. 길이(左) 26.9cm.
　Knives, bronze.
　From near Kaesŏng, Kyŏnggi-do.
　Koryŏ Dynasty, 12th-13th century.
　Length(left) 26.9cm.

23. 동제화장구(銅製化粧具)
　개성(開城) 부근 출토.
　고려, 12~13세기. 길이(左上) 9.2cm.
　Toilet set, bronze.
　From near Kaesŏng, Kyŏnggi-do.
　Koryŏ Dynasty, 12th-13th century.
　Length(top left) 9.2cm.

24. 도기고배(陶器高杯)
  가야, 5~6세기. 높이 15.9cm.
  Stem cup with a cover, pottery.
  Kaya period, 5th-6th century. Height 15.9cm.

25. 도기령부배(陶器鈴附杯)
　가야, 5세기. 높이 13.1cm.
　Stem cup with a bell, pottery.
　Kaya period, 5th century. Height 13.1cm.

26. 도기파수부잔(陶器把手附盞)
　　가야, 5~6세기. 높이 6.5cm.
　　Cup with a handle, pottery. Kaya period, 5th-6th century. Height 6.5cm.

27. 도기파수부잔(陶器把手附盞)
　　가야, 5~6세기. 높이 10.0cm.
　　Cup with a handle, pottery.
　　Kaya period, 5th-6th century. Height 10.0cm.

28. 도기파수부잔(陶器把手附盞)
가야, 5~6세기. 높이 9.7cm.
Cup with a handle, pottery.
Kaya period, 5th-6th century. Height 9.7cm.

29. 도기이부배(陶器耳附杯)
삼국, 5~6세기. 높이 18.2cm.
Stem cup with handles, pottery.
Three Kingdoms period, 5th-6th century. Height 18.2cm.

30. 도기기대(陶器器臺)
　　가야, 5~6세기. 높이 29.6cm.
　　Vessel stand, pottery.
　　Kaya period, 5th-6th century. Height 29.6cm.

31. 도기사문장경호(陶器蛇紋長頸壺)
　　 가야, 5~6세기. 높이 18.1cm.
　　 Long-necked jar with a snake design, pottery.
　　 Kaya period, 5th-6th century. Height 18.1cm.

▷
32.
도기수식부장경호(陶器垂飾附長頸壺)
가야, 5~6세기. 높이 28.2cm.
Long-necked jar with dangling ornaments,
pottery.
Kaya period, 5th-6th century. Height 28.2cm.

33. 도기인화문합(陶器印花紋盒)
통일신라, 7세기. 총높이 11.1cm.
Bowl and cover with a stamped floral design, pottery.
Unified Silla period, 7th century. Total height 11.1cm.

34. 도기인화문합(陶器印花紋盒)
통일신라, 8세기. 총높이 11.2cm.
Bowl and cover with a stamped floral design, pottery.
Unified Silla period, 8th century. Total height 11.2cm.

35. 도기인화문합(陶器印花紋盒)
통일신라, 8세기. 총높이 35.4cm.
Bowl and cover with a stamped floral design, pottery.
Unified Silla period, 8th century. Total height 35.4cm.

36.
도기파수부호(陶器把手附壺)
가야, 5～6세기. 높이 9.8cm.
Jar with a handle, pottery.
Kaya period, 5th-6th century.
Height 9.8cm.

37.
도기주구부호(陶器注口附壺)
가야, 5～6세기. 높이 11.9cm.
Jar with a mouth, pottery.
Kaya period, 5th-6th century.
Height 11.9cm.

38. 도기양파수부완(陶器兩把手附盌)　삼국시대, 5~6세기. 높이 17.8cm.
Stem bowl with two handles, pottery.
Three Kingdoms period, 5th-6th century. Height 17.8cm.

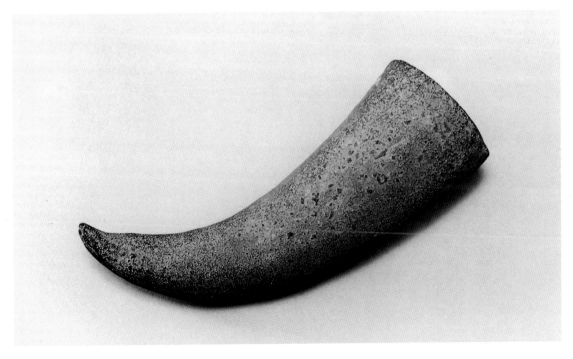

39. 도기각배(陶器角杯)　가야, 5~6세기. 길이 20.5cm.
Horn-shaped cup, pottery.
Kaya period, 5th-6th century. Length 20.5cm.

40. 도기기대(陶器器臺)
　　가야, 5〜6세기. 높이 9.8cm.
　　Vessel stand, pottery.
　　Kaya period, 5th-6th century. Height 9.8cm.

41. 도기대부장경호(陶器臺附長頸壺)
　　삼국시대, 5〜6세기. 높이 25.7cm.
　　Long-necked jar with stand, pottery.
　　Three Kingdoms period, 5th-6th century. Height 25.7cm.

42. 도기대부장경호(陶器臺付長頸壺)
삼국시대, 5~6세기. 높이 25.0cm.
Long-necked jar with stand, pottery.
Three Kingdoms period, 5th-6th century. Height 25.0cm.

43. 도기호(陶器壺)
   삼국시대, 3~4세기. 높이 24.2cm.
   Jar, pottery.
   Three Kingdoms period, 3rd-4th century. Height 24.2cm.

44. 도기단경호(陶器短頸壺)
    삼국시대, 4~5세기. 높이 26.5cm.
    Short-necked jar, pottery.
    Three Kingdoms period, 4th-5th century. Height 26.5cm.

45. 도기양이대호(陶器兩耳大壺)
   삼국시대, 5세기. 높이 54.8cm.
   Large storage jar with ears, pottery.
   Three Kingdoms period, 5th century. Height 54.8cm.

46. 도기인화문호(陶器印花紋壺)
   통일신라, 8세기. 높이 19.4cm.
   Jar with a stamped floral design, pottery.
   Unified Silla period, 8th century. Height 19.4cm.

47. 도제횡적(陶製横笛)
통일신라, 8세기. 길이 39.8cm.
Flute, pottery.
Unified Silla period, 8th century. Length 39.8cm.

48.
도기인화문합
(陶器印花紋盒)
통일신라, 8세기.
총높이 18.7cm.
Covered jar with a
stamped floral design,
pottery.
Unified Silla period,
8th century.
Total height 18.7cm.

49.
도기인화문합
(陶器印花紋盒)
통일신라, 7세기.
총높이 22.3cm.
Covered bowl with a
stamped floral design,
pottery.
Unified Silla period,
7th century.
Total height 22.3cm.

50. 도기인화문합(陶器印花紋盒)
통일신라, 8세기. 총높이 22.7cm.
Covered bowl with a stamped floral design, pottery.
Unified Silla period, 8th century. Total height 22.7cm.

51. 도기호(陶器壺)
　　고려, 12~13세기. 높이 11.5cm.
　　Jar, pottery.
　　Koryŏ Dynasty, 12th-13th century. Height 11.5cm.

52. 도기매병（陶器梅瓶）
고려, 13세기. 높이 30.9cm.
Maebyŏng vase, pottery.
Koryŏ Dynasty, 13th century. Height 30.9cm.

53.
흑유편병(黑釉扁瓶)
고려.
높이 23.5cm.
Flask, black-glazed.
Koryŏ Dynasty.
Height 23.5cm.

54. 청자상감운학문대접(青瓷象嵌雲鶴紋大接)
고려, 14세기. 입지름 22.1cm.
Bowl with a cloud and crane design, inlaid celadon.
Koryŏ Dynasty, 14th century. Mouth diameter 22.1cm.

55. 분청자인화문합(粉靑瓷印花紋盒)
조선, 15세기. 높이 10.7cm.
Covered bowl with a stamped floral design, *punch'ŏng* ware.
Chosŏn Dynasty, 15th century. Height 10.7cm.

56. 백자철화운룡문항아리(白瓷鐵畵雲龍紋壺)
   조선, 17세기. 높이 27.8cm.
   Jar with a cloud and dragon design in underglaze iron, white porcelain.
   Chosŏn Dynasty, 17th century. Height 27.8cm.

57. 백자청화국화문병(白瓷靑畵菊花紋瓶)
　조선, 19세기. 높이 19.0cm.
Bottle with a chrysanthemum design, blue and white porcelain.
Chosŏn Dynasty, 19th century. Height 19.0cm.

58. 백자동화화문사각연적(白瓷銅畵花紋四角硯滴)
조선, 19세기. 높이 2.4cm.
Square water dropper with a floral design in underglaze copper red, white porcelain.
Chosŏn Dynasty, 19th century. Height 2.4cm.

59. 백자청화운룡문연적(白瓷靑畵雲龍紋硯滴)
조선, 18세기. 높이 9.0cm.
Water dropper with a cloud and dragon design, blue and white porcelain.
Chosŏn Dynasty, 18th century. Height 9.0cm.

60.
백자투각호문필통
(白瓷透刻虎紋筆筒)
조선, 19세기.
높이 11.8cm.
Brush holder with an openwork
tiger design, white porcelain.
Chosŏn Dynasty, 19th century.
Height 11.8cm.

61. 백자떡살(白瓷餠製具)
조선, 19세기. 높이 5.0, 3.8, 5.2cm.
Rice-cake stamps, white porcelain.
Chosŏn Dynasty, 19th century. Height 5.0, 3.8, 5.2cm.

62. 백자약연(白瓷藥碾)
   조선, 19세기. 길이 27.5cm.
   Medicinal herbs mortar, white porcelain.
   Chosŏn Dynasty, 19th century. Length 27.5cm.

63. 백자제기(白瓷祭器)
   조선, 19세기. 높이 5.8cm.
   Ritual vessel, white porcelain.
   Chosŏn Dynasty, 19th century. Height 5.8cm.

64. 백자제기(白瓷祭器)
   조선, 19세기. 높이 9.3cm.
   Ritual vessel, white porcelain.
   Chosŏn Dynasty, 19th century. Height 9.3cm.

65. 백자제기탁잔
(白瓷祭器托盞)
조선, 14세기.
높이 각 9.0cm.
Ritual cup and
stand, white
porcelain.
Chosŏn Dynasty,
14th century.
Height, each,
9.0cm.

66. 백자제기탕기
(白瓷祭器湯器)
조선, 19세기.
높이 10.0cm.
Ritual soup bowl,
white porcelain.
Chosŏn Dynasty,
19th century.
Height 10.0cm.

67. 백자제기향로
(白瓷祭器香爐)
조선, 19세기.
높이 7.8cm.
Ritual incense burner,
white porcelain.
Chosŏn Dynasty,
19th century.
Height 7.8cm.

68. 도기장군(陶器獐本)
   조선, 19세기. 높이 36.6cm.
   Bale-shape rice bottle, pottery.
   Chosŏn Dynasty, 19th century. Height 36.6cm.

69. 동제주자(銅製注子)
    고려. 높이 20.9cm.
    Ewer, bronze.
    Koryŏ Dynasty. Height 20.9cm.

70. 동제팔릉경（銅製八稜鏡）
    개성（開城） 부근 출토. 고려. 지름 22.5cm.
    Eight-foliated mirror, bronze.
    From near Kaesŏng, Kyŏnggi-do.
    Koryŏ Dynasty. Diameter 22.5cm.

71. 동제십이지문경（銅製十二支紋鏡）
    개성（開城） 부근 출토. 고려. 지름 17.9cm.
    Mirror with twelve zodiac animals, bronze.
    From near Kaesŏng, Kyŏnggi-do.
    Koryŏ Dynasty. Diameter 17.9cm.

72. 동제종형경（銅製鍾形鏡）
    개성（開城） 부근 출토. 고려. 길이 17.0cm.
    Bell-shaped mirror, bronze.
    From near Kaesŏng, Kyŏnggi-do.
    Koryŏ Dynasty. Length 17.0cm.

73. 도해대선문팔릉경(渡海大船紋八稜鏡)
개성(開城) 부근 출토. 고려. 지름 16.6cm.
Eight-foliated mirror with a ship crossing the sea, bronze.
From near Kaesŏng, Kyŏnggi-do.
Koryŏ Dynasty. Length 16.6cm.

74. 사신음각문석관(四神陰刻紋石棺)
   개성(開城) 부근 출토. 고려. 길이 85.0cm.
   Coffin with four deities, stone.
   From near Kaesŏng, Kyŏnggi-do.
   Koryŏ Dynasty. Length 85.0cm.

75. 장승(長栍)
　　조선, 20세기. 나무. 높이 227.0cm.
　　Village spirit poles, carved wood.
　　Chosŏn Dynasty, 20th century. Height 227.0cm.

325

76. 목각상(木刻像)
조선, 20세기. 높이 각 17.5cm.
Figures, wood carving.
Chosŏn Dynasty, 20th century. Height, each, 17.5cm.

77. 목각상(木刻像)
조선, 20세기. 높이 29.5cm.
Figure, wood carving.
Chosŏn Dynasty, 20th century. Height 29.5cm.

78. 최영장군상(崔瑩將軍像)
조선, 20세기. 나무. 높이 41.2cm.
Representation of General Ch'oe Yŏng, wood carving.
Chosŏn Dynasty, 20th century. Height 41.2cm.

79. 남녀목각상(男女木刻像)
고려. 높이 28.8cm.
Figures(man and woman), wood carving.
Koryŏ Dynasty. Height 28.8cm.

80. 북(巫鼓)
조선, 20세기. 지름 75.7cm.
Drum.
Chosŏn Dynasty, 20th century. Diameter 75.7cm.

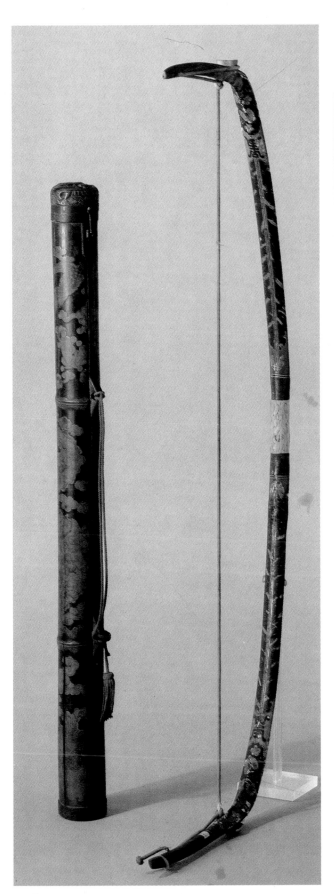

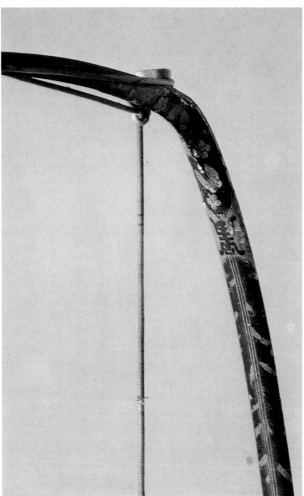

82. 활의 부분
Detail of bow in plate No. 81.

81. 활과 화살통(弓 及 箭筒)
　조선. 활 길이 119.3cm, 전통높이 99.3cm.
　Bow and quiver.
　Chosŏn Dynasty. Bow length 119.3cm, Quiver height 99.3cm.

83. 별전(別錢)
조선. 길이 47.0cm.
Coin pendant.
Chosŏn Dynasty. Length 47.0cm.

84. 별전(別錢)
조선. 길이 48.5cm.
Coin pendant.
Chosŏn Dynasty. Length 48.5cm.

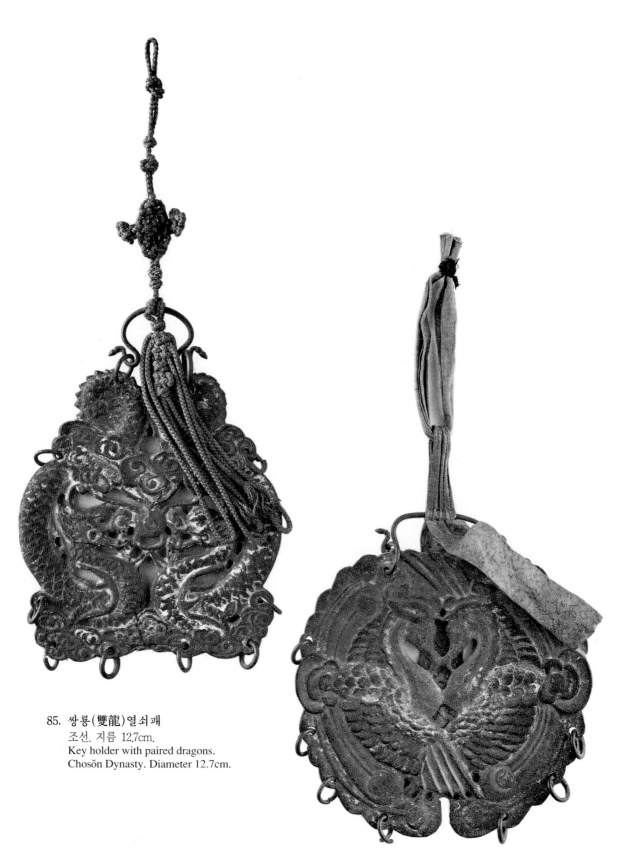

85. 쌍룡(雙龍)열쇠패
조선. 지름 12.7cm.
Key holder with paired dragons.
Chosŏn Dynasty. Diameter 12.7cm.

86. 봉황(鳳凰)열쇠패
조선. 지름 14.4cm.
Key holder with paired phoenixes.
Chosŏn Dynasty. Diameter 14.4cm.

87. 쌍희자(雙喜字)열쇠패
조선. 길이 25.0cm.
Key holder with a *ssanghŭi* design, stone.
Chosŏn Dynasty. Length 25.0cm.

88. 서산(書算)
조선. 22.7×3.4cm.
Counter, paper.
Chosŏn Dynasty.

333

89. 나전산수문이층농(螺鈿山水紋二層籠)
조선. 55.7×69.8×36.3cm.
Two-level clothes chest, wood, with a landscape design in mother-of-pearl inlay.
Chosŏn Dynasty.

334

▷

90.
나전산수문이층농
(螺鈿山水紋二層籠)의 부분
Detail of the chest in plate No. 89.

91. 대모의걸이장(玳瑁衣欌)
조선. 146.5×93.2×42.3cm.
Wardrobe, wood, with a design in hawksbill turtle shell.
Chosŏn Dynasty.

▷
92.
대모의걸이장(玳瑁衣欌)의 부분
Detail of the chest in plate No. 91.

93. 약장(藥欌)
조선, 19세기. 122.0×92.0×28.7cm.
Medicinal herb chest, wood.
Chosŏn Dynasty, 19th century.

94. 어피함(漁皮函)
조선, 18세기. 15.8×40.3×20.7cm.
Box, sharkskin.
Chosŏn Dynasty, 18th century.

95. 관복함(冠服函)
조선, 19세기. 29.5×63.2×38.5cm.
Official uniform box, wood.
Chosŏn Dynasty, 19th century.

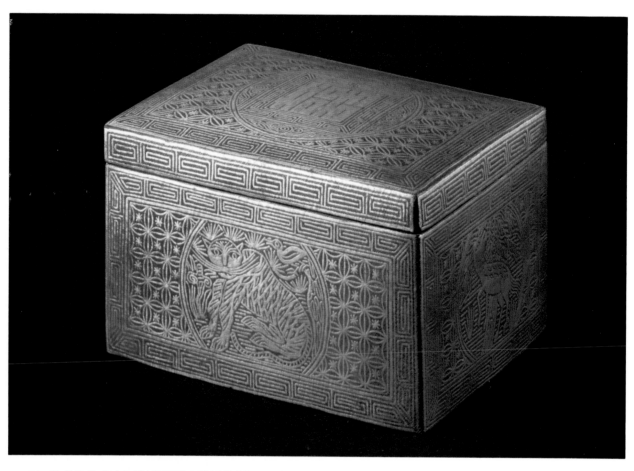

96. 철제은입사연초합(鐵製銀入絲煙草盒)　조선, 19세기. 7.7×12.4×9.5cm.
Tobacco case with silver inlay, iron. Chosŏn Dynasty, 18th century.

97. 철제은입사연초합(鐵製銀入絲煙草盒)　조선, 19세기. 4.7×9.5×5.6cm.
Tobacco case with silver inlay, iron. Chosŏn Dynasty, 19th century.

98. 쌍룡문연(雙龍紋硯)
조선, 19세기. 17.8×17.8×2.4cm.
Inkstone with paired dragons, stone.
Chosŏn Dynasty, 19th century.

99. 혼백가마(腰輿)
  조선. 86.2×73.8×54.3cm, 길이 138.0cm.
  Small palanquin for a mortuary table.
  Chosŏn Dynasty. Length 138.0cm.

100. 개미형먹통(蟻形墨筒)
　조선. 길이 15.2cm.
　Ant-shaped carpenter's inkpot, wood carving.
　Chosŏn Dynasty. Length 15.2cm.

101. 먹통(墨筒)
　조선. 길이 14.2cm.
　Carpenter's inkpot, wood carving.
　Chosŏn Dynasty. Length 14.2cm.

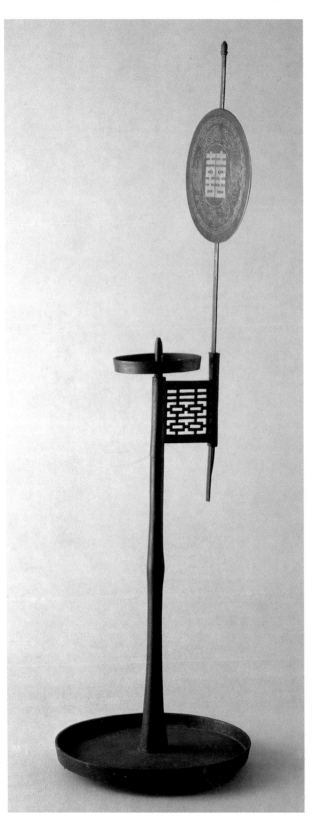

102. 은입사촛대(銀入絲燭臺)
조선, 19세기. 높이 95.0cm.
Candlestick with silver inlay, iron.
Chosŏn Dynasty, 19th century. Height 95.0cm.

103. 촛대(燭臺)
조선, 20세기. 높이 44.7cm.
Candlestick.
Chosŏn Dynasty, 20th century. Height 44.7cm.

104. 등가(燈架)
　조선, 19세기. 높이 49.2cm.
　Lamp stand, iron.
　Chosŏn Dynasty, 19th century. Height 49.2cm.

105. 백자등가(白瓷燈架)
　조선, 18세기. 높이 51.6cm.
　Lamp stand, white porcelain.
　Chosŏn Dynasty, 18th century. Height 51.6cm.

106. 지승합(紙繩盒)
조선, 19세기. 높이 13.0cm.
Covered container, paper-string.
Chosŏn Dynasty, 19th century. Height 13.0cm.

107. 지승발(紙繩鉢)
조선, 19세기. 지름 37.5cm.
Bowl, paper-string.
Chosŏn Dynasty, 19th century. Diameter 37.5cm.

108. 지승바구니(紙繩籃)
조선, 18세기. 지름 33.4cm.
Basket, paper-string.
Chosŏn Dynasty, 18th century. Diameter 33.4cm.

109. 반짇고리(縫函)
　　조선, 19～20세기. 지름 31.3cm.
　　Sewing box, paper.
　　Chosŏn Dynasty, 19th-20th century. Diameter 31.3cm.

110. 빗접(梳函)
조선, 19세기. 19.5×19.3×18.8cm.
Comb box, wood and paper.
Chosŏn Dynasty, 19th century.

111. 빗접(梳函)의 전개(展開)
Comb box in plate No. 110, opened.

112. 반짇고리(縫函)
　　조선, 19~20세기. 20.3×36.2×35.7cm.
　　Sewing box, paper.
　　Chosŏn Dynasty, 19th-20th century.

113. 화각실패(華角絲卷棒)
　　조선, 19~20세기. 8.8×4.0×1.5cm.
　　Spool decorated with painted ox-horn sheets, wood.
　　Chosŏn Dynasty, 19th-20th century.

114. 죽제찬합(竹製饌盒)
　　　조선, 19~20세기. 32.0×18.0×9.0cm.
　　　Food container, bamboo.
　　　Chosŏn Dynasty, 19th-20th century.

115. 떡살(餠製具)
조선, 19세기. 길이 24.8cm.
Rice cake stamps, wood.
Chosŏn Dynasty, 19th century. Length 24.8cm.

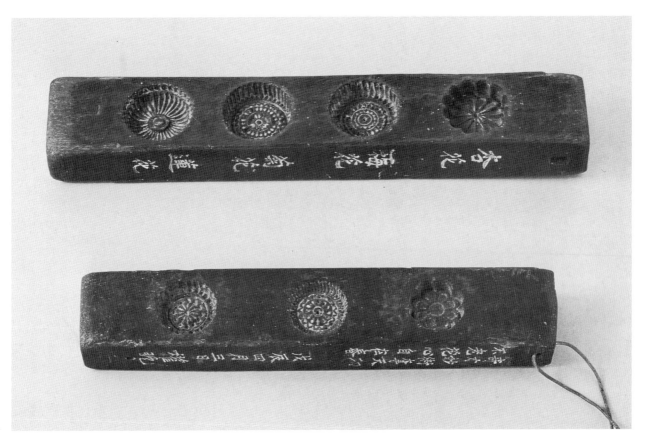

116. 다식판(茶食板)
　　조선, 19~20세기. 길이 37.8(上), 31.5(下)cm.
　　Dasik cake molds.
　　Chosŏn Dynasty, 19th-20th century. Length 37.8cm(top), 31.5cm(bottom).

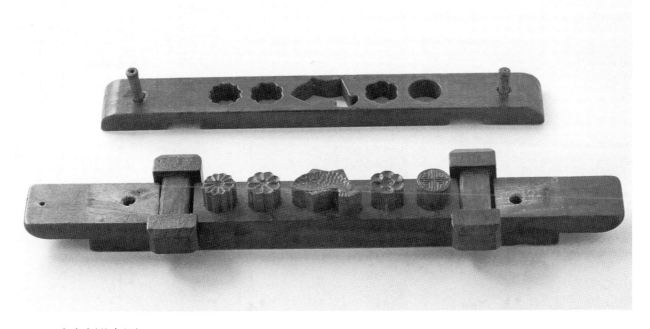

117. 다식판(茶食板)
　　조선, 20세기. 길이 44.3cm.
　　Dasik cake molds.
　　Chosŏn Dynasty, 20th century. Length 44.3cm.

118. 향갑노리개(香匣佩物)
　　조선, 19세기. 향갑 7.0×5.5×1.7cm.
　　Pendant with a perfume case ornament.
　　Chosŏn Dynasty, 19th century.
　　Perfume case 7.0×5.5×1.7cm.

119. 향갑·투호노리개(香匣·投壺佩物)
　　조선, 19~20세기. 향갑 4.8×2.8cm, 투호 3.5×1.7×1.2cm.
　　Pendants with perfume case and tubed jar ornaments.
　　Chosŏn Dynasty, 19th-20th century.
　　Perfume case 4.8×2.8cm, tubed jar 3.5×1.7×1.2cm.

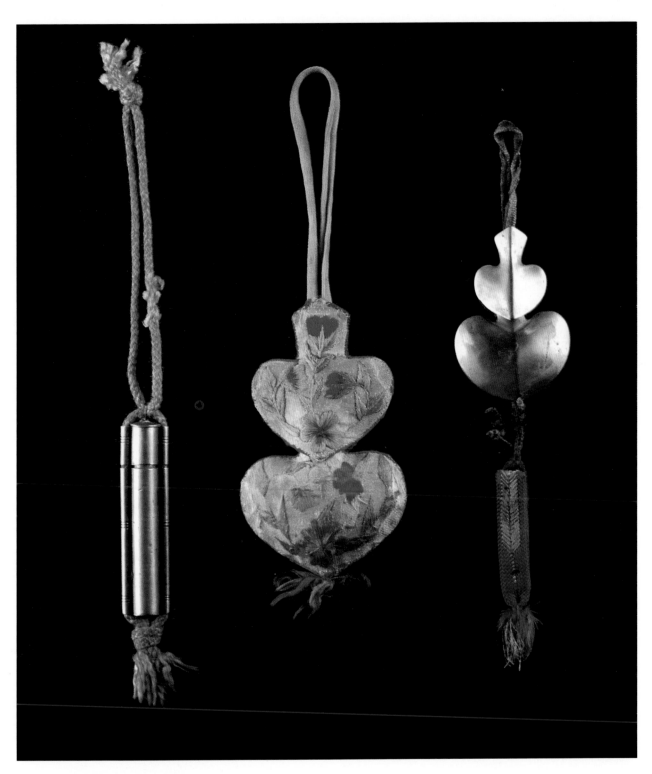

120. 바늘집노리개(縫針佩物)
　　조선, 19~20세기. 길이 5.6~9.2cm.
　　Pendants with needle case ornaments.
　　Chosŏn Dynasty, 19th-20th century.
　　Length 5.6-9.2cm.

121. 단작노리개(單作佩物)
조선, 19~20세기. 길이 14.0(右), 16.7(左)cm.
Pendants with ornaments.
Chosŏn Dynasty, 19th-20th century.
Length 14.0cm(right), 16.7cm(left).

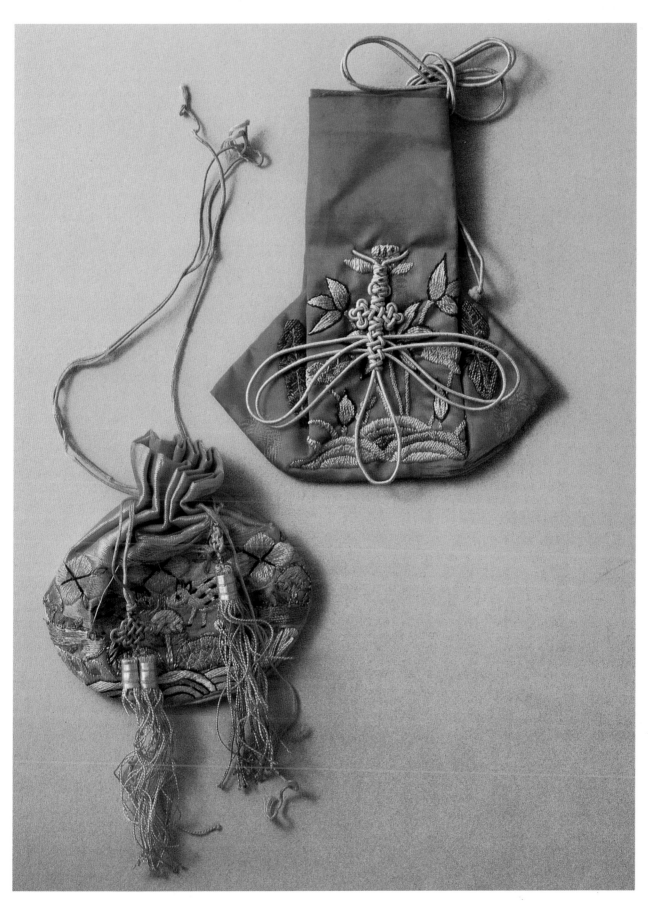

122. 두루주머니(夾囊)와 귀주머니(角囊)
조선, 19~20세기. 길이 9.8(左), 14.2(右)cm.
Decorative purses.
Chosŏn Dynasty, 19th-20th century.
Length 9.8cm(left), 14.2cm(right).

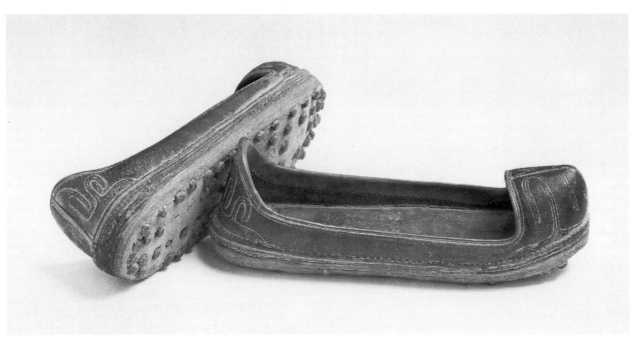

123. 유혜(油鞋)
　　조선, 19세기. 길이 25.4cm.
　　Wet-weather shoes, leather.
　　Chosŏn Dynasty, 19th century. Length 25.4cm.

124. 태사혜(太史鞋)
　　조선, 19세기. 길이 22.6cm.
　　Decorative shoes for men, silk.
　　Chosŏn Dynasty, 19th century. Length 22.6cm.

125. 탈, 포도대장(假面, 捕盜大將)
　　조선, 19세기. 길이 23.5cm.
　　Mask, *Pododaejang*, police chief, gourd.
　　Chosŏn Dynasty, 19th century. Length 23.5cm.

126. 탈, 노장(假面, 老丈)
조선, 19세기. 길이 23.2cm.
Mask, *Nojang*, apostate monk, gourd.
Chosŏn Dynasty, 19th century. Length 23.2cm.

127. 탈, 연잎(假面, 蓮葉)
조선, 19세기. 길이 22.2cm.
Mask, *Yŏnip*, high priest, gourd.
Chosŏn Dynasty, 19th century. Length 22.2cm.

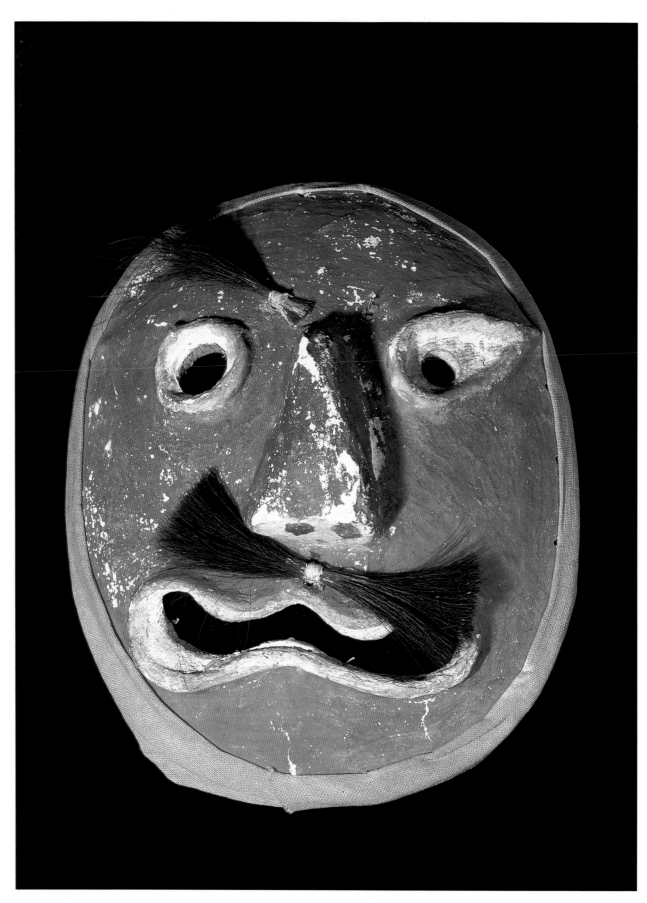

128. 탈(假面), 취발이
조선, 19세기. 길이 19.5cm.
Mask, *Ch'wibari*, prodigal, gourd.
Chosŏn Dynasty, 19th century. Length 19.5cm.

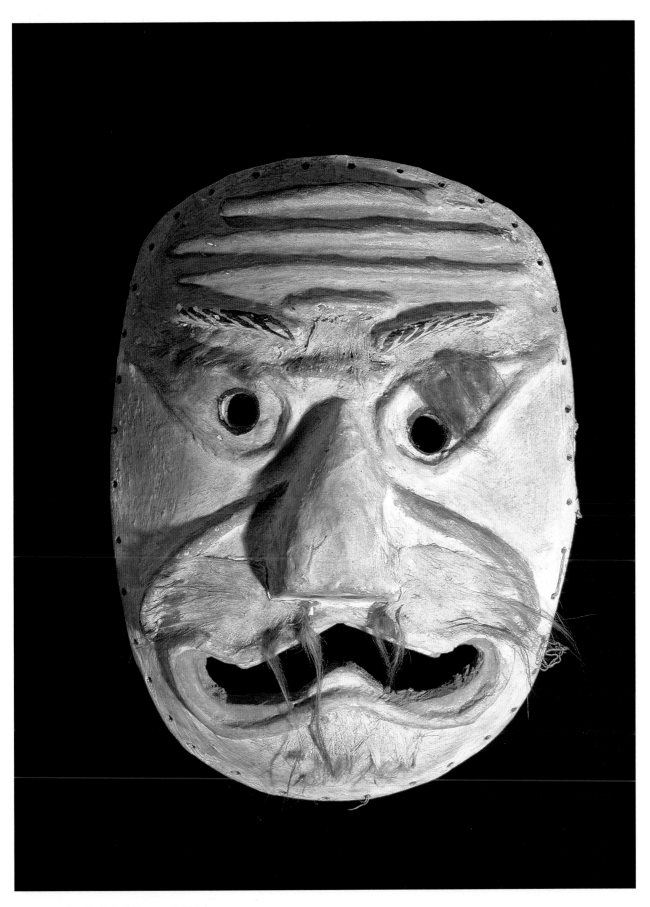

129. 탈, 신할아비(假面, 申祖父)
조선, 19세기. 길이 21.5cm.
Mask, *Sinharabi*, white-bearded old man, gourd.
Chosŏn Dynasty, 19th century. Length 21.5cm.

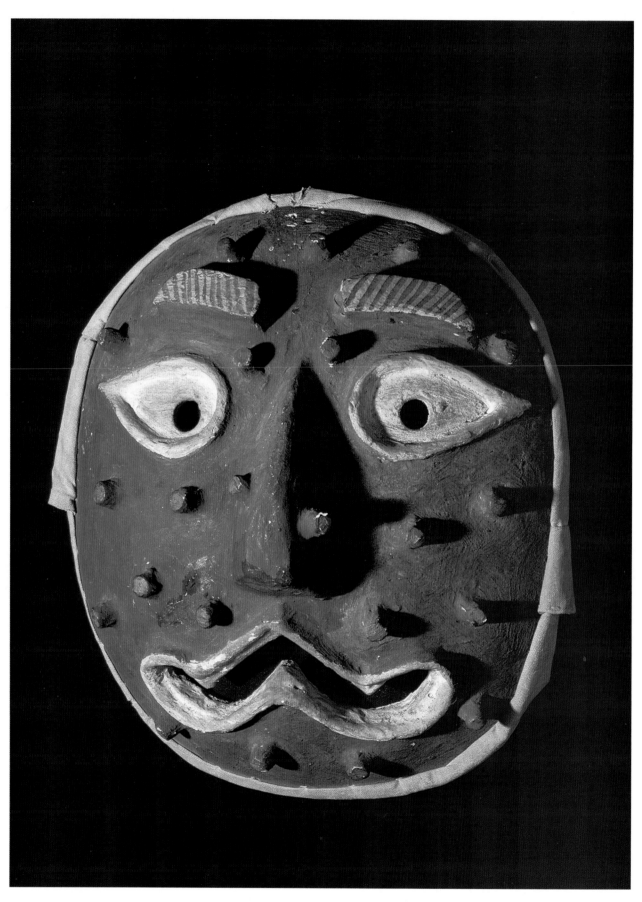

130. 탈, 옴중(假面, 疥僧)
조선, 19세기. 길이 26.5cm.
Mask, *Omjung*, monk with scabies, gourd.
Chosŏn Dynasty, 19th century. Length 26.5cm.

131. 탈, 생원(假面, 生員)
조선, 19세기. 길이 26.5cm.
Mask, *Saengwon*, aristocrat, gourd.
Chosŏn Dynasty, 19th century. Length 26.5cm.

132. 탈, 완보(假面, 完甫)
조선, 19세기. 길이 23.0cm.
Mask, *Wanbo*, Wanbo monk, gourd.
Chosŏn Dynasty, 19th century. Length 23.0cm.

133. 탈, 소무(假面, 少巫)
　　조선, 19세기. 길이 17.5cm.
　　Mask, *Somu*, young shaman witch, gourd.
　　Chosŏn Dynasty, 19th century. Length 17.5cm.

134. 탈, 먹중(假面, 墨僧)
조선, 19세기. 길이 29.0cm.
Mask, *Mŏkjung*, Buddhist monk, paper.
Chosŏn Dynasty, 19th century. Length 29.0cm.

135. 나무탈(假面)
　　조선, 19세기. 길이 31.0cm.
　　Mask, wood.
　　Chosŏn Dynasty, 19th century. Length 31.0cm.

136. 수발(水鉢)
조선. 높이 30.2cm.
Bowl, stone.
Chosŏn Dynasty. Height 30.2cm.

137.
철마(鐵馬)
조선.
길이 14.6cm.
Horse, iron.
Chosŏn Dynasty.
Length 14.6cm.

138.
철마(鐵馬)
조선.
길이 20.2cm.
Horse, iron.
Chosŏn Dynasty.
Length 20.2cm.

139.
도자마(陶瓷馬)
조선.
길이 13.2cm.
Horse, porcelain.
Chosŏn Dynasty.
Length 13.2cm.

140-1. 효(孝)
Hyo, filial piety.

140-2. 제(悌)
Che, brotherly love.

140. 문자도(文字圖)
조선, 19세기. 종이채색. 각 71.0×37.5cm.
Pictorial representation of the Confucian code of ethics,
eight-panel folding screen. Anonymous.
Chosŏn Dynasty, 19th century. Color on paper.
Each 71.0×37.5cm.

140-3. 충(忠)
Ch'ung, loyalty.

140-4. 신(信)
Sin, trust.

140-5. 예(禮)
Yea, courteousness.

140-6. 의(義)
Ŭi, righteousness.

140-7. 염（廉）
Yŏm, integrity.

140-8. 치（恥）
Ch'i, shame.

논 고
Treatise

天理圖書館 소장 『肖像畵帖』 解題

1. 『肖像畵帖』 4冊의 내용과 구성

日本 天理圖書館은 美術館이 아니면서도 〈夢遊桃源圖〉를 소장하고 있어서 우리 국민들에게 널리 알려지게 되었는데, 한편으로는 국내에서도 매우 드문 肖像畵帖을 무려 4冊, 총 201位의 肖像畵를 소장하고 있어서 美術史, 특히 繪畵史 연구자들에게 주목받아 왔다.

天理圖書館에 韓國 肖像畵가 많이 소장되어 있다는 사실은 李康七編 『韓國名人肖像畵大鑑』(탐구당, 1972년)에 대량으로 소개되면서부터 알려져 왔다. 이 도록은 1972년에 초호화본으로 製本에서는 당시 최고 수준으로 만든 500부 한정판으로 당시 정가가 60,000원(US $150)으로 되어 있다. 사실 이 도록은 東濱 金痒基 박사의 序文에서 알 수 있듯이 天理圖書館 소장품의 사진 원판을 구함으로써 기획, 간행될 수 있었던 것이다.

여기에 동빈선생의 말을 그대로 옮겨 본다.

"이 大鑑의 刊行計劃은 처음 日本 天理大學 圖書館(나라 所在) 收藏의 原畵를 기초로 出發하였다. 그러나 일의 진행 중 보다 좋은 작품을 期約하려는 정열에서 國立博物館을 비롯한 國內各處 收藏의 肖像畵를 널리 求하여 보완하였다. 4년여에 걸친 오랜 노력은 총수록 약 200점 중 國內分이 절반을 차지할 정도에 이르러 이제 刊行을 보게 된 것이다."

이렇게 간행된 『韓國名人肖像畵大鑑』에는 天理圖書館 소장품이 약 100점 수록되었다. 그러나 이 책은 초상화의 총량이 얼마나 되며, 그것이 어떤 방식으로 꾸며져 있고, 그 상태가 어떤 것인가 등에 대한 기본적인 정보는 밝혀져 있지 않았다. 그리하여 天理圖書館 소장의 한국 초상화들은 學界의 큰 궁금증의 하나로 남아 있어 왔다.

이번 국제교류재단의 해외소장 한국문화재 조사단은 2차에 걸쳐 이 작품을 조사하고 당 도서관의 우호적인 협조를 얻어 소장화첩 내용 일체를 공개하게 되었다. 이리하여 우리는 이 귀중한 소장품의 전모를 알게 되었고, 學術的으로 이용할 수 있게 되었다. 따라서 조사자인 본인은 무엇보다도 이 화첩의 객관적 정보를 정확하게 소상히 밝혀두고자 한다. 먼저 그 소장 내역을 보게 되면, 모두 4冊의 畵帖에 총 201位의 초상화가 실려 있다. 그 자세한 내용을 조사한 대로 밝혀둔다.

· 제1권(번호 445762) : 12張 23位
　　　畵帖 크기 ; 62.8×46.1cm, 肖像 크기 ; 56.1×41.2cm
　　　초상화의 배열 순서 및 초상화에 附記된 官職과 姓名은 다음과 같다.

1) 領相 金致仁　　2) 領相 洪樂性　　3) 左相 李溦

4) 領相 鄭存謙　　5) 領議政 徐命善　　6) 右相 鄭弘淳

7) 左相文衡 李徽之　　8) 左相文衡 李福源　　9) 右相 趙璥

10) 領相 李在協　　11) 左相 俞彦鎬　　12) 左相 李性源

13) 領相 蔡濟恭　　14) 左相文衡 金鍾秀　　15) 左相 金履素

16) 領相 李秉模　　17) 右相 尹蓍東　　18) 領相 沈煥之

19) 內閣學士 徐命膺　　20) 判樞文衡 吳載純　　21) 內閣學士 鄭民始

22) 判書 徐有隣　　23) 判樞 趙暾

・제2권(번호 445763)：30張 60位

　　書帖 크기；60.8×45.9cm, 肖像 크기；51.2×39.5cm.

　　초상화의 배열순서 및 소장목록에 附記된 號와 姓名은 다음과 같다.

1) 益齋 李齊賢　　2) 孤雲 崔致遠　　3) 平章事 崔惟善

4) 遼東伯 金應河　　5) 文成公 安珦　　6) 圃隱 鄭夢周

7) 愼齋 周世鵬　　8) 梅月堂 金時習　　9) 敬齋 河演

10) 河演夫人　　11) 忠愍公 林慶業　　12) 芝川 黃廷彧

13) 漢陰 李德馨　　14) 思庵 朴淳　　15) 梧里 李元翼

16) 迃齋 李厚源　　17) 三淵 金昌翕　　18) 渼湖 金元行

19) 失名　　20) 鹿川 李濡　　21) 睡谷 李畬

22) 寒竹堂 申鉦　　23) 領袖 俞拓基　　24) 陶谷 李宜顯

25) 水村 任埅　　26) 判書 鄭亨復　　27) 晚村 柳復明

28) 判書 趙榮進　　29) 圃巖 尹鳳朝　　30) 石門 尹鳳五

31) 知事 金元澤　　32) 判書 李之億　　33) 晉庵 李天輔

34) 三洲 李鼎輔　　35) 判書 李吉輔　　36) 奉朝賀 李喆輔

37) 判書 尹陽來　　38) 判書 尹汲　　39) 判書 朴文秀

40) 領相 李宗城　　41) 雷淵 南有容　　42) 江漢 黃景源

43) 判敦寧 金相奭　　44) 領相 金載瓚　　45) 判書 洪象漢

46) 領相 洪樂性　　47) 判書 趙重晦　　48) 判書 權噵

49) 領相 尹東度　　50) 左相 李珥　　51) 左相 趙文命

52) 左相 宋寅明　　53) 領相 趙顯命　　54) 右相 趙載浩

55) 判書 李德壽　　56) 右相 吳命恒　　57) 領相 韓翼謩

58) 右相 閔百祥　　59) 左相 李昌誼　　60) 判書 具允明

・제3권(번호 445164)：29張 58位

　　書帖 크기；45.5×33.0cm, 肖像 크기；37.0×29.1cm.

　　초상 배열 및 초상화에 附記된 號와 姓名은 다음과 같다.

1) 平章事 崔惟善　　2) 益齋 李齊賢　　3) 仙源 金尙容

4) 鹿川 李濡　　5) 忠愍公 林慶業　　6) 迃齋 李厚源

7) 失名　　8) 尤庵先生(宋時烈)　　9) 孤雲 崔致遠

10) 文成公 安珦　　11) 漢陰 李德馨　　12) 芝川 黃廷彧

13) 疎齋 李頤命　　14) 明齋 尹拯　　　15) 二憂堂 趙泰采

16) 寒圃齋 李健命　17) 文巖 鄭澔　　　18) 陶谷 李宜顯

19) 鶴巖 趙文命　　20) 淸沙 金在魯　　21) 知守齋 兪拓基

22) 忠孝 趙顯命　　23) 晉庵 李天輔　　24) 正獻 閔百祥

25) 翼靖 洪鳳漢　　26) 古亭 金致仁　　27) 竹石 趙㻐

28) 失名　　　　　29) 領相 韓翼䐀　　30) 判書 尹陽來

31) 梅軒 趙觀彬　　32) 近庵 尹汲　　　33) 雷淵 南有容

34) 判書 朴文秀　　35) 夢窩 金昌集　　36) 三淵 金昌翕

37) 思庵 朴淳　　　38) 梧里 李元翼　　39) 文谷 金壽恒

40) 判書 黃欽　　　41) 白閣 姜鋧　　　42) 水村 任堕

43) 失名　　　　　44) 將軍 金應河　　45) 判書 金起宗

46) 失名　　　　　47) 圃隱 鄭夢周　　48) 牧隱 李穡

49) 尨村 黃喜　　　50) 敬齋 河演　　　51) 梅月堂 金時習

52) 愼齋 周世鵬　　53) 荷棲 趙璞　　　54) 失名

55) 海石 金載瓚　　56) 領相 韓用龜　　57) 尙書 石星(明나라)

58) 提督 李如松(明나라)

・제4권(번호 445765) : 30張 60位

　　畵帖 크기 ; 62.2×46.8cm, 肖像 크기 ; 50.1×35.1cm

　　초상 배열 순서 및 소장목록에 기록된 官職과 姓名은 다음과 같다.

1) 判書 李昌壽　　　2) 參判 金尙迪　　　3) 失名

4) 判書 金漢喆　　　5) 失名　　　　　　6) 參判 金勉行

7) 失名　　　　　　8) 澹亭 南泰齊　　　9) 參判 趙榮祿

10) 失名　　　　　11) 兵判 李森　　　12) 判書 李重庚

13) 失名　　　　　14) 失名　　　　　15) 失名

16) 判尹 高夢聖　　17) 失名　　　　　18) 失名

19) 失名　　　　　20) 失名　　　　　21) 失名

22) 失名　　　　　23) 失名　　　　　24) 失名

25) 失名　　　　　26) 失名　　　　　27) 失名

28) 失名　　　　　29) 判書 魚有龍　　30) 失名

31) 失名　　　　　32) 失名　　　　　33) 失名

34) 失名　　　　　35) 失名　　　　　36) 失名

37) 失名　　　　　38) 失名　　　　　39) 失名

40) 失名　　　　　41) 失名　　　　　42) 失名

43) 失名　　　　　44) 失名　　　　　45) 判書 鄭壽期

46) 失名　　　　　47) 判書 宋昌明　　48) 判書 黃欽

49) 判書 姜鋧　　　50) 失名　　　　　51) 右相 金宇杭

52) 領相 南九萬　　53) 判書 李周鎭　　54) 判書 李景祜

55) 判書 沈鏽　　　56) 失名　　　　　57) 領相 金在魯

58) 領相 金致仁　　59) 判書 趙㻐　　　60) 判書 宋載經

2.『肖像畫帖』의 내력과 美術史的 가치

여기에서 우리는 어떻게 이렇게 많은 초상화가 天理圖書館에 소장되어 있는지를 알아볼 필요가 있다.

天理圖書館의 飯田照明 館長의 傳言에 따르면, 이 초상화첩은 豊壤趙氏 집안의 家傳遺品이었다. 趙大妃(神貞王后)의 조카이며, 개화기 때 수구파의 대표적인 인물로, 갑신정변 때 피살된 趙寧夏(1845~1884)의 자손들이 일본으로 건너갈 때 가져간 것인데, 그의 손자되는 사람이 가난에 쪼들려 당시 집 한 채 값을 받고 天理圖書館에 판 것이라고 한다.

東濱 金痒基 선생도 이런 사실을 알고 있었던 듯, 『한국명인초상화대감』의 序文에서 이 초상화들의 "蒐集과 製作은 대개 雲石 趙寅永에 의해 이루어졌으리라고 생각된다."고 적어 두었다. 이 앞뒤의 관계를 정리해 보면 다음과 같이 요약할 수 있다.

우선 趙寧夏의 행적을 살펴보면, 1863년에 文科에 급제하여 규장각 대교로 관직을 출발하게 되는

『肖像畫帖』 4册의 表裝.

데, 당시 섭정을 하고 있던 趙大妃의 총애를 받아 승정원 부승지로 발탁되었다. 이후 이조참판과 개성유수 등을 거쳐 1869년에는 동지부사로 중국에 다녀왔고, 1873년 민승호 등 민씨일족과 함께 대원군 축출에 앞장섰다. 그리하여 대원군이 실각하자 훈련대장·예조판서·한성판윤 등 요직을 거치고, 1882년에는 전권대사로 일본·미국·영국·독일 등과 외교문서를 체결하는 등 실권을 쥐고 있었다. 그러다 임오군란으로 다시 대원군이 집권하게 되자 좌천되었다가 1883년 공조판서를 거쳐 지중추부사에 재임 중 1884년 갑신정변 때 피살되고 말았다.

바로 이 趙寧夏는 부친이 秉錫이었는데 그는 어려서 秉夔에게 양자로 갔다. 그런데 병기는 雲石 趙寅永의 아들이었으니, 동빈선생은 이 초상유품을 조인영의 제작으로 본 것이었다.

아직까지 美術史學界에서 朝鮮時代의 肖像畫帖이 어떻게 제작되었고, 또 그 유품이 얼마나 남아 있는지에 대하여 별도의 연구가 이루어진 것이 없다. 家廟·影堂의 肖像畫와 書院의 影幀, 또는 국립중앙박물관에 전해지는 功臣圖肖像 등에 대하여는 趙善美의 『韓國 肖像畫 硏究』(열화당, 1983) 등에서 그 유래와 유품들이 밝혀지고 있지만 畫帖에 대한 규명은 없었다.

그러면 조인영은 무슨 계기와 어떤 목적으로 이 초상화첩을 만들었을까? 이에 대하여는 다음과 같이 유추할 수 있다. 현재 肖像畫帖으로 가장 널리 알려져 있는 것은 『기사계첩(耆社契帖)』으로 1719년(숙종 45)에 제작된 것(호암미술관 및 이화여대박물

관 소장)과 1744년(영조 20)에 제작된 것(국립중앙박물관) 등이 전해지고 있다. 이 『耆社契帖』은 현직 종2품 이상으로 70세가 넘으면 耆老所에 들어가게 되는데, 이 기로소 잔치가 벌어졌을 때 기념화로 제작된 것이다. 1719년 本에는 金昌集·申銋·李濡·姜銀 등 10인이 그려졌고, 1744년 本에는 李宣顯·趙顯命 등 8인이 그려졌다.

그러나 이러한 『기사계첩』과 天理大 소장 초상화첩과는 근본적으로 성격이 다르다. 天理大 소장 초상화첩은 일종의 '敬慕帖'으로 역대 명현의 초상을 모아 帖을 만들어 보면서 先賢의 뜻을 받든다는 취지로 만든 초상화첩이다. 사진이 없던 시절에 초상화로 엮은, 말하자면 '존경하는 인물 앨범' 같은 것이다. 그러나 이러한 초상화첩은 공경의 뜻으로만 만들어진 것이 아니었다. 이같은 초상화첩을 만들 때 어떤 인물을 선택하느냐는 매우 중요한 의미가 있기 마련인데, 대개는 家門의 존엄과 學通의 위엄을 과시하는 속뜻이 배어 있었다. 이러한 초상화첩이 제작된 것은 대개 18세기 중엽에서 19세기 초엽으로, 지금 天理大 소장 화첩 4책도 이때 제작된 것이며, 국립중앙박물관에 소장되어 있는 초상화첩 2册 또한 이 무렵에 만들어진 것이다.

그리하여 17,18세기 大臣이나 學者들은 초상화를 남긴 이가 많게 되었는데, 그 이전으로 올라가면 崔致遠·安珦·李穡·鄭夢周 등 손으로 꼽을 정도이며, 趙光祖·李滉·李珥 등은 초상을 남기지 않아 아쉽게도 후대의 초상화첩에서도 항상 빠지게 되었다.

아무튼 18세기에 제작된 초상화첩은 그 권위를 위하여 윗 代 초상화를 移模하고, 當代에는 家門이나 黨色과 學通을 완연히 드러내면서 편집·제작되었다. 이러한 분위기에서 풍양조씨라는 名門에서 老論의 黨色을 띠며 역대 名賢肖像帖을 만든 것이 바로 이것이며, 이 일은 당시 풍양조씨의 門長격인 石雲 趙寅永이 맡았던 것으로 추정되는 것이다. 이것은 이 무렵 先人簡札을 모으거나 墨蹟을 書帖으로 엮어 家寶로 전해 오던 풍습과 같은 맥락에 있는 것이며, 族譜가 완성되어 편찬되던 것과도 같은 문화적 의의를 지니는 시대적 소산이었던 것이다. 이에 대한 연구는 앞으로 각종 초상화첩들을 보다 면밀히 분석하면서 추진되어야 할 것으로 믿는다.

3. 天理大 소장본 『肖像畵帖』의 특징

조선 후기의 '肖像畵帖'들이 대개 그러한 성격을 지녔듯이 天理大 소장 『肖像畵帖』 4册에서도 똑같은 사실을 발견하게 된다.

첫째는, 豊壤趙氏가 압도적으로 많이 실려 있다는 점에서 家門의 권위를 위한 뜻이 역력히 보인다는 점이다.

제1권에 실린 判樞 趙曒은 趙寧夏의 고조할아버지이며, 右相 趙璥은 趙曒과 4촌간이다. 제2권의 判書 趙榮進, 左相 趙文命, 領相 趙顯命, 右相 趙載浩 등도 풍양조씨이며, 제3권에는 趙顯命·趙文命·趙曒·趙璥 등 18세기 풍양조씨 '간판 스타'들이 모두 등재되어 있다. 그리고 제4권에도 趙曒이 실려 있어서 이 초상화첩이 풍양조씨 집안에서 만들었다는 설을 유력하게 입증하고 있다.

둘째는, 당색이 老論이기 때문에 金昌協·金昌翕·兪拓基·李健命·李頤命 같은 노론의 골수들이 등재되고 尤庵 宋時烈의 경우는 함자를 쓰지 않고 '尤庵先生'이라고 극상의 표현을 하였다. 다른 당색의 인물 중에서는 南人이라도 蔡濟恭 같은 너그

러운 인물을 싣고, 少論의 尹拯은 같은 西人 입장으로 실어도 眉叟 許穆은 畵帖 4卷 중 어디에도 실려있지 않았다.

셋째는, 家門과 學通의 권위를 위하여 崔致遠에서 李穡·李齊賢 등의 초상을 移模하여 등재하였다.

이러한 종합적인 특징을 지닌 天理大 소장『초상화첩』4책을 화첩별로 그 성격을 살펴보면 다음과 같다.

제1권은 18세기에 활약한 相臣級의 大臣들을 그린 肖像畵帖으로 대부분 영의정·좌의정·우의정을 지낸 분들이며, 간혹 判書에 머문 분과 學士도 한 분이 있지만 그들의 當代 명성은 大臣에 못지 않은 분들이었다. 특히 學者로서 최고의 명예직으로 알았다던 大提學은 文衡이라고 해서 官職에 특별히 표기해 둔 것을 보면, 이 肖像畵帖은 18세기의 대표적인 大臣들을 망라한 것으로 보인다. 黨色은 蔡濟恭을 비롯한 몇몇을 제외하고는 老論 일색이다.

초상의 그림을 보면 대단히 정밀한 傳神技法을 엿볼 수 있어서 이 초상화는 移模本이 아니라 正本이라는 생각을 갖게 하며, 天理大 소장 한국 초상화 중 명작은 대개 이 첩에 들어 있다고 해도 과언이 아니다.

제2권은 모두 60位로 그 양이 방대하지만 초상의 기법은 1권에 비하면 아주 떨어지는 移模本이다. 그러나 趙重晦·趙文命 등 대례복을 입은 像들은 正本에 못지 않은 빼어난 傳神技法을 보여주고 있어서 玉石이 섞여 있다는 인상을 준다. 통일신라시대 崔致遠에서 고려시대 李齊賢, 조선 초기 金時習, 중기의 李德馨, 후기의 金昌翕 등에 이르기까지 우리에게 알려진 先代 名賢의 초상을 模寫하여 帖으로 꾸민 것이다. 대부분 분홍빛 도포(紅袍)를 입고 있는 자세로 표현하였는데 간혹 大禮服像, 학창의를 입은 儒學者像도 있고 河演의 夫人 초상도 들어 있어서 이채를 띠고 있다. 표구되어 있는 순서는 아무런 질서가 보이지 않아 처음 표장으로 생각되지 않는다.

제3권 역시 제2권과 마찬가지로 歷代名賢을 移模한 것인데, 제2권에 비하여 필치가 훨씬 세련되었고 傳神을 나타낸 기법이 뛰어나다. 특히 18세기 인물들의 표현은 正本에 가까운 박진감이 있다. 畵帖 중 도판 43의 失名氏는 예외적으로 大禮服을 입고 있고 이름도 쓰여 있지 않아서 다른 畵帖에서 잘못 끼어든 것이 아닌가 생각되는데, 사모 꼬리에 홑무늬로 구름이 표현되어 있는 등 복식으로 보아 임진왜란 전후의 大臣 같은데 누구인지 단정짓기는 주저된다. 또 이 화첩에는 壬亂 때 원군온 明나라 장수 李如松과 尚書 벼슬을 한 石星이 들어 있는 것이 특색이다.

제4권은 2권, 3권과 마찬가지로 역대명현의 초상을 移模한 것인데 失名한 초상이 많고 기법도 많이 떨어진다. 失名한 초상 중 상당 부분은 이름을 찾아낼 수도 있을 것 같은데 도판 28의 초상은 蔡濟恭의 초상임에 틀림없다(제1권 도판 13과 비교).

이상 稀代의 珍品이라 할『肖像畵帖』4册의 201 肖像을 1차 조사자로서 검토한 사항을 남김없이 제시하여 보았다. 필자의 조사와 해석에 많은 보완과 검토가 필요하겠지만 이미 조사된 정보를 다른 연구자들과 공유하고자 하는 뜻에서 풀어 놓은 것이다. 많은 참고가 되기를 바란다.

The Historical Meaning of the Portraiture Albums
at Tenri University Central Library

1. The Contents and Composition of the Albums

Tenri University Central Library is not a museum, but it is widely known even among Koreans because it contains in its collection An Kyŏn's painting *Dream Journey to the Peach Blossom Paradise* as well as 201 portraits of eminent Koreans in four albums, which have attracted the attention of art historians, especially historians of painting.

It was in 1972 that Yi Kang-ch'il published *The Great Catalog of Portrait Paintings of Eminent Koreans*, thus publicizing the fact that Tenri library had this collection of portraits. This catalog was published by T'amgudang in a limited, high-quality edition of only 500 copies; it included reproductions of many of the portraits in Tenri's collection. According to the preface by the late Professor Kim Sang-gi of Seoul National University, the publication of this catalog was made possible by obtaining the original photographs of these paintings from Tenri library. The preface states: "At first, we planned to publish this catalog on the basis of the original catalog of portrait paintings from Tenri University Central Library, Nara, Japan. In the course of collecting further materials to ensure a high standard for the catalog, we searched for and found many other portrait paintings from the National Museum of Korea in Seoul and from other collectors across the country. After four years of effort, we were able to publish this catalog with a total of 200 portrait paintings, half of them coming from the Korean collections."

Thus, we can confirm the fact that about 100 pieces contained in this catalog came from Tenri library, but details about their original composition and condition and their total number were not given. Thus, Tenri library's collection of Korean portraits has remained a great curiosity for the Korean academic world.

The Korea Foundation's survey team for cultural properties abroad was given permission, thanks to the friendly cooperation of the staff at Tenri library, to investigate the portraits on two occasions and to publicize the results of their investigation. Thus, we came to learn quite a bit about this precious collection of 201 portraits.

The first album (reference no. 445762) contains 23 portraits on 12 sheets of paper. The album measures 62.8×46.1 centimeters; the portraits are 56.1×41.2 centimeters. The order of arrangement of the portrait paintings, and the titles and names of the persons represented, are as follows:

1) Chief Prime Minister Kim Ch'i-in
2) Chief Prime Minister Hong Nak-sŏng
3) Second Prime Minister Yi Ŭn
4) Chief Prime Minister Chŏng Chon-gyŏm
5) Chief Prime Minister Sŏ Myŏng-sŏn
6) Third Prime Minister Chŏng Hong-sun
7) Second Prime Minister Yi Hwi-ji
8) Second Prime Minister Yi Pok-wŏn
9) Third Prime Minister Cho Kyŏng
10) Chief Prime Minister Yi Chae-hyŏp
11) Second Prime Minister Yu Ŏn-ho
12) Second Prime Minister Yi Sŏng-wŏn
13) Chief Prime Minister Ch'ae Che-gong
14) Second Prime Minister Kim Chong-su
15) Second Prime Minister Kim I-so

16) Chief Prime Minister Yi Pyŏng-mo
17) Third Prime Minister Yun Si-dong
18) Chief Prime Minister Sim Hwan-ji
19) Sŏ Myŏng-ŭng (Naegak Haksa)

20) Chief of Royal Secretariat O Chae-sun
21) Chŏng Min-si (Naegak Haksa)
22) Minister Sŏ Yu-rin
23) Chief of Royal Secretariat Cho Ton

The second album (reference no. 445763) contains 60 portraits on 30 sheets of paper. The album measures 60.8 × 45.9 centimeters; the portraits are 51.2 × 39.5 centimeters. The order of arrangement of portraits, and the pen names and names of the persons represented, are as follows:

1) Ikche, Yi Che-hyŏn
2) Koun, Ch'oe Ch'i-wŏn
3) P'yongjangsa, Ch'oe Yu-sŏn
4) Yodongbaek, Kim Ŭng-ha
5) Munsŏng, An Hyang
6) P'oŭn, Chŏng Mong-ju
7) Sinje, Chu Se-bung
8) Maewŏldang, Kim Si-sŭp
9) Kyŏngje, Ha Yŏn
10) Wife of Ha Yŏn
11) Ch'ungmin, Im Kyŏng-ŏp
12) Chich'on, Hwang Chŏng-uk
13) Hanŭm, Yi Tŏk-hyŏng
14) Sa-am, Pak Sun
15) Ori, Yi Wŏn-ik
16) Uje, Yi Hu-wŏn
17) Samyŏn, Kim Ch'ang-hŭp
18) Miho, Kim Wŏn-haeng
19) unknown name
20) Nokch'on, Yi Yu
21) Sugok, Yi Yŏ
22) Hanjukdang, Sin Im
23) Yŏng-yu, Yu Ch'ŏk-ki
24) Togok, Yi Ŭi-hyŏn
25) Such'on, Im Pang
26) Minister Chŏng Hyŏng-bok
27) Manch'on, Yu Pok-myŏng
28) Minister Cho Yŏng-jin
29) P'oam, Yun Pong-jo
30) Sŏkmun, Yun Pong-o
31) Official Kim Wŏn-t'aek

32) Minister Yi Chi-ŏk
33) Chinam, Yi Ch'ŏn-bo
34) Samju, Yi Chŏng-bo
35) Minister Yi Kil-bo
36) Pongjoha, Yi Ch'ŏl-bo
37) Minister Yun Yang-rae
38) Minister Yun Kŭp
39) Minister Pak Mun-su
40) Chief Prime Minister Yi Chong-sŏng
41) Noeyŏn, Nam Yu-yong
42) Kanghan, Hwang Kyŏng-wŏn
43) P'andonyŏng, Kim Sang-sŏk
44) Chief Prime Minister Kim Chae-ch'an
45) Minister Hong Sang-han
46) Chief Prime Minister Hong Nak-sŏng
47) Minister Cho Chung-hoe
48) Minister Kwŏn To
49) Chief Prime Minister Yun Tong-do
50) Second Prime Minister Yi Hu
51) Second Prime Minister Cho Mun-myŏng
52) Second Prime Minister Song In-myŏng
53) Chief Prime Minister Cho Hyŏn-myŏng
54) Third Prime Minister Cho Chae-ho
55) Minister Yi Tŏk-su
56) Third Prime Minister O Myŏng-hang
57) Chief Prime Minister Han Ik-mo
58) Third Prime Minister Min Paek-sang
59) Second Prime Minister Yi Ch'ang-ŭi
60) Minister Ku Yun-myŏng

The third album (reference no. 445164) contains 58 portraits on 29 sheets of paper. The album measures 45.5 × 33.0 centimeters; the portraits are 37.0 × 29.1 centimeters. The order of arrangement of the portrait paintings, and the pen names and names of the persons represented, are as follows:

1) P'yŏngjang, Ch'oe Yu-sŏn
2) Ikche, Yi Che-hyŏn
3) Sŏnwŏn, Kim Sang-yong
4) Nokch'ŏn, Yi Yu
5) Ch'ungmin, Im Kyŏng-ŏp
6) Uje, Yi Hu-wŏn
7) unknown name
8) Uam, Song Si-yŏl
9) Koun, Ch'ŏe Ch'i-wŏn
10) Munsŏng, An Hyang
11) Hanŭm, Yi Tŏk-hyŏng
12) Chich'ŏn, Hwang Chŏng-uk
13) Soje, Yi I-myŏng
14) Myŏngje, Yun Chŭng
15) Iudang, Cho T'ae-ch'ae
16) Hanpoje, Yi Kŏn-myŏng
17) Munam, Chŏng Ho
18) Togok, Yi Ŭi-hyŏn
19) Hag-am, Cho Mun-myŏng
20) Ch'ŏngsa, Kim Chae-ro
21) Chisuje, Yu Ch'ŏk-ki
22) Ch'unghyo, Cho Hyŏn-myŏng
23) Chinam, Yi Ch'ŏn-bo
24) Chŏnghŏn, Min Paek-sang
25) Ikchŏng, Hong Pong-han
26) Kojŏng, Kim Ch'i-in
27) Chuksŏk, Cho Ton
28) unknown name
29) Chief Prime Minister Han Ik-mo

30) Minister Yun Yang-rae
31) Hoehŏn, Cho Kwan-bin
32) Kŭn-am, Yun Kŭp
33) Noeyŏn, Nam Yu-yong
34) Minister Pak Mun-su
35) Mongwa, Kim Ch'ang-jip
36) Samyŏn, Kim Ch'ang-hŭp
37) Sa-am, Pak Sun
38) Ori, Yi Wŏn-ik
39) Mungok, Kim Su-hang
40) Minister Hwang Hŭm
41) Paeggak, Kang Hyŏn
42) Such'on, Im Pang
43) unknown name
44) General Kim Ŭng-ha
45) Minister Kim Ki-jong
46) unknown name
47) P'oŭn, Chŏng Mong-ju
48) Mogŭn, Yi Saek
49) Pangch'on, Hwang Hŭi
50) Kyŏngje, Ha Yŏn
51) Maewŏldang, Kim Si-sŭp
52) Sinje, Chu Se-bung
53) Hach'ŏp, Cho Kyŏng
54) unknown name
55) Haesŏk, Kim Chae-ch'an
56) Chief Prime Minister Han Yong-gu
57) Minister Sŏk Sŏng (of Ming China)
58) Admiral Yi Yŏ-song (of Ming China)

The fourth album (reference no. 445765) contains 60 paintings on 30 sheets of paper. The album measures 62.2 × 46.8 centimeters; the portraits are 50.1 × 35.1 centimeters. The order of arrangement of the portrait paintings, and the official titles and names of the persons represented, are as follows:

1) Minister Yi Ch'ang-su
2) Vice Minister Kim Sang-jŏk
3) unknown name
4) Minister Kim Han-ch'ŏl
5) unknown name
6) Vice Minister Kim Myŏn-haeng
7) unknown name
8) Tamjŏng, Nam T'ae-je
9) Vice Minister Cho Yŏng-rok
10) unknown name
11) Minister of Military Affairs Yi Sam
12) Minister Yi Chung-kyŏng

13) unknown name
14) unknown name
15) unknown name
16) Mayor of Hansŏng Ko Mong-sŏng
17) unknown name
18) unknown name
19) unknown name
20) unknown name
21) unknown name
22) unknown name
24) unknown name
25) unknown name

26) unknown name
27) unknown name
28) unknown name
29) Minister Ŏ Yu-ryong
30) unknown name
31) unknown name
32) unknown name
33) unknown name
34) unknown name
35) unknown name
36) unknown name
37) unknown name
38) unknown name
39) unknown name
40) unknown name
41) unknown name
42) unknown name
43) unknown name

44) unknown name
45) Minister Chŏng Su-gi
46) unknown name
47) Minister Song Ch'ang-myŏng
48) Minister Hwang Hŭm
49) Minister Kang Hyŏn
50) unknown name
51) Third Prime Minister Kim U-hang
52) Chief Prime Minister Nam Ku-man
53) Minister Yi Chu-jin
54) Minister Yi Kyŏng-ho
55) Minister Sim Su
56) unknown name
57) Chief Prime Minister Kim Chae-ro
58) Chief Prime Minister Kim Ch'i-in
59) Minister Cho Ton
60) Minister Song Chae-gyŏng

2. The Origin and Historical Value of the Albums

It is important to learn how so many important Korean portrait paintings came to be collected by Tenri library.

According to the director of the library, Iida Syomei, the albums were the family heirloom of the P'ungyang Cho clan; the sons of Cho Yŏng-ha (1845-1884), a nephew of Queen Dowager Cho (Empress Sinjŏng) and a leading member of the conservative party who was killed during the 1884 Revolution, brought them to Japan. One of Cho Yŏng-ha's grandsons was so poor that he sold the albums to Tenri University Central Library for enough money to buy a house at the time.

The late professor Kim Sang-gi, as if he knew this fact, wrote in his preface to the *Great Catalog of Portrait Paintings of Eminent Koreans*: "The collection of the portraits and their binding into albums seem to be the work of Unsŏk, Cho In-yŏng." Kim's preface can be summarized as follows.

Cho Yŏng-ha passed the civil service examination in 1863 and started his official career as a Taegyo at the Royal Library, Kyujanggak. He was so patronized by Queen Regent Cho that he was promoted to the position of deputy chief of the royal secretariat. From that time, he served as vice minister of the Ministry of Personnel and the commandant of Kaesŏng. He had been to China in 1869 as the chief of the winter solstice diplomatic mission. In 1873 he became a ringleader along with the Min clan, including Min Sŭng-ho, of a party to oust the Regent Taewŏngun. After the Taewŏngun lost his power, Cho became the general of the military training command, minister of rites, and the mayor of Hansŏng (Seoul). He exercised governmental power in 1882 as the royal envoy of plenipotentiary power and established diplomatic relations between Korea and Japan, the United States, Great Britain, and Germany. When the Taewŏngun came back into power in the wake of the 1882 military revolt, Cho lost royal favor briefly, until 1883 when he was appointed minister of public works. He was killed in 1884.

Cho Yŏng-ha was the son of Pyŏng-sŏk but was adopted in his childhood by Pyŏng-gi, who was the son of Unsŏk Cho In-yŏng. Professor Kim Sang-gi presumed that these albums belonged to Cho In-yŏng.

No systematic research has been made by art historians on how these Chosŏn-era portrait albums were made and how many portrait paintings remain today. Cho Sŏn-mi's *Korean Portrait Painting* (Youl Hwa Dang, 1983) deals with the history of portraits preserved in family shrines and Confucian private academies and with the portraits of meritorious retainers in the collection of the National Museum of Korea in Seoul, but it does not mention anything about albums of portrait paintings.

The most widely known albums of portrait paintings are the *Kisa kyech'ŏp*, or albums of elder officials. When state officials turned 70 years old, they entered the Society of Elder State Officials, and their portraits were painted. One such album was made in 1719 (the 45th year of the reign of King Sukchong) and is now in the collection of the Ho-Am Art Museum; another was made in 1744 (the 20th year of the reign of King Yŏngjo) and is now in the National Museum of Korea.

The former contains portraits of ten persons including Kim Ch'ang-jip, Sin Im, Yi Yu, and Kang Hyŏn; and latter contains portraits of eight persons including Yi Sŏn-hyŏn and Cho Hyŏn-myŏng.

The nature of these *Kisa kyech'ŏp* albums is basically different from that of the albums in Tenri library. The latter are albums honoring persons of high esteem and reverence, who are paragons of virtue and learning, made at a time when photography did not exist. However, these albums were also produced for another purpose. The selection of persons to be included in the albums was impregnated with significance, more often than not to parade the dignity of a family clan or the scholastic mantle of the person represented. These albums were produced mainly from the middle of the 18th to the early 19th centuries; the four albums in Tenri library and the other two albums in the National Museum of Korea were all from this period.

Many high-ranking officials and scholars of the 17th and 18th century also left their portrait paintings. There are only a few portraits from before the 16th century, such as those of Ch'oe Ch'i-wŏn, An Hyang, Yi Saek and Chŏng Mong-ju. Cho Kwang-jo, Yi Hwang and Yi I never had their portraits commissioned, and thus we have no idea as to their appearance.

In the production of portrait albums in the 18th century, clans carefully selected the persons to be represented in such a way as to clearly highlight the family clans, the party alliances and the scholastic mantle, often basing the portraits on earlier paintings of illustrious persons of previous ages to add distinction to their work. The production of portrait albums was akin to the tradition of this period to collect letters of ancestors and calligraphic works as family treasures into albums. Portrait albums were considered as valuable as family genealogies in this regard. Further research on these albums must be carried out by carefully investigating and analyzing all the available portrait paintings.

3. The Characteristics of the Albums in the Tenri University Central Library

The four albums of portrait paintings in Tenri library share the same characteristic features as those of other albums produced during the later Chosŏn Dynasty.

First, they were produced to enhance the dignity of the P'ungyang Cho family clan, in that members of this clan overwhelmingly predominate over others in the albums. Cho Ton of the Royal Secretariat in the first album was the great-great-grandfather of Cho Yŏng-ha, and third Prime Minister Cho Kyŏng was a cousin of Cho Ton.

Minister Cho Yŏng-jin, second Prime Minister Cho Mun-myŏng, chief Prime Minister Cho Hyŏn-myŏng, and third Prime Minister Cho Chae-ho in the third album were all of the P'ungyang Cho family clan; the second album also highlights other leading members of this family clan such as Cho Hyŏn-myŏng, Cho Mun-myŏng, Cho Ton and Cho Kyŏng. Cho Ton is also included in the fourth album. These facts indicate that the albums were probably produced by the P'ungyang Cho family clan.

Second, in party alliances, the core members of the Noron (Old Doctrine) faction, such as Kim Ch'ang-hyŏp, Kim Ch'ang-hŭp, Yu Ch'ŏk-ki, Yi Kŏn-myŏng and Yi I-myŏng, are all included, and Uam Song Si-yŏl is given as "Uam-sŏnsaeng" instead of with his full name. Only the persons of other factions who were less hard-line were included, such as Ch'ae Che-gong of the Namin (Southerners) faction and Yun Chŭng of the Sŏin (Westerners) faction, but Misu Ho Mok was not included in any of the four albums.

Third, the albums included the copied portraits of Ch'oe Ch'i-wŏn, Yi Saek and Yi Che-hyŏn to add authority to their family clan and scholastic mantle.

Now let us examine the characteristic features of the portrait paintings in the four albums.

The first album includes the chief prime ministers, second prime ministers and third prime ministers prominent in the 18th century, and a few ministers and a scholar whose reputation was equal to that of a minister. Taejehak, the highest position of honor for a scholar, was indicated as "Munhyŏng," a governmental title, in order to show that the album represents all the leading ministers of the 18th century. The party alliance of the ministers is mostly of the Noron faction, except for a few exceptions such as Ch'ae Che-gong.

The portraits are so revealing of the exquisite method of "transmitting the spirit of the divine" that it seems as if they were the originals. Most of the masterpieces of Korean portrait painting, in fact, are generally considered to be included in these four albums.

The second album contains as many as 60 portraits, but their quality falls far short of those in the first album. It is a jumble of good and bad alike, because the portraits of Cho Chung-hoe and Cho Mun-myŏng in formal office attire reveal the method of "transmitting the spirit" not unlike that of the originals. This album includes famous sages of Korea such as Ch'oe Ch'i-wŏn of Unified Silla, Yi Che-hyŏn of Koryŏ, Kim Si-sŭp of early Chosŏn, Yi Tŏk-hyŏng of middle Chosŏn and Kim Ch'ang-hŭp of late Chosŏn. Most of the sitters wear gentlemen's robes in pink color, some formal office dress, and others the long crane-white robe of a Confucian scholar. The portrait of Ha Yŏn's wife cuts a conspicuous figure. It seems that there is no order in the arrangement of the pictures, and therefore the album does not look like an original production.

The third album also contains copies of portraits of distinguished historical sages, but the brush strokes and the method of "transmitting the spirit" are far superior to those of the second album. The portraits of the 18th-century personages particularly bear a truthfulness to life. The 43rd portrait, of a person whose name has been lost, depicts that person wearing formal office dress, indicating that his portrait may have belonged in another of the albums. His dress and the cloud pattern in the tail of his official headgear suggest that he might have been a minister around the time of the Japanese invasion of Korea in 1592. This album also includes portraits of the Ming Chinese General Yi Yŏ-song and of Minister Sŏk Sŏng.

The fourth album, like the second and third, is also made up of copies of portraits of distinguished historical persons. There are very many lost names in this album, and the quality of the portraits falls far short of the others. It may be possible to identify many of the lost names; for example, the 28th portrait is surely that of Ch'ae Che-gong (compare this with the 13th portrait in the first album).

I have carefully examined the 201 portraits contained in these extremely valuable albums held by the Tenri University Central Library. My preliminary examination has identified many directions for further research and interpretation, but I make this information, such as it is, public as a means of sharing it with my colleagues in the field of art history.

인명약보
Chronological Personal
History

『肖像畵帖』 人名 略譜

유 홍 준
영남대교수 · 미술사

이 인 숙
영남대강사 · 미술사

*여기에 실린 人名錄은 독자들의 초상화에 대한 이해를 돕기 위하여 『한국민족문화대백과사전』(한국정신문화연구원, 1992), 『한국인명대사전』(신구문화사, 1976), 『국사대사전』(세진출판사, 1980) 등을 참조하여 간략하게 작성한 것이다.

● 제1권 ●

金致仁 1716(숙종 42)~1790(정조 14)

본관은 청풍이며, 자는 公恕이고, 호는 古亭이다. 영의정 在魯의 아들로 1747년(영조 23)에 生員이 되고, 1748년 春塘臺文科에 장원을 하여 左承旨·副提學과 이조·호조·형조의 판서를 거쳐서 1765년에 우의정을 지내고 이듬해 좌의정을 역임했다. 1766년부터 수차 영의정을 지냈으나 당파를 조성한 죄로 1772년 稷山縣으로 유배를 간 후 반 년 만에 풀려 나왔다. 1776년 정조가 즉위하자 判中樞府事가 되어 告訃兼請承襲奏請使로서 청나라에 다녀온 뒤에 奉朝賀가 되고 1785년 『大典通編』편찬을 총재했다. 이듬해 다시 영의정으로 기용되어 정조의 명으로 당쟁의 조정에 힘썼으며, 領中樞府事로 죽었다. 성품이 치밀하고 결단력이 있는 인물로 나라의 典故에 정통하여 이를 정사에 활용하는 데 능했다. 시호는 憲肅이며, 編書로는 『明義錄』 『列聖誌狀通記』가 있다.

洪樂性 1718(숙종 44)~1798(정조 22)

본관은 풍산이며, 자는 子安이고, 호는 恒齋이다. 예조판서 象漢의 아들로 魚有鳳의 사위이자 문인이었다. 1744년(영조 20)에 庭試文科에 乙科로 급제하여 正言·司書·持平·司諫·承旨를 지내고, 1757년(영조 33)에 大司成이 되었다. 그 후 吏曹參議·江華府留守·吏曹參判등을 역임했다. 1768년(영조 44)에 이조판서가 되고 右參贊을 거쳐 형조와 병조의 판서를 지냈다. 1782년(정조 6)에 좌의정이 되고 1784년에는 謝恩使로 명나라에 다녀왔으며, 1793년에는 영의정이 되었다. 1797년 80세에 几杖을 하사받고 致仕를 청하여 領中樞府事에 전임, 耆老所에 들어갔다. 글씨에 뛰어났으며, 시호는 孝安이다.

李溆 1722(경종 2)~1781(정조 5)

본관은 덕수이며, 자는 稚浩이고, 호는 瞻齋이다. 병조판서 周鎭의 아들로 1740년(영조 16)에 進士試에 합격하고 1759년에 庭試文科에 乙科로 급제했다. 1764년 司直이 되고, 이듬해 대사헌으로 韓後樂을 伸救하려다가 왕의 분노로 江華留守에 전직되었다. 1767년 다시 대사헌이 되었으나 탄핵을 받아 朔寧郡守로 좌천되었고 뒤에 이조판서를 지냈다. 1772년 우의정에 이어 좌의정에 올랐으나 탄핵으로 파직하고 이듬해 다시 좌의정이 되었다. 1775년 判中樞府事로 王世孫〔正祖〕에게 국정을 대행시키는 문제로 논란이 일어나자 지지파인 徐明善을 도운 공으로 좌의정이 되었다. 1777년 進賀兼謝恩使로 청나라에 가서 왕명으로 『古今圖書集成』5,020권을 구득하여 귀국한 뒤 영중추부사가 되었다. 이듬해 다시 瀋陽問安使로 청나라에 다녀왔고, 1780년 좌의정이 되었다가 병으로 사직하고 領敦寧府事로 죽었다. 시호는 忠穆이다.

鄭存謙 1722(경종 2)~1794(정조 18)

본관은 동래이며, 자는 大受이고, 호는 陽齋·陽庵·源村이다. 우의정 致和의 5대손으로 文祥의 아들이다. 李縡의 문인이었으며, 1730년(영조 6)에 生員이 되고, 이듬해

庭試文科에 丙科로 급제하여 校理·副提學을 지냈다. 1761년(영조 37) 승지로서 莊獻世子의 西遊를 왕에게 고하지 않은 죄로 削職당했으나 그 후 다시 등용되었으며, 1772년 黨論을 주장하여 북청으로 유배되었다. 이듬해 풀려나와 이조판서를 지냈다. 1776년에 우의정에 승진하고 1777년(정조 1)에 좌의정이 되었으며 1781년에는 實錄廳摠裁官을 겸했다. 이듬해 冬至使로 청나라에 다녀와 1783년 우의정이 되고, 이듬해 世子師傅를 겸임했다. 1786년 領中樞府事에 전임했다가 1791년 영의정으로 致仕, 奉朝賀가 되었다. 시호는 文安이며, 저서로는 『陽齋集』이 있다.

徐命善 1728(영조 4)~1791(정조 15)

본관은 달성이며, 자는 繼仲이고, 호는 歸泉·桐源이다. 이조판서 宗玉의 아들이며, 1753년(영조 29)에 生員이 되고, 1763년 增廣文科에 乙科로 급제하고, 1766년 文科重試에 丙科로 급제하여 1769년 承旨·강원도관찰사가 되고, 1771년에 이조참의를 지냈다. 이 해 9월 대사헌이 되었다가 잠시 승지를 거쳐 부제학을 역임하고, 1774년 이조참판에 올라 世孫[正祖]의 代理聽政을 반대해 오던 재상 洪麟漢을 탄핵하여 파직시키고, 세손이 대리청정을 시행하게 했다. 1776년(영조 52)에 이조판서가 되고, 영조가 죽자 嬪殿都監·上謚封園都監 등의 提調를 지냈으며, 摠戎使를 거쳐 1777년(정조 1)에 우의정, 이듬해 좌의정을 역임했다. 1780년(정조 4)에 영의정에 올랐고, 領中樞府事에 이르렀다. 처음 시호는 忠憲이었으나 정조가 후에 忠文으로 바꾸었다.

鄭弘淳 1720(숙종 46)~1784(정조 8)

본관은 동래이며, 자는 毅仲이고, 호는 瓠東이다. 영의정 太和의 후손이며, 參判 錫三의 아들이다. 1745년(영조 21)에 庭試文科에 丙科로 급제하여 設書·吏曹正郎·持平·校理·吏曹參判 등을 거쳐 평안도관찰사가 되고, 호조판서로 10년 간 재직하면서 財政 문제에 특히 재능을 발휘하여 당대 제일의 재정관으로 손꼽혔다. 1762년(영조 38)에는 호조판서로 예조판서를 겸임하면서 莊獻世子의 상을 당하자 그 葬儀를 주관했다. 1777년 정조가 즉위한 다음 해에 앞서 세자의 장례 때 삼계의 풍부여부를 알고자 당시 예조판서였던 그를 대령케 하여 당시 간직하였던 물품을 내보여 그 공으로 1778년(정조 2)에 우의정에 승진하고 이어 좌의정에 이르렀다. 시호는 貞敏, 후에 忠憲으로 改謚되었다.

李徽之 1715(숙종 41)~1785(정조 9)

본관은 전주이며, 자는 美卿이고, 호는 老圃이다. 좌의정 觀命의 아들이며, 1741년(영조 17)에 進士試에 합격하고, 1766년에 庭試文科에 丙科로 급제하여 吏曹參議를 거쳐 사신으로 청나라에 다녀와 大提學이 되었다. 1755년(영조 51)에 江華府留守가 되고 1779년(정조 3)에 奎章閣提學을 지내고, 이듬해 평안도관찰사에서 우의정으로 승진하여 1781년에는 實錄廳總裁官을 겸하여 『영조실록』의 편찬을 주관하였다. 다음 해에는 判中樞府事가 되고 1784년에 謝恩兼冬至使로 청나라에 다녀와 耆老所에 들어갔다. 시호는 文憲이다.

李福源 1719(숙종 45)~1792(정조 16)

본관은 연안이며, 자는 綏之이고, 호는 雙溪이다. 판서 喆輔의 아들로 1754년(영조 30) 增廣文科에 乙科로 급제하여 이듬해 持平으로 등용되었다. 이어 獻納·校理를 거쳐 1768년에 대사간이 되고, 1772년(영조 48)에 대사헌에 올랐다. 1776년 정조가 즉위하자 漢城府判尹·江華留守를 역임하고 大提學을 거쳐 신설된 奎章閣提學을 지냈다. 1780년 이조·형조판서가 되어 纂輯堂上으로 『國朝寶鑑』의 편찬에 참여하고, 이듬해 우의정을 지내고 이어 좌의정에 이르렀다. 전후 세 번 좌의정을 역임하고, 1790년에 冬至兼謝恩使로 청나라에 다녀와서 領中樞府事가 되어 耆老所에 들어갔다. 시호는 文靖이며, 저서로는 『雙溪遺稿』가 있다.

趙璥 1727(영조 3)~1787(정조 11)

본관은 풍양이며, 자는 景瑞이고, 호는 荷棲이다. 牧使 尙紀의 아들이며 1763년(영조 39)에 增廣文科에 乙科로 급제하고, 檢閱을 거쳐 副提學·大司成을 지낸 후 정조 초 工曹參判이 되었다. 그 후 左承旨·承院院提調·實錄廳堂上官·大司憲을 지낸 후 함경도관찰사로 민폐를 없애고 군무를 충실케 하여 크게 명성을 떨쳤다. 1786년(정조 10)에 우의정으로 同知經筵事를 겸임하고 이듬해 처벌되지 않은 恩彦君의 처벌을 주장하는 상소를 누차 하고 조정에 나가지 않아 파직되었다가 다시 判中樞府事로 기용되었다. 또한 그는 효성이 지극하여 고향에 旌門이 세워졌다. 시호는 忠定이며, 저서로는 『荷棲集』이 있다.

李在協 1731(영조 7)~1790(정조 14)

본관은 용인이며, 자는 汝皐이다. 판서 景祜의 아들이며, 1757년(영조 33)에 庭試文科에 장원으로 持平·校理를 거쳐, 1760년에는 암행어사로 湖西지방을 순찰했다. 이어 홍문관교리로서 세자시강원·弼善·文學을 겸임하고, 獻納·修撰·대사간·承旨를 거쳐 1776년 정조가 즉위하자 대사헌이 되고, 1781년(정조 5)에 병조판서로서 仁陵君에 襲封되었다. 1787년(정조 11)에 우의정을 지내고 이어 좌의정이 되고, 1789년에는 영의정에 올랐다.

兪彦鎬 1730(영조 6)~1796(정조 20)

본관은 기계이며, 자는 士京이고, 호는 則止軒이다. 右尹 直基의 아들이며, 李縡의 문인이었다. 1761년(영조 37)에 庭試文科에 乙科로 급제하여 檢閱·說書 등을 역임하고, 金龜柱의 일당인 僻派로서 시파인 洪鳳漢을 규탄하다가 정조의 즉위와 함께 時派로 태도를 바꾸어 정조의 총애를 받아 이듬해 吏曹參議로 발탁되었다. 1787년에는 우의정으로서 冬至兼謝恩使가 되어 청나라에 다녀왔고, 다음 해 判中樞府事로서 趙德隣의 사건으로 大靜縣에 圍籬安置되어 1791년 풀려 나오고, 1795년에 좌의정에 올랐으나 사퇴하고 領敦寧府事에 이르렀다. 시호는 忠文이며, 저서로는 『則止軒集』이 있다.

李性源 1725(영조 1)~1790(정조 14)

본관은 연안이며, 자는 善之이고, 호는 湖隱이다. 좌의정 廷龜의 후손이며, 靖陵參奉 得輔의 아들이다. 판서 吉輔에게 입양되어, 1754년(영조 30)에 生員試에 합격하고 1763년 增廣文科에 乙科로 급제하여 兵曹佐郎·校理를 지냈다. 1778년(정조 2)에는 경상도관찰사로, 1780년에는 宣惠廳提調를 거쳐 이듬해 병조판서가 되었다. 1784년에는 평안도관찰사로, 1786년에는 奎章閣直提學을 지내고, 이듬해 開城府留守가 되었다. 1788년 우의정을 거쳐 좌의정이 되고, 1789년(정조 13)에 冬至兼謝恩使로 청나라에 파견되었다가 돌아와 죽었다. 시호는 文肅이다.

蔡濟恭 1720(숙종 46)~1799(정조 23)

본관은 평강이며, 자는 伯規이고, 호는 樊巖이다. 知中樞府事 膺一의 아들이며, 1743년(영조 19)에 庭試文科에 丙科로 급제하여 承文院權知副正字를 거쳐 修撰·校理 등을 지냈다. 1758년(영조 34)에는 都承旨로『列聖誌狀』의 편찬에 참여하고, 1771년에는 호조판서로 冬至使가 되어 청나라에 다녀왔다. 1776년(정조 즉위)에는 형조와 병조의 판서를 지낸 후 이듬해 창경궁의 守宮大將으로 수차에 걸친 僻派의 음모를 적발했고, 1780년 洪國榮의 세도정권이 무너진 후 정치·경제·문화·사회 등 각 분야에 걸쳐 왕을 도와 충실하게 보필했다. 이듬해 奎章閣提學으로 徐命膺과 함께 『國朝寶鑑』을 편찬했고, 이어 예조

판서·평안도병마절도사·知中樞府事를 역임한 후, 1788년 우의정을 거쳐 이듬해 좌의정에 올랐다. 1790년에는 信西派의 영수로서 攻西派에 맞서 천주교 신봉의 묵인을 주장했으며, 이듬해 珍山事件으로 공서파의 배척을 받고 파직되었다가 1792년에 다시 좌의정에 복직했다. 1793년 영의정에까지 오르는 등 10여 년 간 재상으로 있는 동안에는 천주교에 대한 박해가 확대되지 않았다. 判中樞府事로 죽었으며, 시호는 文肅이고, 저서로는 『樊巖集』이 있다.

金鍾秀 1728(영조 4)~1799(정조 23)

본관은 청풍으로, 자는 定夫이고, 호는 夢梧·眞率이다. 參判 希魯의 손자이며, 侍直 致萬의 아들로 僻派의 영수이다. 1750년(영조 26)에 生員·進士가 되고, 1768년(영조 44)에 郡守로서 式年文科에 丙科로 급제하여 世子侍講院에 보직되었다. 1789년에 우의정이 되고 1793년에는 좌의정을 역임한 뒤에 耆老所에 들어가고, 奉朝賀가 되었다. 시세에 따라 처세가 능란했으며, 沈煥之와 더불어 반대당인 洪氏 일파에 대한 공격에 앞장을 섰다. 문장이 뛰어났고, 정조 때 〈經筵故事〉〈歷代名臣奏議〉를 지어 바쳤다. 시호는 文忠이며, 저서로는 『夢梧集』이 있다.

金履素 1735(영조 11)~1798(정조 22)

본관은 안동이며, 자는 伯安이고, 호는 庸庵이다. 영의정 昌集의 증손이며 府使 坦行의 아들이다. 1764년(영조 40) 병자호란 때의 충신 후손들만을 위하여 시행된 忠良庭試文科에 丙科로 급제하여 3司의 벼슬을 거쳐 漢城府判尹·대사헌, 이조·병조·호조의 판서, 경기도·강원도의 관찰사, 判義禁府事 등을 역임했다. 1792년(정조 16)에 우의정을 지내고 1794년에 正朝使로 청나라에 다녀왔으며, 이어 좌의정·領敦寧府事에 이르렀다. 지조가 있어 옳은 일은 끝까지 추진하여 정조의 신임이 두터웠다. 외교에 뛰어나 청나라에 다섯 번이나 다녀왔고, 문학과 재주가 비상했으나 잘 드러내지 않았다. 시호는 翼憲이다.

李秉模 1742(영조 18)~1806(순조 6)

본관은 덕수이며, 자는 彛則이고, 호는 靜修齋이다. 演의 아들로 1773년(영조 49)에 進士가 되고 이 해 增廣文科에 丙科로 급제하여 경기도암행어사·修撰·校理·奎章閣直閣을 거쳐, 1778년 冬至副使로 청나라에 다녀와 承旨가 되었다. 경상도·함경도·평안도관찰사와 규장각직제학·형조판서를 거쳐 1794년에 우의정이 되어 이듬해 進賀使로 청나라에 다녀와 좌의정을 거쳐 영의정에 이르

렸다. 1801년(순조 1)에 實錄廳摠裁官이 되고, 領中樞府事를 거쳐 1803년 다시 영의정이 되었다. 문장에 뛰어나고 글씨도 잘 썼으며, 1797년(정조 21)에는 왕명으로 『三綱行實圖』와 『二倫行實圖』를 편찬했다. 시호는 文翼이다.

尹蓍東 1729(영조 5)~1797(정조 21)

본관은 海平이며, 자는 伯常이고, 호는 方閒이다. 1754년(영조 30)에 增廣文科에 丙科로 급제하여 說書가 되었다. 1756년 持平 때 黨論을 논한 것으로 放歸田里되었다. 풀려난 뒤 제주목사로 나갔으며, 1768년 대사간 때 申光緝의 무죄를 주장하다가 유배되었다. 1776년(정조 즉위)에 경기도관찰사 때 당론을 논하다가 南海縣에 유배되는 등, 蕩平策에 따르지 않은 이유로 수차 유배되었다. 1787년(정조 11)에 개성부유수를 거쳐, 1788년 형조판서가 되었다. 다시 당론을 논하여 三和에 유배되었으며, 1789년 풀려나 전라도관찰사로 나갔다. 1795년 이조판서를 지내고 우의정에 이르렀다. 시호는 文翼이며 편저로 『鄕禮合編』이 있다.

沈煥之 1730(영조 6)~1802(순조 2)

본관은 청송이며, 僻派의 영수였다. 자는 輝元이고, 호는 晩圃이다. 校理 泰賢의 손자이며 鎭의 아들이다. 1771년 庭試文科에 丙科로 급제하여 校理 등을 거쳐 1787년(정조 11)에 湖西暗行御史가 되었다. 藝文館提學·綾州牧使·兩館提學·奎章閣提學·이조판서 등을 거쳐 1795년에 우의정, 이듬해 判中樞府事·좌의정에 이어 右參贊 등을 역임했다. 1800년(순조 즉위)에 貞純王后의 垂簾聽政으로 벽파가 득세하게 되자 영의정에 올라 이듬해의 辛酉迫害 때 시파의 천주교인에게 무자비한 박해와 살육을 감행했다. 사후 1806년(순조 6)에 官爵이 追奪되었다. 철저한 노론계 당인으로 치적은 볼만한 것이 없으나, 다만 죽을 때까지 검소한 생활을 한 점에서 칭찬받았다고 한다.

徐命膺 1716(숙종 42)~1787(정조 11)

본관은 달성이며, 자는 君受이고, 호는 保晩齋·澹翁이다. 이조판서 宗玉의 아들로 영의정 영선의 동생이다. 1754년(영조 30)에 增廣文科에 丙科로 급제하여 正言·副修撰·獻納·副應敎를 지낸 후 1759년 同副承旨가 되고, 이듬해 대사간·대사헌을 거쳐 1761년 吏曹參議에 전직되었다가 이듬해 황해도관찰사로 나갔다. 1777년(정조 1)에 규장각제학·홍문관대제학을 역임했다. 다음 해 判中樞府事를 거쳐 1779년(정조 3)에 守禦使가 되고 이듬해 奉朝賀가 되었다. 易學을 두루 섭렵하고 실학 연구에 전심한 北學派

의 한 사람으로 일컬어지며 학자로서 명망이 높았다. 영조 때 왕명으로 악보를 수집, 집대성하여 간행했으며, 그의 유고집은 왕이 특히 內帑金을 하사하여 발간케 했다. 글씨에도 능했고, 시호는 文靖이며, 저서로는 『保晩齋集』『保晩齋叢書』『保晩齋剩簡』이 있다.

吳載純 1727(영조 3)~1792(정조 16)

본관은 해주이며, 자는 文卿이고, 호는 醇庵·愚不及齋이다. 大提學 瑗의 아들이며, 1772년(영조 48)에 別試文科에 丙科로 급제하여 1783년(정조 7)에 問安副使로 청나라에 다녀와 이듬해 奎章閣直提學이 되었다. 이어 兩館大提學이 되었으며, 1790년 이조판서를 거쳐 判中樞府事가 되었다. 수십 년 간 학문을 닦아 諸子百家에 통했고, 특히 周易에 뛰어났다. 정조의 총애를 받으면서 오랫동안 文衡과 銓曹를 맡았고, 왕은 그의 겸묵함을 가상히 여겨 우불급재란 호를 내리기도 했다. 시호는 文靖이며, 저서로는 『周易會旨』『玩易隨言』『讀書起疑』『聖學圖』『醇庵集』이 있다.

鄭民始 1745(영조 21)~1800(정조 24)

본관은 온양이며, 자는 會叔이다. 군수 昌師의 아들이며, 숙부 昌兪에게 입양되었다. 1773년(영조 49) 증광문과에 병과로 급제하여 이듬해부터 홍문관수찬·세자시강원필선을 지내면서 세손 정조를 輔導하여, 정조가 즉위하자 승정원동부승지가 되었다. 그 후 호조참의·성균관대사성·이조참의·규장각직제학·대사성·이조참판 등을 지내다가 1781년(정조 5)에 예조판서에 올랐다. 이어 호조 및 이조의 판서를 거쳐 의정부좌참찬·평안도관찰사·병조판서·함경도관찰사 등을 두루 지냈다. 정조가 즉위하면서 洪國榮과 함께 발탁되어 정조의 극진한 사랑을 받았다. 시호는 忠獻이다.

徐有隣 1738(영조 14)~1802(순조 2)

본관은 달성이며, 자는 元德이다. 校理 孝修의 아들이며, 1766년(영조 42)에 生員으로 庭試文科에 甲科로 급제하고 1768년 副校理가 되고, 도승지·충청도관찰사에 이어 대사헌을 지내고, 1781년 호조판서에 올랐다. 1788년(정조 12)에 貢市堂上으로 국경무역을 관장했고, 1790년 왕명으로 『增修無寃錄』을 國譯했다. 1792년에는 宣惠廳堂上이 되고, 判義禁府事를 거쳐 漢城府判尹·水原府留守를 지냈다. 1801년(순조 1)에 집권한 僻派에 의해 경흥에 유배되어 유배지에서 죽었다. 시호는 文獻이고 글씨를 잘 써서 작품으로 〈金景瑞神道碑〉(龍岡)가 있다.

趙暾 1308(충렬왕 34)~1380(우왕 6)

본관은 한양으로 초명은 祐이며, 원나라 雙城摠管 暉의 손자이다. 龍津 출신으로 고려에 귀화하여 20세 미만에 충숙왕의 명으로 女眞에 포로로 잡혀간 고려의 관민 160여 호를 두 차례에 걸쳐 刷還했으며, 그 공으로 左右衛護軍이 되었다. 1356년(공민왕 5)의 雙城 수복작전 때 東北面兵馬使 柳仁雨를 도와 쌍성총관인 조카 趙小生에게 아들 仁璧을 보내어 招諭하여 그곳 백성들이 안심하고 귀순해 오게 함으로써 쌍성 회복에 공을 세웠다. 그 공으로 禮賓卿에 오르고 이듬해 太僕卿에 전임되어 西京에 침입한 紅巾賊 토벌에 출전했고, 1358년에 判司農寺事가 되었다. 1361년에 工部尙書에 올라 홍건적의 침입으로 南幸하는 왕을 扈從했고, 禮儀判書·檢校密直副使를 역임하고 홍건적 격퇴 후 1363년에 1등 공신이 되었다. 1375년(우왕 1)에 龍城君에 봉해지고 용진에 돌아가 여생을 보냈다.

● 제2권 ●

李齊賢 1287(충렬왕 13)~1367(공민왕 16)

본관은 경주이며, 초명은 之公이고, 자는 仲思이며, 호는 益齋·實齋·櫟翁이다. 檢校政丞 瑱의 아들이며, 1301년(충렬왕 27)에 成均試에 장원을 하고 이어 文科에 급제했다. 1308년에 藝文春秋館에 등용되었으며, 1314년(충숙왕 1)에 백이정의 문하에서 程朱學을 공부하고, 이 해 원나라에 있던 충선왕이 萬卷堂을 세워 그를 불러들이자 연경에 가서 원나라 학자 요수·염복·원명선·조맹부 등과 함께 고전을 연구했다. 1319년 충선왕을 수행하여 중국 강남지방을 유람하고 이듬해 知密直事에 올라 端誠翊贊功臣이 되고, 이 해 원나라에 갔다가 충선왕이 모함을 받고 유배되자 그 부당함을 원나라에 밝혀 1323년 풀려나오게 했다. 1351년 공민왕이 즉위하여 右政丞·權斷征東省事로 발탁되어 都僉議政丞을 지내고 1356년에는 門下侍中에 올랐다. 이어 사직하고 저술과 학문 연구에 전심했고, 왕명으로 실록을 편찬하기도 했다. 당대의 명문장가로 외교문서에 뛰어났고, 정주학의 기초를 확립했으며, 원나라 조맹부의 서체를 고려에 도입하여 널리 유행시켰다. 『益齋亂藁』소악부에 17수의 고려 민간가요를 漢詩 칠언절구로 번역하여 이것이 오늘날 고려가요 연구의 귀중한 자료가 되고 있다. 시호는 文忠이며, 저서로는 『益齋亂藁』『翁櫟稗說』『孝行錄』『西征錄』이 있다.

崔致遠 857(헌안왕 1)~ ?

慶州 崔氏의 시조로 자는 孤雲·海雲이다. 868년(경문왕 8)에 당나라에 유학하여 874년 科擧에 급제했다. 879년에 黃巢의 난에 諸道行營兵馬都統 고변의 從事官으로 書記의 책임을 맡았다. 당시의 表狀·書啓·檄文은 모두 그의 손으로 지어졌으며 특히 『討黃巢檄文』은 명문으로 알려졌다. 885년에 귀국하여 국정의 문란함을 통탄하고 外職을 청원하여 大山·天嶺·富城 등의 太守를 지냈다. 893년(진성여왕 7)에 遣唐使에 임명되었으나 도둑이 횡행하여 가지 못하고, 이듬해 時務 10여 조를 상소하여 시행케 하고 阿飡이 되어 6두품 신분으로는 최고의 지위에 올랐으나 그의 정치적인 개혁안은 실행될 수 없는 것이었다. 그 후 난세를 비관하며 각지를 유랑하다가 가야산 해인사에 들어가 여생을 마쳤다. 그의 『鸞郎碑序文』은 신라시대의 花郎道를 해설해 주는 귀중한 자료가 되고 있다. 著書로는 『桂苑筆耕』『中山覆簣集』『釋順應傳』등이 있다.

崔惟善 ?~1075(문종 29)

본관은 해주이며, 中書令 沖의 아들이다. 1030년(현종 21)에 文科에 급제하여 翰林院에 들어갔으며, 1047년(문종 1)에 御史雜端이 되고 1052년에 刑部尙書를 역임했다. 1055년 知中樞院事로 工部侍郎 李得路와 함께 弔喪會葬使가 되어 금나라에 다녀왔다. 1061년(문종 15)에 判尙書禮部事를 거쳐 中書侍郎同中書門下平章事가 되어 推忠贊化康靖綏濟功臣의 호를 받았고, 判尙書吏部事와 開府의 同三司·守太師·上柱國을 거쳐 門下侍中에 이르렀다. 유학자의 집안에서 태어나 학문이 깊고 사리에 밝았으며, 여러 번 知貢擧가 되었다. 시호는 文和이다.

金應河 1580(선조 13)~1619(광해군 11)

본관은 안동이며, 자는 景義이고, 고려의 명장 方慶의 후손이다. 1604년(선조 37)에 武科에 급제하여 말직에서 전전하다가 병조판서 朴承宗의 추천으로 선전관이 되었으나 여러 사람의 질시를 받아 이듬해 파직당했다. 1618년(광해군 10)에 후금을 치기 위해 명나라에서 원병 요청이 있자 宣川郡守로서 助防將이 되어 副元帥 金景瑞의 휘하에 들어갔다. 이듬해 도원수 姜弘立을 따라 左營將이 되어 군사를 이끌고 압록강을 건넜다. 3월 명나라 都督 劉綎이 명군 3만을 거느리고 富車嶺에서 패전하여 자결하자, 조선군이 6만의 적군과 대전케 되었으나 전세가 불리해져 우영장 李一元은 달아났고, 그는 3천의 군사를 거느리고 고군 분투 끝에 전사하고 휘하 군사는 괴멸했다. 1620년(광해군 12)에 명나라 神宗에 의해 遼東伯으로 追封됨과 동시에 처자에게는 銀이 하사되었다. 영의정에 追贈되었으며, 시호는 忠武이다.

安珦 1243(고종 30)~1306(충렬왕 32)

본관은 순흥이며, 초명이 裕이고, 자는 士蘊이며, 호는 晦軒이다. 1260년(원종 1)에 文科에 급제하여 校書郞이 되고, 1270년 三別抄의 난 때 江華에 억류되었다가 탈출한 뒤 監察御史가 되었다. 1275년(충렬왕 1)에 尙州判官 때 미신타파에 힘썼고, 1288년 征東行省의 員外郞을 거쳐 儒學提擧가 되고, 그 해 왕과 공주를 호종하여 원나라에 들어가 燕京에서 『朱子全書』를 필사하여 돌아와 朱子學을 연구했다. 1299년에 監修國史가 되고, 1304년에는 僉議侍郞贊成事・判版圖司事에 이르렀다. 한편, 贍學錢이란 育英財團을 설치하고, 國學大成殿을 낙성하여 공자의 초상화를 비치하고, 祭器・樂器・六經・諸子・史 등의 책을 구입하여 유학진흥에 큰 공적을 남겼다. 都僉議中贊으로 致仕했다. 조선 중종 때 풍기군수 周世鵬이 白雲洞에 그의 祠廟를 세우고 서원을 만들었는데, 1549년(명종 4)에 풍기군수 李滉의 요청에 따라 紹修書院이라는 명종 친필의 賜額이 내려졌다. 시호는 文成이다.

鄭夢周 1337(충숙왕 복위 6)~1392(공양왕 4)

본관은 영일이고, 초명은 夢蘭・夢龍이며, 자는 達可이고, 호는 圃隱이다. 樞密院知奏事 襲明의 후손이며, 云瓘의 아들이다. 1357년(공민왕 6)에 監試에 합격한 뒤 1360년에 文科에 장원을 하여 藝文檢閱로 벼슬을 시작했다. 지방관의 비행을 근절시키고 義倉을 세워 빈민을 구제하고 불교의 폐해를 없애기 위해 유학을 보급했다. 또 性理學에 뛰어나 東方理學의 시조로 추앙되었으며, 『朱子家禮』를 따라 사회윤리와 도덕의 합리화를 기하고 개성에 5부 學堂과 지방에 鄕校를 세워 교육진흥을 꾀하는 한편 『大明律』을 참작하여 『新律』을 간행하여 법 질서의 확립을 기했다. 외교정책과 군사정책에도 관여하여 기울어지는 국운을 바로잡고자 노력했으나 이성계의 신흥 세력에 꺾였다. 詩文에 능하여 시조 〈丹心歌〉 이외에 많은 漢詩가 전하며 書畵에도 뛰어났다. 고려 三隱의 한 사람으로, 1401년(태종 1)에 영의정에 追贈되었고, 益陽府院君에 追封되었다. 시호는 文忠이다.

周世鵬 1495(연산군 1)~1554(명종 9)

본관은 상주이고, 자는 景游이며, 호는 愼齋・南皐・武陵道人・巽翁이다. 文俌의 아들이며, 1522년(중종 17)에 生員으로 別試文科에 乙科로 급제하여 承文院正字가 되어 賜暇讀書한 후 檢閱・副修撰 등을 역임하다 權臣 金安老의 배척을 받아 江原道都事에 좌천되었다. 1541년 풍기군수로 부임하여 1542년(중종 37)에 白雲洞〔順興〕에 고려 말의 학자 安珦의 사당 晦軒祠를 세우고, 이어 1543년에 朱子의 白鹿洞學規를 본받아서 우리나라 최초의 서원인 白雲洞書院〔紹修書院〕을 창설했다. 1551년에는 황해도관찰사가 되어 해주에 首陽書院〔文憲書院〕을 창설하고 崔沖을 祭享했다. 뒤에 다시 大司成・同知成均館事를 지내고 同知中樞府事가 되었다. 淸白吏에 錄選되었고, 〈道東曲〉〈六賢歌〉〈儼然曲〉〈太平曲〉 등 長歌와 〈君子歌〉 등 短歌 8수가 전한다. 시호는 文敏이며, 저서로는 『武陵雜稿』가 있다.

金時習 1435(세종 17)~1493(성종 24)

본관은 강릉이며, 자는 悅卿이고, 호는 梅月堂・東峰・淸寒子・碧山・贅世翁이며, 生六臣의 한 사람이다. 1455년(세조 1)에 삼각산 重興寺에서 공부하다가 首陽大君이 왕위에 올랐다는 소식을 듣고 통분하여 책을 태워버리고 중이 되어, 이름을 雪岑이라 하고 방랑의 길을 떠났다. 1458년(세조 4)에 『宕遊關西錄後志』를, 1460년에 『宕遊關東錄』을 1463년에는 『宕遊湖南錄』을 엮었으며, 이 해에 孝寧大君의 권고로 세조의 佛經諺解 사업을 도와 內佛堂에서 교정의 일을 맡아 보았다. 1465년 경주 남산에 金鰲山室을 짓고 독서를 했으며, 2년 후 효령대군의 청으로 圓覺寺 낙성식에 참석해 찬시를 바쳤다. 1468년(세조 14)에 금오산에서 『山居百詠』을 썼고, 1476년(성종 7)에 『山居百詠後志』를 지었다. 1481년 47세에 還俗하고, 1485년(성종 16)에 『禿山院記』를 썼다. 절개를 지키면서 불교・유교의 정신을 아울러 포섭한 사상과 탁월한 문장으로 일세를 풍미했다. 1782년(정조 6)에 이조판서에 追贈되었고, 시호는 淸簡이다. 저서로는 『金鰲新話』『梅月堂集』『十玄談要解』가 있다.

河演 1376(우왕 2)~1453(단종 1)

본관은 진주이며, 자는 淵亮이고, 호는 敬齋・新稀翁이다. 府尹 自宗의 아들이며, 鄭夢周의 문인이었다. 1396년(태조 5)에 式年文科에 급제하여 奉常寺錄事를 거쳐 直藝文春秋官・修撰官이 되고 이어 執義・同副代言 등을 역임했다. 세종이 즉위하자 知申使・禮曹參判을 지낸 후 1423년(세종 5)에 대사헌으로 曹溪宗 등 불교 7종파를 禪・敎의 2宗으로 통합하고 寺社 및 寺田을 줄일 것을 건의하여 실시케 했다. 1445년(세종 27)에 左贊成에 올라

70세로서 几杖을 하사받고, 우의정·좌의정을 거쳐 1449년 영의정에 이르렀다. 1451년(문종 1)에 문종이 大慈庵을 重修하려고 하자 이를 반대하고 致仕했다. 시호는 文孝이다.

河演夫人 ？ ~ ？

세종 때 영의정을 지낸 河演의 부인이며, 고려의 문신으로 正言 벼슬을 지내면서 辛旽의 횡포를 탄핵한 李存吾의 딸이다.

林慶業 1594(선조 27) ~ 1646(인조 24)

본관은 평택이며, 자는 英伯이고, 호는 忠愍이다. 판서 整의 후손이다. 1618년(광해군 10)에 武科에 급제하여 1620년 小農堡權管을 거쳐 1622년 僉知中樞府事를 지냈고, 1624년(인조 2)에 李适의 난 때 鄭忠信의 휘하에서 공을 세워 振武原從功臣 1등이 되었다. 1638년에는 평안도 兵馬節度使 겸 安州牧使가 되고, 1640년 청나라 요청으로 舟師上將이 되어 명나라 공격에 나섰으나 철저한 親明排淸派로서 명나라와 밀통했다. 이 사실을 청나라가 탐지하고 체포하여 청나라에 압송 도중 金郊驛에서 탈출하여 檜巖寺에 들어가 중이 되었다가 1643년 명나라에 망명하여 명군의 總兵으로 청나라 공격에 나섰으나 포로가 되었다. 이때 조선에서 沈器遠의 모반사건이 일어나 그의 관련설이 대두되자, 1646년 인조의 요청으로 송환되어 親鞫을 받던 중 金自點의 명을 받은 刑吏에 의해 杖殺되었다. 1697년(숙종 23)에 復官되었고, 시호는 忠愍이다.

黃廷彧 1532(중종 27) ~ 1607(선조 40)

본관은 장수이며, 자는 景文이고, 호는 芝川이다. 1552년(명종 7)에 司馬試에 합격하고, 1558년에는 式年文科에 丙科로 급제하여, 史官이 되고, 正言·應敎·文學·執義 등을 역임했다. 1584년에는 宗系辨誣奏請使로 명나라에 가서 조선의 宗系가 잘못 기재된 채 간행된 『大明會典』의 改訂을 확인하고 돌아와, 그 공으로 1590년 光國功臣으로 長溪府院君에 봉해졌다. 1592년 임진왜란이 일어나자 號召使가 되어 왕자 順和君을 陪從하여 강원도에서 의병을 모으는 격문을 8도에 돌렸고, 왜군의 진격으로 會寧에 들어갔다가 모반자 鞠景仁에 의해 임해군·순화군 두 왕자와 함께 安邊 토굴에 감금되었다. 이 때 왜장 가토 기요마사[加藤淸正]로부터 선조에게 항복 권유의 상소문을 쓰라고 강요받고 이를 거부했으나, 왕자를 죽인다는 위협에 아들 赫이 대필했다. 이에 그는 항복을 권유하는 내용이 거짓임을 밝히는 또 한 장의 글을 썼으나,

體察使의 농간으로 아들의 글만이 보내져 뜻을 이루지 못하고 이듬해 釜山에서 풀려나온 뒤 앞서의 항복권유문 때문에 東人들의 탄핵을 받고 吉州에 유배되고, 1597년 석방되었으나 復官되지 못한 채 죽었다. 시문과 서예에 능했으며, 뒤에 伸寃되었다. 시호는 文貞이며, 저서에는 『芝川集』이 있다.

李德馨 1561(명종 16) ~ 1613(광해군 5)

본관은 廣州이며, 자는 明甫이고, 호는 漢陰·雙松·抱雍散人이다. 知中樞府事 民聖의 아들이다. 1580년(선조 13)에 別試文科에 乙科로 급제하여, 承文院에 보직되고, 이어 正字를 거쳐 1583년에 사가독서를 했다. 1592년 31세로 예조참판에 올라 대제학을 겸임했고, 이 해 임진왜란이 일어나자 일본 사신 겐소 등과 和戰을 교섭했으나 실패했다. 그 후 왕을 扈從하여 정주에 이르러 청원사가 되어 명나라에 들어가 원병을 요청하여 지원군 파견에 성공했다. 1601년에 경상·전라·충청·강원도의 4도 都體察使가 되어 전쟁 후의 민심 수습과 군대의 정비에 노력하는 한편 쓰시마도의 정벌을 건의했으나 허락되지 못했다. 이듬해 영의정에 승진했고, 1613년에는 영창대군의 처형과 廢母論을 이항복과 함께 극력 반대하다가 削職당했다. 그 뒤 龍津으로 물러가 국사를 걱정하다 병으로 죽었다. 어렸을 때 이항복과 절친한 사이로 기발한 장난을 많이 하여 野談으로 많은 일화가 전해지고 있다. 시호는 文翼이며, 저서에는 『漢陰文稿』가 있다.

朴淳 1523(중종 18) ~ 1589(선조 22)

본관은 충주이며, 자는 和淑이고, 호는 思庵이다. 右尹 祐의 아들이며 徐敬德의 문인이었다. 1553년(명종 3)에 정시문과에 장원을 하여 典籍을 거쳐 공조·병조·이조의 郞官에 이어 修撰·校理·舍人을 역임했다. 1555년(명종 10)에 賜暇讀書를 했으며, 한산군수·이조참의·대제학·대사헌·우의정·좌의정 등을 거쳐 1572년(선조 5)에 영의정에 올라 14년 간이나 재직했다. 東西黨爭이 격심할 무렵 李珥·成渾을 편들다 서인으로 지목되어 탄핵을 받고 영평의 白雲山에 은거했다. 詩·文·書에 모두 뛰어났고, 특히 시는 唐詩의 풍을 따랐으며, 글씨는 松雪體를 잘 썼다. 시호는 文忠이며, 저서로는 『思庵集』이 있다.

李元翼 1547(명종 2) ~ 1634(인조 12)

본관은 전주이며, 자는 公勵이고, 호는 梧里이다. 益寧君 袗[太宗의 아들]의 4세손으로 함천부수 億載의 아들

이다. 1564년(명종 19)에 生員이 되고 1569년(선조 2)에 別試文科에 丙科로 급제하여 承文院副正字로 초임하고 著作·奉常直長 등을 역임했다. 1608년(광해군 즉위)에 영의정에 재임하여 수차 사의를 표했으나 허락되지 않던 중 1615년 廢母論을 반대하다 홍천에 유배당하여 1619년에 풀려나왔고, 1623년 仁祖反正으로 영의정이 되고 仁穆大妃가 광해군의 처형을 명했으나 이에 반대하여 유배에 그치게 했다. 이듬해 李适의 난 때 왕을 공주로 호종하고 1627년 丁卯胡亂이 일어나자 도체찰사가 되어 세자를 전주에 시종하고, 이어 訓鍊都監提調를 지내고 致仕했다. 南人에 속했으나 성품이 원만하여 정적들에게도 호감을 받았고 서민적인 인품으로 梧里政丞이란 이름으로 많은 일화가 전한다. 다섯 차례나 영의정을 지냈으나 그의 집은 두어 칸 짜리 오막살이 초가였으며, 퇴관 후에는 조석거리조차 없을 정도로 청빈하였다 한다. 시호는 文忠이며, 저서로는『梧里集』『續梧里集』『梧里日記』가 있다.

李厚源 1598(선조 31)~1660(현종 1)

본관은 전주이며, 자는 士深이고, 호는 迂齋·南港居士이다. 廣平大君 璵의 7대손이며, 郡守 郁의 아들이고 金長生의 문인이었다. 1623년(인조 1)에 仁祖反正 후 靖社功臣 3등으로 完南君에 봉해지고 泰仁縣監이 되어 이듬해 李适의 난 때 출전했다. 1635년에 增廣文科에 丙科로 급제하여 持平을 지내고, 丙子胡亂 때에는 斥和를 주장했다. 1655년(효종 6)에 예조판서로서 推刷都監의 提調가 되어 전국의 노비를 推刷, 江華를 방비하게 했으며, 또한 掌樂院에 소장되어 있던 『樂學軌範』을 開刊하여 史庫에 分藏케 했다. 1657년에 우의정에 이르러 효종을 도와 北伐計劃을 추진하고 宋浚吉을 병조판서에, 宋時烈을 이조판서에 추천하여 임명케 하는 등 인재 등용에도 힘을 썼다. 시호는 忠貞이다.

金昌翕 1653(효종 4)~1722(경종 2)

본관은 안동이며, 자는 子益이고, 호는 三淵이다. 좌의정 尙憲의 증손이며 영의정 壽恒의 아들이고, 昌集·昌協의 아우이다. 15세 때 李端相에게서 수학하고 1673년(현종 14)에 進士가 되었다. 1689년(숙종 15)에 己巳換局 때 아버지가 賜死되자 영평에 은거하며 벼슬에 나아가지 않았다. 성리학에 밝아 형 창협과 더불어 이름이 있었으며, 형제가 모두 李珥 이후의 대학자로서 명성을 떨쳤다. 辛壬士禍에 유배된 형 창집이 사사당하자 지병이 악화되어 이 해에 죽었다. 1709년(숙종 35)부터 5, 6년 간에 걸쳐 가장 치열했던 心性論을 둘러싼 湖論·洛論의 시비에서

형 창협이 호론인 데 반해 낙론에 속했다. 그러나 그의 사상적 경향은 대체로 형 창협과 같아서 李滉과 이이를 절충하는 태도였다. 이조판서에 追贈되었으며, 시호는 文康이다.

金元行 1702(숙종 28)~1772(영조 48)

본관은 안동이며, 자는 伯春이고, 호는 渼浩·雲樓이다. 昌協의 손자이며, 1719년(숙종 45)에 進士가 되었으나 1722년(경종 2)에 辛壬士禍에 從祖 昌集이 老論 4대신의 한 사람으로 賜死되고 일가가 모두 유배되자 어머니의 配所에 따라 있으면서 孟子·李珥·宋時烈의 저서를 탐독했다. 1725년(영조 1)에 父·祖가 伸寃된 후에도 시골에 파묻혀 학문에만 힘썼다. 1759년에 왕세손이 책봉되자 세손을 교육할 적임자로서 영조의 부름을 받았으나 소를 올려 사퇴했고, 1761년에는 工曹參議·司成을, 후에는 贊善에 임명되었을 때도 역시 사양했다. 당시 성리학계의 2대 조류인 洛論·湖論의 논쟁에서 李柬의 낙론을 지지하여 韓元震의 호론을 반대했으며, 그의 학설은 主理와 主氣를 절충한 것이다. 시호는 文敬이며, 저서는 『渼浩集』이 있다.

李濡 1645(인조 23)~1721(경종 1)

본관은 전주이며, 자는 子雨이고, 호는 鹿川이다. 廣平大君 璵의 후손이며, 郡守 重輝의 아들이다. 1668년(현종 9)에 別試文科에 丙科로 급제하여 正言·持平·說書·校理·應敎 등을 지냈다. 1683년에는 왕대비가 죽자 告訃使로 청나라에 다녀와서 承旨·경상도관찰사·전라도관찰사·江襄道관찰사 등을 지냈다. 1689년(숙종 15)에 己巳換局 때 대사간으로서 宋時烈을 탄핵하지 않아 전직되었고, 1694년 甲戌獄事로 평안도관찰사가 되었다. 그 후 예조참판·漢城府判尹·병조판서 등을 지내고, 1703년(숙종 29)에 이조판서로서 中央官制의 일부를 개혁하게 했다. 이듬해 우의정이 되어 白骨徵布의 폐단을 시정했다. 1707년에 좌의정에 승진하고, 1712년에 영의정을 지내고 1718년에는 領中樞府事가 되고 耆老所에 들어갔다. 시호는 惠定이다.

李畬 1645(인조 23)~1718(숙종 44)

본관은 덕수이며, 자는 治甫이고, 호는 睡谷이다. 1680년(숙종 6)에 春塘臺文科에 丙科로 급제하여 예문관 檢閱로 초임하고, 承旨·副提學 등을 역임했다. 1689년(숙종 15)에 이르러 이른바 己巳換局으로 西人이 몰락하자 스승인 송시열을 따라 벼슬을 버렸다. 1694년(숙종 20)에

甲戌獄事로 南人이 실각하고 西人이 재등장하자 형조참판으로 中宮復位 敎命文을 지었으며, 이후 大司成·한성부판윤·대사헌·이조판서 등을 역임하면서 대제학을 겸임했다. 1701년(숙종 27)에는 판의금부사로서 巫蠱의 獄을 엄정하게 다스려 이름을 떨쳤으며, 그 후 좌의정을 거쳐 1710년(숙종 36)에는 영의정을 배임했고, 판중추부사로 세상을 마쳤다. 그는 유명한 학자 澤堂 李植의 손자로서 평생동안 군자의 덕과 세상의 도리를 바로 잡는 것을 스스로의 사명으로 삼아, 항상 經書에 비추어 올바른 도리만을 주장하면서 자기 개인의 진퇴나 영달에는 개의치 않았다고 한다. 시호는 文敬이다.

申銋 1642(인조 20)~1725(영조 1)

본관은 평산이며, 자는 華仲이고, 호는 竹里·寒竹堂이다. 執義 命圭의 아들이며, 朴世采의 문인이다. 1657년(효종 8)에 진사시에 합격하고, 1686년 별시문과에 丙科로 급제하여 여러 벼슬을 거쳐 延安府使로 있을 때 선정을 베풀고 돌아와 예조·병조·호조·이조의 參議를 지냈다. 承旨·대사간·대사헌·知中樞府事를 역임한 후 耆老所에 들어가 參贊·공조판서에 올랐다. 1722년(경종 2)에 申壬士禍로 老論의 重鎭이 제거되자 이를 항소하다가 제주도에 圍籬安置되었다. 1724년에 영조가 즉위한 후 풀려나와 돌아오다가 병으로 해남에서 객사했다. 시와 글씨에 뛰어났다. 영의정에 追贈되었으며, 시호는 忠景이다.

兪拓基 1691(숙종 17)~1767(영조 43)

본관은 기계이며, 자는 展甫이고, 호는 知守齋이다. 대사헌 㯙의 손자이며, 命岳의 아들이다. 1714년(숙종 40)에 增廣文科에 丙科로 급제하여 檢閱·正言을 지내고, 1721년(경종 1)에 世弟〔英祖〕를 책립하자 册封奏請使의 書狀官으로 청나라에 다녀왔다. 이때 辛壬士禍를 일으켜 집권한 少論의 言官 李巨源의 탄핵을 받고, 홍원현에 유배되고 뒤에 동래부에 安置되었다. 1725년(영조 1)에 老論의 집권으로 풀려나와 이조참의 등 여러 벼슬을 거쳐 1739년에 우의정에 올랐다. 辛壬士禍로 죽은 金昌集·李頤命 두 대신의 復官을 건의하여 伸寃시켰으며 1760년에 領中樞府事가 되고 이어 奉朝賀가 되어 耆老所에 들어갔다. 당대의 명필이었으며, 시호는 文翼이며, 저서로는 『知守齋集』이 있다.

李宜顯 1669(현종 10)~1745(영조 21)

본관은 용인이며, 자는 德哉이고, 호는 陶谷이다. 좌의

정 世白의 아들이며, 金昌協의 문인이었다. 1694년(숙종 20)에 別試文科에 丙科로 급제하여 1696년에 檢閱이 되고, 說書·正言·校理·副應敎를 거쳐 1708년에 承旨가 되었다. 경종이 즉위하자 동지정사로 청나라에 다녀온 후 형조판서에 오르고, 이조판서를 거쳐 예조판서에 재임하던 중에 辛壬士禍로 雲山에 유배되었으며, 1725년(영조 1)에 풀려나와 왕세자 竹册製進의 공으로 正憲大夫가 되고 이조판서로서 承文院提調·備邊司有司堂上을 겸했다. 이어서 兩館大提學을 거쳐 1727년에 우의정에 올랐으나 丁未換局으로 추방되었다. 이듬해 李麟佐의 난이 일어나자 判中樞府事에 기용되고, 1732년 謝恩使로 청나라에 다녀온 뒤, 1735년에 영의정에 올랐다. 글씨에도 능했으며, 청빈과 검약을 스스로 실천, 청백리로 이름이 높았다. 시호는 文簡이며, 저서로는 『陶谷集』이 있다.

任埅 1640(인조 18)~1724(경종 4)

본관은 풍천이며, 자는 大仲이고, 호는 水村·愚拙翁이다. 평안도관찰사 義伯의 아들이며 宋時烈·宋浚吉의 문인이다. 1663년(현종 4) 사마시에 합격한 후 1671년(현종 12)에 昌陵參奉이 되고, 내외직을 거쳐 1689년(숙종 15)에 戶曹正郎이 되었으나 己巳換局으로 仁顯王后가 폐위되고 송시열이 유배되자 사직했다. 1694년 인현왕후가 복위된 후 義禁府都事로 기용되었고, 이어 軍資監正·단양군수·司饔院僉正 등을 역임하고 1702년 63세로 謁聖文科에 丙科로 급제하여 掌令이 되고 그 뒤 大司成·承旨 등을 거쳐 1719년(숙종 45)에 공조판서가 되었다. 1721년(경종 1)에 우참찬에 승진되었으나 辛壬士禍로 함종에 유배당하고, 후에 금천에 移配되어 配所에서 죽었다. 영조가 즉위하자 伸寃되었다. 시호는 文僖이며, 저서로는 『水村集』이 있다.

鄭亨復 1686(숙종 12)~1769(영조 45)

본관은 동래, 자는 陽來, 濟先의 아들로 1725년(영조 1)에 文科에 급제하여 校理 등을 역임하고, 1740년에 承旨가 되었다. 이어 대사간·강원도관찰사를 거쳐 1744년에 대사성, 이어 전라도관찰사를 지냈다. 1748년에는 冬至副使로 청나라에 다녀왔으며, 1750년에 황해도관찰사로 나간 후, 대사헌·대사간·江華府留守 등을 거쳐 1755년에 형조판서로 승진되었다. 1763년에는 判敦寧府事에 이르렀다. 知春秋를 거쳐 1768년에는 知經筵事, 1796년(정조 20)에 淸白吏에 녹천되었다.

柳復明 1685(숙종 11)~1760(영조 36)

본관은 전주이며, 자는 陽輝이고, 호는 晩村이다. 관찰

사 成의 아들이다. 1711년(숙종 37)에 生員이 되고, 1716년에 黃柑製試에, 이듬해 式年文科에 각각 장원을 했다. 1718년에 正言이 되고 文學을 거쳐, 1721년(경종 1)에 持平으로 世弟[英祖] 책봉을 반대하는 少論의 柳鳳輝·趙泰耉 등을 탄핵했다. 이어 辛壬士禍로 老論이 실각하자 파직되었다가, 1724년 영조가 즉위하자 이듬해 持平에 복직했다. 이 해에 冬至副使로 청나라에 다녀왔다. 1727년(영조 3)에 丁未換局으로 파직되었다가 이듬해 복직되고, 1732년 대사간이 되었으며 1743년에 冬至兼謝恩副使로 다시 청나라에 다녀왔다. 1754년에 知中樞府事로 耆老所에 들어갔으며 判敦寧府事에 이르렀다. 시호는 貞簡이다.

趙榮進 1703(숙종 29)~1775(영조 51)

본관은 양주이며, 자는 汝揖이다. 府使 奎彬의 아들이며, 1744년(영조 20)에 42세로 司馬試에 합격하고, 이듬해 蔭補로 義禁府都事가 되고 濟用監奉事를 거쳐 1756년(영조 32)에 남원부사로서 別試文科에 丙科로 급제하고, 이듬해 正言이 되었다. 1759년 同副承旨·大司憲을 지내고, 1761년에 都承旨가 되어 이듬해 思悼世子의 처형을 반대하여 한때 파직되었다. 곧 대사헌에 기용되고 이어 예조와 병조의 參判을 지냈다. 황해도와 경기도의 관찰사를 지내고, 五衛都摠府都摠管을 거쳐 知中樞府事가 되었다. 시호는 定獻이다.

尹鳳朝 1680(숙종 6)~1761(영조 37)

본관은 파평이며, 자는 鳴叔이고, 호는 圃巖이다. 明遠의 아들이며 1699년(숙종 25)에 生員이 되고, 1705년에 增廣文科에 丙科로 급제하여 持平·司書·正言·副修撰 등을 역임했다. 1719년에 대사간에 승진했고, 이어 우승지에 전직했다가 경종이 즉위하면서 少論이 집권하자 사직했다. 1726년에 예조참판이 되었으나 1727년 丁未換局으로 老論이 숙청당할 때 앞서 1725년 方萬規가 蕩平을 배척하는 上疏文을 올린 일에 관련되어 파직당하고 삭주에 유배되었다. 1741년 관직이 복구되어 공조참판으로 등용되었고, 1743년 부제학이 되었다. 이어 知中樞府事로 耆老所에 들어갔으며 1757년에 右賓客·判敦寧府事가 되고 다음 해 대제학이 되었다. 문장에 능하여 특히 疏箚는 명문으로 유명했다. 저서로는 『圃巖集』이 있다.

尹鳳五 1688(숙종 14)~1769(영조 45)

본관은 파평이며, 자는 季章이고, 호는 石門이다. 판서 鳳九의 아우이며, 成均館 유생으로서 일찍이 王世弟[英祖]를 측근에서 보필했고, 1725년(영조 1)에 侍直이 되었

다. 1746년에 庭試文科에 丙科로 급제하여 弼善이 되고, 副修撰·校理 등을 역임했다. 이듬해 홍천현감으로 나갔다가 1759년 特進官·判敦寧府事를 겸하고, 1768년(영조 44)에 司直을 거쳐 이듬해 右參贊으로 耆老所에 들어갔다. 시호는 肅簡이고, 저서로는 『石門集』이 있다.

金元澤 ?~1766(영조 42)

영의정 金相福의 아버지로서 1733년(영조 9)에 南原掛書事件에 연루되었다. 그 후 1759년에 자의금부사가 되었고, 1762년에 공조참판 등을 역임했으며, 1766년(영조 42)에 한성부판윤에 이르렀다.

李之億 1699(숙종 25)~1770(영조 46)

본관은 연안이며, 자는 德瘦·恒水·大瘦이고, 호는 醒軒이다. 正郎 萬成의 아들이며, 1728년(영조 4)에 李麟佐의 난 때 그 일당이라는 무고로 왕의 親鞫을 받았으나 조리있게 대답하여 그 비범함을 인정받아 무사했다. 1751년(영조 27)에 別試文科에 丙科로 급제하여 注書가 되고 掌令·右承旨를 거쳐 漢城府左尹·都承旨·형조판서·공조판서·예조판서·漢城府判尹을 지내고 耆老所에 들어갔다. 영조의 총애를 받아 그의 승진은 모두 왕의 특명에 의해 이루어졌다. 당시 조정에서는 그의 승진이 관작질서를 문란케 하는 처사라 하여 여러 차례 논란의 대상이 되었다. 그가 죽자 영조는 매우 애석히 여겨 상례에 필요한 모든 물품을 내려 주었다.

李天輔 1698(숙종 24)~1761(영조 37)

본관은 연안이며, 자는 宜叔이고, 호는 晉庵이다. 郡守 舟臣의 아들이며, 生員試에 합격하여 內侍敎官으로 있다가, 1739년(영조 15)에 謁聖文科에 乙科로 급제했다. 이듬해 正字가 되고 校理·獻納·掌令을 역임했다. 1749년(영조 25)에 이조참판에 올랐으며, 그 후 이조·병조판서를 거쳐 1752년에 우의정에 승진하고, 같은 해에 좌의정이 되었다. 1754년에 영의정에 올랐다가 領敦寧府事로 전임하고 1761년에 다시 영의정이 되었으나 莊獻世子의 평양 遠遊事件에 인책을 받고 음독 자결했다. 담론을 잘하여 허식을 차리지 않고 남과 희소하기를 즐겼으며, 시에 뛰어난 재질을 보였다. 시호는 文簡이고, 저서로는 『晉庵集』이 있다.

李鼎輔 1693(숙종 19)~1766(영조 42)

본관은 연안이며, 자는 士受이고, 호는 三洲·報客亭이다. 戶曹參判 雨臣의 아들이며, 1721년(경종 1)에 進士試에 합격하여 翼陵參奉이 되었으나 곧 사퇴하고, 1732년

(영조 8)에 庭試文科에 丙科로 급제하여 檢閱에 등용되었다가 1736년에 持平으로서 蕩平策을 반대하는 時務十一條를 올려 파직되었다. 副修撰으로 다시 기용되어 副提學·대사간·大司成·承旨를 역임했다. 1750년(영조 26)에 다시 탕평책을 반대하여 인천부사로 좌천되었다. 그 후 右賓客을 거쳐 이조판서에 올라 耆老所에 들어갔으며, 이어 兩館大提學·知成均館事·예조판서 등을 역임하고 判中樞府事가 되었다. 글씨와 漢詩에 능하고 시조의 대가로서 78수의 작품을 남겼다. 시호는 文簡이다.

李吉輔 1699(숙종 25)~1771(영조 47)

李喆輔의 아우로 1754년(영조 30)에 持平이 된 후, 掌令·承旨·大司諫·大司憲 등을 역임하고, 1769년(영조 45)에는 공조판서에 이르렀다.

李喆輔 1691(숙종 17)~1775(영조 51)

본관은 연안이며, 자는 保叔이고, 호는 止庵으로 正臣의 아들이다. 1723년(경종 3)에 別試에 급제하고, 1729년(영조 5)에 이후 持平·副校理 등을 지냈으며, 關西按御使와 湖西御使로 활약했다. 司諫을 거쳐 1741년에 承旨가 되고, 대사간에 이어 이조참판·도승지·함경도관찰사 등을 지낸 후 이조참판이 되었다. 1754년에는 형조판서로 승임되어 판의금부사·병조판서·좌참찬 등의 여러 관직을 역임하다가 1760년(영조 36)에 知中樞府事를 거쳐 奉朝賀에 이르렀다. 형 吉輔와 함께 耆老所에 들어간 데 이어 아들 福源과 손자 時秀가 모두 기로소에 들어가는 영광을 얻어 조선시대 최초로 삼세입사가 되었다. 저서로는 『止庵集』이 있다.

尹陽來 1673(현종 14)~1751(영조 27)

본관은 파평이며, 자는 季亨이고, 호는 晦窩이다. 府尹理의 아들이며, 1699년(숙종 25)에 進士가 되고, 1708년에 式年文科에 丙科로 급제하여 注書에 初任되어 글씨를 빨리 써서 飛注書라는 별명을 들었다. 1721년(경종 1)에 충청도관찰사로 재직중에 죄인 朴世明을 즉시 도성에 梟首하지 않았다는 죄로 체포되어 鞠問을 받았으나 곧 석방되어 冬至兼奏請副使로 청나라에 갔다. 이듬해 귀국했으나 청나라에 가서 경종의 질병을 함부로 발설했다는 죄목으로 파직당하여 갑산에 圍籬安置되었다. 1725년(영조 1)에 노론의 재집권으로 풀려나와 承旨로 기용되었다. 이어 공조참판을 거쳐 대사간으로 재직중 蕩平策을 건의하여 왕의 신임을 받았다. 1746년에 知中樞府事로 辛壬士禍 당시의 少論을 통박하는 聯疏文을 올려 한때 削職되었다

가 判敦寧府事에 이어 奉朝賀가 되었다. 글씨와 시문에 능했으며, 시호는 翼獻이다.

尹汲 1679(숙종 23)~1770(영조 46)

본관은 해평이며, 자는 景孺이고, 호는 近菴이다. 영의정 斗壽의 5대손이며, 황해도관찰사 世綏의 아들로, 李緈·朴弼周의 문인이다. 1725년(영조 1)에 進士로 庭試文科에 乙科로 급제하여, 1737년에는 文科重試에 丙科로 급제했다. 1744년 이조참의를 지냈고, 蕩平策을 반대하다가 일신현감으로 좌천되었다. 1746년에 都承旨로 기용되어 이해 冬至兼謝恩副使로 청나라에 다녀왔다. 1748년에 호조참판이 되고, 이듬해 이조참판에 전직했으나 다시 탕평책을 반대하여 호원현감으로 좌천당했다. 1751년 副提學으로 등용되었고, 그 후 大司憲·漢城府判尹·형조판서·평안도관찰사·判義禁府事를 지내면서 계속하여 탕평책을 반대하여 누차 파직 혹은 좌천당하다가 이조판서에 이르러 耆老所에 들어갔다. 글씨에 뛰어나 尹尙書體란 독특한 서체를 이룩했으며, 시호는 文貞이다. 저서로는 『近菴集』『近菴燕行日記』등이 있다.

朴文秀 1691(숙종 17)~1756(영조 32)

본관은 고령이며, 자는 成甫, 호는 耆隱이다. 영은군 恒漢의 아들이며, 1723년(경종 3)에 增廣文科에 丙科로 급제하여 史官이 되었다. 1724년(영조 즉위)에 老論이 집권할 때 削職되었다가, 1727년 丁未換局으로 少論이 기용되자 司書에 등용되어 영남 暗行御史로 나가 부정한 관리들을 적발했다. 1730년 參贊官에 이어 湖西御史로 나가 기민들의 구제에 힘썼으며, 1734년에 陳奏副使로 청나라에 다녀온 후 호조참판이 되었다. 1741년(영조 17)에 御營大將을 거쳐 함경도 賑恤使로 나가 경상도의 곡식 1만섬을 실어와서 기민을 구제하여 頌德碑가 세워졌다. 1752년 왕세손〔琔〕이 죽자 藥房提調로 책임을 추궁당해 제주에 安置되었다. 이듬해 풀려나와 右參贊에 올랐다. 특히 軍政과 稅政에 밝았고, 암행어사 때의 많은 일화가 전해진다. 시호는 忠憲이다.

李宗城 1692(숙종 18)~1759(영조 35)

본관은 경주이며, 자는 子固이고, 호는 梧川이다. 이항복의 5세손으로 좌의정 台佐의 아들이다. 1711년(숙종 37)에 司馬試를 거쳐 1727년(영조 3)에 增廣文科에 丙科로 급제하여 典籍·正言을 지내고 1728년 경상도암행어사가 되어 민폐를 일소하고, 그 후 獻納·修撰·校理·副提學을 역임했다. 1736년 이조판서로서 영조의 蕩平策

을 반대하여 파직되었다가 다시 기용되어 경기도관찰사·도승지·평안도관찰사·형조판서를 지내고 1744년 다시 이조판서가 되었다. 이어 예조·형조의 판서, 대사헌·開城府留守 등을 거쳐 1742년(영조 28)에 좌의정에서 영의정에 올랐다가 사직하고, 領中樞府事로 죽었다. 성리학에 밝고 문장과 글씨에도 뛰어났으며, 재직중 莊獻世子를 잘 보살펴 장조의 묘정에 배향되었다. 시호는 孝剛, 후에 文忠으로 改諡되었으며, 저서로는 『梧川集』이 있다.

南有容 1698(숙종 24)~1773(영조 49)

본관은 의령이며, 자는 德哉이고, 호는 雷淵·小華이다. 대제학 龍翼의 증손이고, 同知敦寧府事 漢紀의 아들이며, 李縡의 문인이었다. 1721년(경조 1)에 進士가 되고, 강릉참봉·世子翊衛司侍直·영춘현감을 지낸 후, 1740년(영조 16)에 謁聖文科에 丙科로 급제했다. 이어 弘文館에 등용된 뒤 오랫동안 世子侍講院에 있다가 1746년(영조 22)에 承旨가 되고, 대제학·예조참판을 지냈다. 1754년에는 元孫輔養官을 지내고, 이듬해 『闡義理編』纂輯堂上을 겸직했다. 藝文館提學·左副賓客을 거쳐 대사헌이 되어 兩館大提學을 지냈다. 1757년 元孫師傅를 거쳐 예조참판을 지내고, 1764년 右賓客이 되고, 1767년에 致仕한 후 奉朝賀가 되었다. 문장과 시에 뛰어났고, 글씨에도 일가를 이루었으며, 시호는 文淸이다. 저서로 『明史正綱』『천의리편』『雷淵集』이 있다.

黃景源 1709(숙종 35)~1787(정조 11)

본관은 장수이며, 자는 大卿이고, 호는 江漢遺老이다. 璣의 아들이며 李縡의 문인이었다. 1727년(영조 3)에 生員이 되고, 1740년에 增廣文科에 丙科로 급제하여 承文院에 등용되었다. 1761년(영조 37)에 이조참판으로 姑婿 李涏의 上言事件에 연좌되어 거제도에 圍籬安置되고 이듬해 합천에 移配되었다. 儒賢으로서 특히 왕명으로 고향에 放還 후 復官되었다. 1776년 정조 즉위 초 이조판서에 이어 대제학에 임명되었으나 사양하고 判中樞府事로 죽었다. 삼례(禮記·周禮·儀禮)에 정통하고 古文에 밝았으며, 일찍이 張廷玉의 『明史』를 읽고 弘光帝 이하 3帝가 다루어지지 않은 것을 보고 『南明書』를 편찬했으며, 또 우리나라 사람으로 중국 조정에 절의를 지킨 사람을 들어 『明朝陪臣考』를 지었다. 시호는 文景이며, 저서로는 『江漢集』이 있다.

金相奭 1690(숙종 16)~1765(영조 41)

본관은 연안이며, 자는 君弼이고, 호는 市隱이다. 延興

府院君 悌男의 후손이며 1718년(숙종 44)에 庭試文科에 乙科로 급제하여 관련되어 檢閱·正言을 역임했다. 1721년(경종 1)에 辛壬士禍에 削職되었다. 1724년 영조 즉위하면서 老論이 재집권하자 諫官으로 少論 李光佐·趙泰億 등을 탄핵하고, 南人 南九萬·崔錫恒 등의 宗廟配享을 반대했다. 校理·副修撰·義州府尹·漢城府右尹을 거쳐 判敦寧府事로 죽었다. 시호는 貞簡이며, 저서에는 『市隱日錄』이 있다.

金載瓚 1746(영조 22)~1827(순조 27)

본관은 연안이며, 자는 國寶이고, 호는 海石이다. 영의정 熤의 아들이며, 1774년(영조 50)에 進士가 되고, 이 해 庭試文科에 丙科로 급제했다. 1781년(정조 5)에 檢閱로서 『摛文院講義』를 편집하여 왕에게 바쳤고, 奎章閣直閣·원춘도관찰사·直提學·평안도관찰사 등을 역임했다. 1799년(정조 23)에 進賀兼謝恩使로 청나라에 다녀오고, 이듬해 奎章閣提學·判義禁府事가 되었다. 1800년(순조 즉위)에 知實錄事로서 『正祖實錄』 편찬에 참여하고, 1805년에 우의정이 되었으나 취임을 거절하여 재령에 付處되었다가 이듬해 석방되었다. 1807년에 다시 우의정을 지내고, 이듬해 좌의정을, 1812년에는 영의정을 지냈다. 1818년 判中樞府事를 지내고, 다시 영의정을 지냈으며, 1823년 領中樞府事가 되었다. 시호는 文忠이며, 저서로는 『海石集』『海石日記』가 있다.

洪象漢 1701(숙종 27)~1769(영조 45)

본관은 풍산이며, 자는 雲章이다. 吏曹參判 錫輔의 아들이고, 魚有鳳의 문인이며 사위이다. 1728년(영조 4)에 進士試에 합격하여 1734년 義禁府都事가 되고, 이듬해 增廣文科에 丙科로 급제하여 檢閱을 지냈다. 1742년에 대사간에 오르고, 이어 이조참판·都承旨·대사헌을 지낸 뒤, 1748년 형조판서가 되어 법에 어긋난 杖刑의 남용을 엄금케 했다. 한때 평안도관찰사로 나갔다가 1754년에 예조판서가 되어 趙憲의 문집을 간행하는 한편 彰節·愍民의 두 書院을 重修하고, 상소하여 皇甫仁 등을 伸寃하고 시호를 내리게 했다. 그 뒤 병조판서·判敦寧府事를 거쳐 1759년 判義禁府事로서 世孫師傅를 겸임했다. 1769년 致仕하고 奉朝賀가 되었다. 영의정에 追贈되었으며 시호는 靖惠이다. 저서로는 『풍산세고』『靖惠公遺稿』가 있다.

洪樂性 앞과 같음.

趙重晦 1711(숙종 37)~1782(정조 6)

본관은 함안이며, 자는 益章이고, 生六臣의 한 사람인 旅의 10대손이며, 開城留守 榮福의 아들이다. 李縡의 문인이었으며, 1736년(영조 12)에 庭試文科에 丙科로 급제했다. 1743년에 正言으로 왕의 빈번한 私廟의 참예를 諫하다가 파직당했으나, 1748년 副修撰으로 복직되었다. 1751년에는 謝恩兼冬至使의 書狀官으로 청나라에 다녀왔으며, 1762년에는 承旨로서 王世子〔莊獻世子〕가 뒤주에 갇혀 죽을 때 極諫하다가 무장에 유배되었으나 곧 풀려났다. 1775년에 이조판서, 이듬해 예조판서가 되었으며, 이 해에 정조가 즉위하자 함경도관찰사로 전직했다. 1779년(정조 3)에 공조판서가 되었으나 이듬해 致仕하고 耆老所에 들어갔으며, 1781년 다시 이조판서에 임명되었으나 사퇴하고 奉朝賀가 되었다. 그의 사위 洪樂彬이 세도가 洪國榮의 숙부이므로 그에게 아부하려는 사람이 많았으나, 성품이 고결하여 이를 모두 배척하여 지조를 지켰다. 시호는 忠憲이다.

權導 1710(숙종 31)~1791(정조 15)

본관은 예천이며, 자는 道以이고, 호조판서 慄의 아들이다. 1757년(영조 33)에 庭試文科에 丙科로 급제하여 正言이 되고, 侍讀官을 거쳐 世子冊封使의 書狀官으로 청나라에 다녀왔다. 1761년 대사간에 이어 承旨를 지내고 1763년 吏曹參議에 전직되었으나 왕의 부름에 응하지 않았다 하여 海南縣監으로 좌천되었다. 이듬해에 다시 대사간에 기용되어 승지가 되었다가 平海郡守로 좌천되고, 1765년 이조참의가 되고 대사성을 역임했다. 1771년 충청도관찰사로 나갔다가 이듬해 大司憲이 되고 1776년 이조참판·예문관제학·관상감제조에 이어 한성부판윤·경기도관찰사 등을 거쳐 1778년(정조 2)에 공조판서가 되었다. 그 뒤 예조판서·우참찬·병조판서·좌참찬을 역임하고 1781년 다시 한성부판윤·우참찬·經筵知事·공조판서 등을 지냈다.

尹東度 1707(숙종 33)~1768(영조 44)

본관은 파평이며, 자는 敬仲이고 호는 南厓·柳塘이다. 판서 惠敎의 아들이며, 1744년(영조 20)에 進士가 되고, 이듬해 해주 판관으로 庭試文科에 乙科로 급제하여 司書·修撰·獻納·校理를 거쳐 대사간·경상도관찰사·대사헌·이조참판·부제학·호조판서를 역임했다. 1761년(영조 37)에는 우의정에 승진하고, 이듬해 좌의정을 거쳐 1766년에는 영의정에 올랐으며, 領中樞府事로 죽었다. 시호는 靖文이다.

李瑾 1694(숙종 20)~1761(영조 37)

본관은 연안이며, 자는 厚玉이고, 호는 癯翁이다. 延安府院君 時白의 5대손이며, 參判 命熙의 아들이다. 1726년(영조 2)에 生貝試에 합격하고, 1750년에는 56세로 式年文科에 乙科로 급제하여, 이 해 湖南均稅使에 임명되어 稅政에 참여했다. 1755년 이조참판으로 知經筵事를 겸했다가 경상도관찰사·대사간·승지·한성부우윤·예조참판·경기도관찰사·형조판서·병조판서를 역임했다. 1758년 이조판서를 거쳐 우의정이 되었으며, 이어 좌의정에 올라 世子傅를 겸임했다. 이 때 세자〔莊獻世子〕의 平壤 遠遊事件에 대해 왕의 추궁을 받자, 그 책임을 느끼고 李天輔·閔百祥과 함께 음독 자결했다. 시호는 忠顯이다.

趙文命 1680(숙종 6)~1732(영조 8)

본관은 풍양이며, 자는 叔章이고, 호는 鶴巖이다. 都事 仁壽의 아들이며, 金昌協의 문인이었다. 1705년(숙종 31)에 生貝이 되고 1713년 增廣文科에 丙科로 급제하였고 1721년(경종 1)에 修撰·副校理를 지냈다. 1727년에 이조참의가 되고, 이 해 實錄都廳堂上으로『景宗實錄』의 편찬에 참여했고, 이어 都承旨·冬至經筵事·御營大將을 지내고 이듬해 대사성·이조참판을 지냈다. 이해 李麟佐의 난을 평정하는 공을 세워 奮武功臣 2등으로 豊陵府院君에 봉해졌다. 1739년에 우의정에 승진하여 扈衛大將을 겸하고, 1731년 謝恩使로 청나라에 다녀와 다음 해 좌의정에 올랐다. 관직에 있는 동안 왕의 蕩平策을 적극 협조하여 불편부당한 인사관리를 했다. 글씨를 잘 썼으며, 시호는 文忠이며, 저서로『鶴巖集』이 있다.

宋寅明 1689(숙종 15)~1746(영조 22)

본관은 여산이며, 자는 聖賓이고, 호는 藏密軒이다. 이조참판 光淵의 손자이며, 1719년(숙종 45)에 增廣文科에 乙科로 급제하여 檢閱을 거쳐 說書로 있으면서 世弟〔英祖〕의 총애를 받던 중 1724년 영조가 즉위하자 충청도관찰사로 기용되었다. 이듬해 同副承旨가 되어 朋黨의 금지를 건의하여 영조의 蕩平策에 적극 협조했다. 1731년 이조판서가 되어 老·少論 중의 온건한 자들을 등용하여 당론을 조정·완화시킴으로써 영조의 신임을 받았다. 右參贊·호조판서·우의정을 거쳐 1740년(영조 16)에 좌의정이 되어 당쟁을 억누르고 탕평책에 박차를 가하여 국가의 기강을 바로 잡았다. 王命으로 朴師洙와 함께 辛壬士禍의 顚末을 기록한『勘亂錄』을 편찬했다. 영의정에 追贈되었으며, 시호는 忠憲이다.

趙顯命 1690(숙종 16)~1752(영조 28)

본관은 풍양이며, 자는 稚晦이고, 호는 歸鹿·鹿翁이다. 都事 仁壽의 아들이며, 1713년(숙종 39)에 進士試에 합격하고, 1719년에 增廣文科에 丙科로 급제하여 檢閱을 거쳐 용강현령·持平 등을 지냈다. 1740년 우의정에 승진하고, 1742년 良役査正廳을 復設케 하고, 이듬해 問安使가 되어 청나라에 다녀왔다. 1746년에 領敦寧府事로 전임했다가 다시 우의정이 되어 1749년 進賀兼謝恩使로서 청나라에 다녀왔고, 이듬해 영의정에 이어 다시 領敦寧府事가 되었다. 1751년 좌의정에 전임되고, 이해 호조판서 朴文秀의 주장으로 戶錢法의 실시가 논의되자 均役廳堂上으로서 그 구체적 節目을 결정하여 良役의 합리적 개혁을 이루게 했다. 領敦寧府事로 죽었다. 老論에 속했으나 蕩平策을 지지하여 영조의 정책 수행에 적극 협조했고, 청렴한 생활로 일관했으며, 孝行으로 旌門이 세워졌다. 저서로『歸鹿集』이 있고, 시조 1수가『海東歌謠』에 전하며, 시호는 忠孝이다.

趙載浩 1702(숙종 28)~1762(영조 38)

본관은 풍양이며, 자는 景大이고, 호는 損齋이다. 좌의정 文命의 아들이며, 孝純王后의 오빠이다. 학문이 뛰어나 1739년(영조 15)에 우의정 宋寅明의 천거로 世子侍講院에 등용되어 書筵에 참석했다. 1744년에 홍산 현감으로 春塘臺文科에 丙科로 급제하여 承旨로 특진된 뒤 知敦寧府事·경상도관찰사를 지내고 1752년에 우의정이 되어 右賓客을 겸했다. 이 때 李光佐를 탄핵하여 少論의 미움을 받았다. 이듬해『闡義昭鑑』편찬의 都提調가 되고, 1759년에 領敦寧府事로 있을 때 繼妃 冊立을 반대하여 임천에 付處되었다. 다음 해 풀려나와 춘천에 은거했다. 1762년 莊獻世子가 화를 입게 되자 이를 구하려고 상경했으나 실패하고 오히려 洪鳳漢 등의 무고로 종성에 安置되어 賜死당했다. 1775년(영조 51)에 伸寃되었다. 저서로『損齊集』이 있다.

李德壽 1673(현종 14)~1744(영조 20)

본관은 전의이며, 자는 仁老이고, 호는 西堂·蘖溪이다. 參判 徵明의 아들이며, 朴世堂·金昌翕의 문인이었다. 蔭補로 直長을 지내고 1713년(숙종 39)에 增廣文科에 丙科로 급제하여 修撰·持平·副校理·吏曹의 郞官을 지내고, 1724년 간성군수로 있다가 경종이 죽자 實錄廳堂上으로『景宗實錄』의 편찬에 참여했다. 1730년(영조 6)에 대사간에 오르고, 1732년 대제학으로〈景廟行狀〉을 撰進하고, 1735년에 冬至副使가 되어 청나라에 다녀왔다. 그 후 이조판서에 올라 대제학을 겸임하고, 1738년에 右參贊으로 同知經筵事를 겸임했다. 문장에 능하고 글씨에 뛰어났다. 시호는 文貞이며, 저서로는『西堂集』『西堂私載』가 있다.

吳命恒 1673(현종 14)~1728(영조 4)

본관은 해주이며, 자는 士常이고, 호는 慕庵·永慕堂이다. 遂良의 아들이며, 1705년(숙종 31)에 式年文科에 乙科로 급제하여 1709년 校理를 거쳐 說書·司書 등을 역임했다. 1715년 副應敎·吏曹佐郞을 지냈으며 이듬해 承旨에 이어 경상도와 강원도·평안도의 관찰사 등을 거쳐 司直으로 있다가 1724년(영조 즉위)에 少論이 실각하자 사직했다. 1727년 丁未換局으로 少論이 등용될 때 知中樞府事로 기용되고, 이조와 병조의 판서를 역임했다. 이듬해 李麟佐의 난이 일어나자 判義禁府事 겸 四道都巡撫使로서 난을 토평하고 奮武功臣 1등이 되고 海恩府院君에 봉해졌다. 이어 右贊成으로 승진했으나 자신이 이인좌와 같은 소론이라는 자책에서 사퇴를 상소했다. 그러나 허락되지 않고 우의정으로 발탁되었다. 효자 旌門이 세워졌으며, 시호는 忠孝이다.

韓翼謩 1703(숙종 29)~1781(정조 5)

본관은 淸州이며, 자는 敬甫이고, 호는 靜見이다. 進士 師范의 아들이며, 1733년(영조 9)에 式年文科에 乙科로 급제하여 正言이 되고, 持平·修撰·吏曹正郞·承旨를 거쳐 1744년 廣州府尹을 지냈다. 후에 대사간·예조판서를 지내고, 1762년 義禁府判事로서 羅景彦의 告變事件이 일어나자 이를 사주한 배후를 규명하라고 주장하고, 이어 대제학으로서 思悼世子가 죽은 경위를 밝히는 敎書의 작성 지시를 거부하다가 한때 削職되었다. 1766년 좌의정이 되고, 1772년에는 영의정에 승진했다. 1776년(정조 즉위)에 사도세자의 처벌을 주장한 洪麟漢·鄭厚謙을 鞫問할 때 불참하여 관작을 삭탈당하고, 門外黜送되었다. 豊川에 유배, 연안에 移配되었다가 이듬해 풀려났다. 시호는 文肅이다.

閔百祥 1711(숙종 37)~1761(영조 37)

본관은 여흥이며, 자는 履之이다. 좌의정 鎭遠의 손자이며, 관찰사 亨洙의 아들이다. 1740년(영조 16)에 增廣文科에 乙科로 급제하여 檢閱·修撰을 거쳐 1745년 冬至使의 書狀官으로 청나라에 다녀와서 동래부사·경상도관찰사·대사성 등을 역임했다. 1751년에 대사간에 이르러 앞서 辛壬士禍에 화를 입은 아버지의 伸寃과 화를 가한

少論에 대한 엄중한 처벌을 주장하다가 거제에 유배되었다. 이듬해 풀려나와 부제학·대사헌·이조판서·知中樞府事를 거쳐 1760년 우의정이 되었다가 다음 해 죽었다. 莊獻世子의 비행을 막지 못한 일로 책임을 느껴 자살했다는 설도 있다. 시호는 正獻이다.

李昌誼 1704(숙종 30) ~ 1772(영조 48)

본관은 전주이며, 자는 聖方이다. 세종의 아들 寧海君 瑭의 후손이며, 參奉 泰躋의 아들이다. 1736년(영조 11)에 增廣文科에 丙科로 급제하여, 이듬해 說書가 되고 正言·持平·校理·修撰을 거쳐 1745년에는 대사간에 올랐다. 1747년 충청도관찰사로 나갔다가 1749년 正朝兼謝恩副使로 청나라에 다녀와 형조·호조의 참관을 지내고, 1752년 冬至副使로 다시 청나라에 다녀와서 左賓客·廣州府留守를 거쳐 1759년(영조 35)에는 이조판서에 승진하고, 이어 함경도관찰사, 예조·호조판서를 지내고, 1768년에 우의정에 오른 뒤 判中樞府事로 죽었다. 그가 죽자 부인이 탄식하다가 절명하여 열녀로 정문이 세워지고 영조가 제문을 지어 제사지내게 하였다. 시호는 翼獻이다.

具允明 1711(숙종 37) ~ 1797(정조 21)

본관은 능성이며, 자는 士貞이고, 호는 兼山이다. 漢城府判尹 宅奎의 아들이며, 伯父 夢奎에게 입양되었다. 1732년(영조 8)에 生員이 되고 1743년에 庭試文科에 丙科로 급제하여 史官을 지내고, 掌令·承旨 등을 역임했다. 綾川府院君 仁垕의 奉祀孫으로서 綾恩君을 襲封했다. 예조판서로 致仕한 뒤, 奉朝賀가 되었다. 앞서 1758년(영조 34)에 趙明鼎·蔡濟恭과 함께 『列聖志狀』을 校刊했고, 1791년(정조 15)에는 『增修無寃錄諺解』를 지었다. 훈척의 집안으로 자주 공격을 받았으나 잘 처신해 나갔으며, 정조연간에는 관직에 직접 관여하지 않고 왕실의 행사에 힘을 쏟았다. 『典律通補』『英宗御製續編』등 많은 서적을 편집·교정하였다.

● **제3권** ●

崔惟善 앞과 같음.

李齊賢 앞과 같음.

金尙容 1561(명종 16) ~ 1637(인조 15)

본관은 안동이며, 자는 景擇이고, 호는 仙源·楓溪이다. 克孝의 아들이며, 좌의정 尙憲의 형이며 成渾의 문인이었다. 1582년(선조 15)에 進士가 되고 1590년에 增廣文科에 丙科로 급제하여 檢閱에 등용되었다. 1623년의 仁祖反正 후 집권당인 西人의 한 사람으로 判敦寧府事를 거쳐 예조·이조의 판서를 역임했고, 1627년(인조 5)에 丁卯胡亂 때는 留都大將으로 있었다. 1630년 耆老所에 들어가 노령으로 관직을 사퇴하려 했으나 허락되지 않았다. 1632년(인조 10)에 우의정에 임명되자 거듭 사임할 것을 청하여 마침내 허락받았다. 1636년 병자호란 때 왕족을 시종하고 江華로 피란했다가 이듬해 강화성이 함락되자 화약에 불을 질러 자살했다. 글씨에 뛰어나 二王體를 본받고 篆은 衆體를 겸했으며, 시조로 遺稿에 〈五倫歌〉5편,〈訓戒子孫歌〉9편, 그 밖에 『歌曲源流』등에 여러 편이 전한다. 시호는 文忠이며, 저서로는 『仙源遺稿』『續禮隨抄』가 있다.

李濡 앞과 같음.

林慶業 앞과 같음.

李厚源 앞과 같음.

宋時烈 1607(선조 40) ~ 1689(숙종 15)

본관은 은진이며, 자는 英甫이고, 호는 尤庵이다. 甲祚의 아들이며, 金長生·金集 父子의 문인이었다. 1633년(인조 11)에 生員試에 1등으로 합격하여, 薦擧로 경릉 참봉이 되었다. 1635년에 鳳林大君〔孝宗〕의 사부가 되고, 1658년(효종 9)에 이조판서에 승진하여 효종과 함께 군사력의 강화와 軍布의 증액 등으로 북벌계획을 추진했으나 이듬해 효종이 죽자 북벌계획은 중지되었다. 이 때 효종의 장례로 자의대비의 服喪문제가 제기되자 삼년설을 주장하는 남인에 대하여 기년설을 건의하여 이를 채택케 함으로써 남인을 제거하고 정권을 장악했다. 1674년에 인선왕후의 별세로 다시 자의대비의 복상문제가 제기되자 대공설을 주장했으나 남인이 주장하는 기년설이 채택됨으로써 실각했고, 1679년 庚申大黜陟으로 남인이 실각하자 영중추부사로 기용, 1684년 致仕하고 奉朝賀가 되었다. 1689년 왕세자가 책봉되자 이를 시기상조라 하여 반대하는 상소를 했다가 제주에 안치되고 이어 국문을 받기 위해 상경 도중에 남인의 책동으로 정읍에서 사사되었다. 1694년 甲戌獄事로 서인이 집권하면서 伸寃되었다.

일생을 주자학 연구에 몰두한 거유로 이이의 학통을 계승, 기호학파의 주류를 이루었다. 성격이 과격하여 많은 政敵을 가졌으나 뛰어난 학식으로 많은 학자를 길러냈으며 글씨를 잘 썼다. 시호는 文正이며, 저서에는 『宋子大典』이 있다.

崔致遠 앞과 같음.

安珦 앞과 같음.

李德馨 앞과 같음.

黃廷彧 앞과 같음.

李頤命 1658(효종 9)~1722(경종 2)

본관은 전주이며, 자는 智人·養叔이고 호는 疎齋이다. 1680년(숙종 6) 別試文科에 乙科로 급제하여, 여러 관직을 거쳐 1687년 강원도관찰사가 되고 8개월 만에 승지로 발탁되었다. 1689년 己巳換局으로 西人으로서 寧海에 귀양갔는데, 1694년(숙종 20)에 甲戌獄事로 南人이 실각하자 戶曹參議에 기용되었다. 1698년 大司諫으로 형 師命의 죄를 변호하다가 公州로 유배되었으나 이듬해 풀려나와 大司憲·漢城府判尹·이조·병조판서 등을 역임하고, 1705년에 우의정, 1708년에는 좌의정에 이르렀다. 1720년 숙종이 죽자 告訃使로 청나라에 갔는데, 귀로에 천주교·천문·曆算에 관한 책을 가지고 돌아왔다. 1721년(경종 1) 老論의 영수 金昌集과 李健命·趙泰采 등과 같이 世弟〔英祖〕의 代理聽政을 주청하여 이를 실현시키려 했으나 少論의 반대로 그 결정이 철회되자 柳鳳輝 등의 탄핵을 받고 김창집 등과 함께 南海에 유배되었다가 辛壬士禍 때 한양으로 압송되어 賜死되었다. 性理學에 정통했으며 실학사상에도 관심이 깊었다. 영조가 즉위하자 관작이 복구되었다. 시호는 文忠이며, 저서로는 시·문을 엮은 『疎齋集』(20권)과 『疆域關係圖說』『良役變通私議』 등이 있다.

尹拯 1629(인조 7)~1711(숙종 37)

본관은 坡平이며, 자는 子仁이고, 호는 明齋·酉峯이다. 조부는 팔송 煌이고, 우계 成渾의 사위였다. 金集의 문인으로 일찍이 宋時烈·朴世采 등 당대의 명유들과 함께 교유했다. 그는 父師를 시작으로 兪棨와 宋浚吉, 송시열의 3대 師門에 들어가 주자학을 기본으로 하는 당대의 정통유학을 수학하면서 朴世堂·박세채·閔以升 등과

교유하여 학문을 대성했다. 登科는 하지 않았지만, 학행이 사림 간에 뛰어나 遺逸로 천거되어 內侍教官에 발탁되는 것을 시작으로 공조좌랑·世子侍講院進講·대사헌·이조참판·이조판서·우의정의 임명을 받았으나, 이는 그의 학문적·정치적 위치를 반영할 뿐 일체 사양하고 실직에 나아간 일이 없다. 그의 사상적 배경은 16세기 이래로 변화해 온 조선사회의 이해에 대한 시각의 차이에서 송시열과의 대립을 초래했다. 그것은 밖으로는 병자호란 이후 야기된 국제관계의 변화에 따른 숭명의리〔송시열〕과 대청실리외교문제〔윤증〕의 대립이었고, 양난 이후의 사회변동과 경제적 곤란은 주자학적 의리론과 명분론만으로는 해결할 수 없다는 역사적 명제를 제기시켰다. 그는 많은 門弟 중에서도 특히 鄭齊斗와 각별한 관계를 가졌다. 두 사람 사이의 학문·사상적 교류는 『明齋遺稿』와 『霞谷集』의 왕복서한에서 실증되고 있다. 그가 스승인 송시열에게 보낸 辛酉擬書에 의하면 스승을 義利雙行이라 비판하여 배사론으로 지목받았고, 송시열의 주자학적 종본주의와 이에 근거한 尊華大義 및 崇明伐淸의 북벌론을 정면으로 반박, 懷尼是非의 발단을 이루었다. 그는 어진 스승을 배반했다는 패륜으로 지목받았지만, 그를 따르던 소론 진보세력들에 의해 그의 사상이 꾸준히 전승 발전되어 노론일당 전제체제 하에서 비판 세력으로 자리를 굳혔다. 시호는 文成이며, 저서에는 『明齋遺稿』가 있다.

趙泰采 1660(현종 1)~1722(경종 2)

본관은 楊州이며, 자는 幼亮이고, 호는 二憂堂이다. 1686년(숙종 12)에 別試文科에 丙科로 급제하여, 修撰·校理·공주목사·正言·經筵同知事·호조참판 등을 거쳐 1703년 호조판서에 승진했다. 1713년에 中樞府知事로 冬至使가 되어 청나라에 다녀오고, 1715년 공조판서가 된 뒤 이조판서를 거쳐 1717년에 우의정에 올랐다. 다음 해 판중추부사가 되고, 1720년(경종 즉위)에 謝恩使로 재차 청나라에 갔다가 이듬해 귀국했다. 노론 4대신의 한 사람으로 世弟〔英祖〕 책봉을 건의하여 실현시켜 대리청정하게 했으나 少論의 반대로 철회되자 사직하고, 소론의 사주를 받은 睦虎龍의 告變으로 珍島에 귀양간 뒤 賜死되었다. 1725년(영조 1)에 復官되었으며, 시호는 忠翼이며, 저서에는 『二憂堂集』이 있다.

李健命 1663(현종 4)~1722(경종 2)

본관은 全州이며, 자는 仲剛이고, 호는 寒圃齋·霽月齋이다. 영의정 경여의 손자로, 이조판서 민서의 아들이다.

1684년(숙종 10)에 進士가 되고, 2년 뒤에 春塘臺文科에 급제했다. 1698년 서장관으로 청나라에 다녀온 뒤 右承旨·大司諫·吏曹參議를 역임하고, 1704년에 이조판서가 되었다. 1718년 우의정에, 1720년에는 좌의정에 올랐다. 1721년에 노론 4대신의 한 사람으로 世弟〔英祖〕의 책봉을 주청하여 실현시키고 册封奏請使로 청나라에 갔다. 그 동안 국내에서는 辛壬士禍가 일어났고, 1722년 귀국하자 청나라에서 세제책봉의 명분으로 경종이 병이 있는 것처럼 발설했다는 죄로 전라도 흥양 뱀섬에 유배되었다가 유배지에서 목이 베여 죽임을 당했다. 1725년(영조 1)에 伸寃되었다. 詩文에 뛰어났으며, 글씨는 특히 松雪體에 뛰어났다. 시호는 忠愍이고, 저서에는 『寒圃齋集』이 있다.

鄭澔 1648(인조 26)~1736(영조 12)

본관은 延日이며, 자는 仲淳이고, 호는 丈巖이다. 감찰 慶演의 아들이고, 1682년(숙종 8) 生員이 되고, 1684년 庭試文科에 丙科로 급제하여 檢閱·正言을 역임하고, 1689년 己巳換局으로 파직되어 鏡城에 유배되었다. 1694년에 풀려나와 持平·修撰·校理를 거쳐 1698년 執義·司諫 등을 지냈다. 1715년 부제학으로 『家禮源流』의 발문에서 尹拯을 공박하여 파직되었다. 이듬해 대사헌이 되어 尹宣擧 부자의 관작을 추탈하게 했으며, 1717년(숙종 43) 세자의 대리청정을 시행하게 하고, 다음 해 이조판서가 되었다. 1721년(경종 1)에 實錄廳摠裁官으로 『肅宗實錄』 편찬에 참여하다가 辛壬士禍로 康津에 유배되었다. 1725년(영조 1) 풀려나와 우의정이 되고, 士禍로 賜死된 노론 4대신의 伸寃을 상소했으며, 좌의정을 거쳐 영의정이 되었다. 1729년 耆老所에 들었고, 中樞府領事로 致仕했다. 일생을 老論의 선봉으로 활약했고, 글씨와 詩文에 뛰어났다. 시호는 文敬이고, 저서로는 『丈巖集』이 있다.

李宜顯 앞과 같음.

趙文命 앞과 같음.

金在魯 1682(숙종 8)~1759(영조 35)

본관은 청풍이며, 자는 仲禮이고, 호는 淸沙·虛舟子이다. 우의정 構의 아들이며, 1702년(숙종 28)에 進士가 되고, 1710년 春塘臺文科에 乙科로 급제하여 持平·修撰 등을 역임했다. 1716년 副修撰으로서, 선현을 무고한 少論 柳鳳輝·鄭栻 등을 탄핵하여 파직되게 했다. 1722년 辛壬士禍로 門外黜送되었다가 이듬해 울산에 安置되고, 1724

년 풀려나와 이듬해 대사간에 재등용되었다. 少論 金一鏡의 무고사실을 상소하여 사형당하게 하고, 1727년 丁未換局으로 소론이 재등장하자 다시 파직되었다. 이듬해 李麟佐의 난이 일어나자 충주목사로 다시 기용되어, 湖西安撫使를 겸하여 난의 토평에 공을 세웠다.

그 해 다시 당파 조성죄로 삭직되나, 곧 복직되어 춘추관지사로서 實錄都廳堂上을 겸직하여 『景宗修正實錄』 편찬에 참여했다. 1731년 신임사화로 죽은 老論 金昌集·李頤命을 伸寃되게 하고, 이듬해 세자의 册禮都監提調를 지낸 뒤 우의정을 거쳐 좌의정이 되었다. 1737년 蕩平策을 어긴 죄로 파직되었다가, 곧 좌의정에 복직되었다. 이듬해 중추부판사로 奏請使가 되어 청나라에 가서, 新刊된 『明史』를 구해왔으며, 1740년 영의정에 올랐다. 시호는 忠靖이며, 저서에는 『闡義昭鑑諺解』『燼餘』가 있다.

俞拓基 앞과 같음.

趙顯命 앞과 같음.

李天輔 앞과 같음.

閔百祥 앞과 같음.

洪鳳漢 1713(숙종 39)~1778(정조 2)

본관은 豊山이며, 자는 翼汝이고, 호는 翼翼齋이다. 思悼世子의 장인이며, 1735년(영조 11)에 生員이 되고 蔭補로 參奉·世子翊衛司洗馬 등을 지내고, 1743년 딸이 世子嬪〔惠慶宮洪氏〕으로 간택된 뒤 이듬해 別試文科에 乙科로 급제하여 史官이 되었다. 1745년 廣州府尹에 특진되고, 1749년 세자가 代理聽政하면서 累進, 다음 해 어영대장에 올랐다. 이어 예조참판으로 延接都監提調를 지낸 후 1752년 同知經筵事, 이듬해에는 備邊司 당상으로 『臨津節目』을 撰進했다. 1759년 世孫師가 되고, 1761년 세자의 平壤遠遊事件에 인책한 李天輔·閔百祥 등이 자결하자 우의정에 발탁되고 좌의정을 거쳐 돈령부판사를 지낸 뒤 영의정에 올랐다. 이듬해 사위인 세자가 庶人이 되어 뒤주에 갇히자 왕의 노여움을 돌이킬 수 없다고 단정, 세자의 餓死를 묵인했다. 영조가 세자의 아사사건을 뉘우치고 세자에게 시호를 내리자 표변하여 세자의 죽음을 초래하게 한 金龜柱 일당을 탄핵하여 정권을 장악하고 『垂義篇』을 찬술, 사건의 전말을 소상히 적어 정적인 僻派 탄압에 이용했다. 1771년 벽파의 책동으로 世孫〔正祖〕을 해하려 할 때 이를 막다가 削職당하여, 淸州에 付處되었으나, 洪國榮의 수습으로 時派가 승리하여 풀려나온 뒤 奉朝賀가 되었다. 시호는 翼靖이고, 저서에는 『正史彙鑑』『翼翼齋漫錄』이 있다.

金致仁 앞과 같음.

趙曔 앞과 같음.

韓翼謩 앞과 같음.

尹陽來 앞과 같음.

趙觀彬 1691(숙종 17)~1757(영조 33)

본관은 楊州며, 자는 國甫이고, 호는 悔軒이다. 1714년(숙종 40)에 增廣文科에 丙科로 급제한 뒤 檢閱·修撰·典籍을 지내고, 대간의 탄핵으로 파직되었다가 이조참의에 기용, 1719년 承旨가 되었다. 1723년(경종 3)에 辛壬士禍에 화를 당한 아버지에 연좌되어 興陽縣에 귀양갔다가 1725년(영조 1)에 풀려나와 提學에 기용되어, 義禁府同知事를 거쳐 1727년 敦寧府同知事 때 노론 4대신을 罪籍에서 삭제할 것을 상소했다. 1731년에는 대사헌에 재직 중 辛壬士禍의 전말을 상소하여 少論의 영수 李光佐를 탄핵했다가 당파심에 의한 私憾으로 대신을 論斥했다는 죄로 결국 大靜縣에 유배되었다. 그 뒤 풀려나와 호조참판·평안도관찰사 등을 거쳐 1753년 대제학에 있을 때 竹册文의 製進을 거부하여 星州牧使로 좌천되고, 이어 三水府에 안치되었으며, 곧 端川에 移配되었다가 풀려나와 中樞府知事가 되었다. 시호는 文簡이며, 저서로는 『悔軒集』이 있다.

尹汲 앞과 같음.

南有容 앞과 같음.

朴文秀 앞과 같음.

金昌集 1648(인조 26)~1722(경종 2)

본관은 안동이며, 자는 汝成이고, 호는 夢窩이다. 영의정 壽恒의 아들이며, 1672년(현종 13)에 進士가 되고, 1681년(숙종 7)에 內侍敎官을 지낸 뒤 1684년 工曹佐郞으로 있을 때 庭試文科에 급제하여 正言·병조참의를 지냈다. 1689년 己巳換局 때, 부친이 관련되어 賜死되자 산중으로 들어가 은거했다. 1694년 甲戌獄事가 일어나자 복관되고,

1705년에 敦寧府知事가 되었다가 다음해 한성부판윤·우의정·좌의정을 지냈다. 1712년 謝恩使로 청나라에 갔다왔으며, 1717년 영의정에 올랐다. 숙종 말년에 왕이 병석에 눕자 세자의 代理聽政을 주장하다가 少論으로부터 탄핵을 받았다. 숙종이 죽은 뒤 왕위에 오른 景宗은 몸이 병약하고 後嗣가 없었으므로, 노론파의 대신들과 의논하여 王世弟〔英祖〕의 책봉을 상소하여 실행하게 했다. 1721년(경종 1) 다시 왕세제로 하여금 대리청정하게 했으나 경종의 親政을 명분으로 내세우는 소론의 趙泰億·李光佐 등에 의하여 대리청정이 취소되자 관직에서 물러났다. 이어 辛壬士禍가 일어나자 거제도로 유배되었다가 다음 해 賜死되었다. 1724년 영조가 즉위하자 관작이 복구되었다. 시호는 忠獻이고, 저서에는 『國朝自警編』『五倫全備諺解』 등이 있다.

金昌翕 앞과 같음.

朴淳 앞과 같음.

李元翼 앞과 같음.

金壽恒 1629(인조 7)~1689(숙종 15)

본관은 安東이며, 자는 久之이고, 호는 文谷이다. 1646년(인조 24)에 司馬試를 거쳐 1651년에 謁聖文科에 壯元으로 급제했다. 1656년(효종 7)에 文科重試에 乙科로 급제하고 正言·校理 등 淸宦職을 거쳐 吏曹正郞·大司諫에 올랐다. 1659년(현종 즉위)에 承旨가 되었고, 1661년(현종 2)에는 吏曹參判이 되었으며, 이듬해 大提學에 특진했다. 1674년 효종비 仁宣王后가 죽었을 때 慈懿大妃의 服喪문제로 제2차 禮訟이 일어나자, 金壽興과 함께 大功說〔9개월〕을 주장했으나 南人이 주장한 朞年說〔1년〕이 채택되자 벼슬을 내놓았다. 1675년(숙종 1)에 좌의정에 임명되었으나 尹鑴·許積·許穆 등의 공격으로 관직이 삭탈되고, 原州에 付處되었다. 이듬해 풀려나왔다가 다시 靈巖에 付處되었다. 1680년 영의정이 되고, 1681년에는 總裁官으로 『顯宗實錄』을 편찬했다. 1689년 己巳換局으로 남인이 재집권하게 되자 珍島에 유배된 후 賜死되었다. 시호는 文忠이며, 저서로는 『文谷集』이 있으며, 편저에 『松江行狀』이 있다.

黃欽 1639(인조 17)~1730(영조 6)

본관은 창원이며, 자는 敬之이고, 蓋耇의 아들이다. 1680년(숙종 6)에 別試에 乙科에 급제한 후 여러 관직을

거쳐 1705년에는 大司憲을 지내고 다음 해에는 都承旨에 승임되었다. 1712년(숙종 38)에 형조판서에 이어 1730년(영조 6)에는 判敦寧府事로 재임중 졸거했다. 그는 50여 년 동안 관직에 있으면서도 항상 근신하고 남달리 청렴결백하여 세인들로부터 많은 칭송을 받았다. 90세를 넘겼으나 조금도 흐트러짐이 없었다.

姜銑 1650(효종 1)~1733(영조 9)

본관은 진주이며, 자는 子精이고, 호는 白閣이다. 1675년(숙종 1)에 進士가 되고, 1680년 庭試文科에 丙科로 급제했으며, 1686년 修撰으로서 文科重試에 乙科로 급제했다. 1689년 이조참의, 1694년 예조참판이 되었다. 1701년 仁顯王后의 상을 당하여 告訃使로 청나라에 다녀온 후 형조판서·대제학·예조판서·한성부판윤 등을 역임했다. 경종 때 다시 의금부판사·좌참찬을 지낸 뒤 耆老所에 들어갔다. 1725년(영조 1)에 辛壬士禍를 다스린 죄로 削黜되었으나, 耆老所에 들어간 사실이 참작되어 곧 풀려났다. 시호는 文安이다.

任埅 앞과 같음.

金應河 앞과 같음.

金起宗 1585(선조 18)~1635(인조 13)

본관은 강릉이며, 자는 仲胤이고, 호는 聽荷이다. 1618년(광해군 10)에 增廣文科에 장원급제하여 正字로 발탁되었다. 이듬해 謝恩使의 書狀官으로 명나라에 다녀왔다. 1623년 인조반정으로 인조가 왕위에 오르자 전날 이이첨이 私黨을 심기 위해 과거에 참여하여 장원하였다는 지적을 받아 청요직에 허락되지 않았다. 1624년(인조 2)에 李适의 난 때 도원수 張晚의 종사관으로 공을 세워 振武功臣 2등에 책록되고 瀛海君에 봉해졌고, 뒤에 호조판서가 되었다. 시호는 忠定이며, 편저에 『西征錄』이 있다.

鄭夢周 앞과 같음.

李穡 1328(충숙왕 15)~1396(태조 5)

본관은 韓山이며, 자는 穎叔이고, 호는 牧隱이다. 李齊賢의 문하생이며 三隱의 한 사람이다. 1341년(충혜왕 복위 2)에 進士가 되고, 1348년(충목왕 4)에 원나라에 가서 國子監의 생원이 되어 성리학을 연구했다. 1351년(충정왕 3) 父親喪으로 귀국, 1352년(공민왕 1)에 田制개혁·국방강화·교육진흥·불교억제 등 당면 정책을 왕에게 건의했

다. 1353년 鄕試와 征東行省의 향시에 장원 급제했고, 1354년 書狀官으로 원나라에 가서 會試에 장원, 殿試에 차석으로 급제하여 國史院編修官 등을 지내다가 귀국했다. 이듬해 다시 원나라의 翰林院에 등용되었다. 1356년 귀국하여 吏部侍郞 등 인사행정을 주관하고, 政房을 폐지했으며, 이듬해 右諫議大夫 때는 三年喪을 제도화했다. 1373년 韓山君에 책봉된 후에는 신병으로 관직을 사퇴했으나 1375년(우왕 1)에 우왕의 청으로 다시 政堂文學 등을 역임했다. 1377년 推忠保節同德贊化功臣의 호를 받고 우왕의 師傅가 되었다. 1388년 鐵嶺衛 사건에는 화평을 주장했고 이듬해 威化島回軍으로 우왕이 강화로 유배되자 曺敏修와 함께 昌王을 즉위시켜 李成桂의 세력을 억제하려 했으나 이성계가 득세하자 長湍·咸昌 등지에 유배되었다. 조선 개국 후 인재를 아낀 태조가 1395년 韓山伯에 책봉했으나 사양, 이듬해 驪江으로 가던 중 죽었다. 문하에 權近·金宗直·卞季良 등을 배출, 학문과 정치에 커다란 발자취를 남겼다. 시호는 文靖이며, 저서에는 『牧隱詩藁』『牧隱文藁』가 있다.

黃喜 1363(공민왕 12)~1452(문종 2)

본관은 長水이며, 초명은 壽老, 자는 懼夫이고, 호는 厖村이다. 1376년(우왕 2)에 蔭補로 福安宮錄事가 되었다가 1383년 進士試에 합격하고, 1389년(창왕 1)에는 文科에 급제하여 이듬해 成均館學官이 되었다. 고려가 망하자 두문동에 은거했으나, 李成桂의 간청으로 1394년(태조 3)에 성균관학관으로 世子右正字를 겸임했다. 그 후 直藝文春秋館·司憲監察·右拾遺·京畿道都事를 역임했다. 1418년 忠寧大君〔世宗〕이 세자로 책봉되자 이를 반대하여 庶人이 되고 交河로 유배되고 다시 南原에 移配되었으나 1422년(세종 4)에 풀려나와 좌참찬에 기용되고, 강원도관찰사·예조판서·우의정 등을 역임했다. 1449년 벼슬에서 물러날 때까지 18년 간 영의정에 재임하면서 농사의 개량, 예법의 개정, 賤妾 소생의 賤役 면제 등 업적을 남겨 세종의 가장 신임받는 재상으로 명성이 높았다. 또한, 인품이 원만하고 청렴하여 모든 백성들로부터 존경을 받았으며, 시문에도 뛰어나 몇 수의 시조 작품도 전해진다. 시호는 翼成이며, 저서에 『厖村集』이 있다.

河演 앞과 같음.

金時習 앞과 같음.

周世鵬 앞과 같음.

趙璥 앞과 같음.

金載瓚 앞과 같음.

韓用龜 1747(영조 23)~1828(순조 28)

본관은 淸州이며, 초명은 用九, 자는 季亨이고, 호는 晚悟이다. 중추부동지사 後裕의 아들이며, 1773년(영조 49)에 增廣文科에 丙科로 급제하여, 1776년에 注書가 되고, 禮曹佐郞·應敎를 거쳐 1796년 이조참의 때 왕을 모독했다는 죄로 삭주에 유배되었으나 곧 풀려났다. 뒤에 대사간·평안도관찰사를 지내고, 1799년 進賀使兼謝恩副使로 중국 청나라에 다녀와서 1800년(순조 즉위)에 예조판서에 승진, 이어 이조판서를 지냈다. 1802년 전라도관찰사가 되고, 1805년 우의정에 올랐으며, 1806년 대간들이 죄인 金達淳을 탄핵하는 내용에 그를 공박하는 말이 있어 사직했다. 1809년 中樞府判事 때 진하 겸 사은사로 청나라에 다녀오고, 1811년 藥院都提調를 겸했으며, 1812년 왕세자가 책립되자 좌의정 겸 世子傅가 되었다. 1821년 영의정에 오르고, 孝懿王后의 장례를 지낸 뒤 사퇴했다. 시호는 翼貞이다.

石星 ? ~ ?

중국 명나라의 병부상서로서 임진왜란 때 원병의 파견을 주장하여 실현시킨 인물이다. 1593년(선조 26)에 그 은덕에 대한 보답과 그 공을 기리기 위해 평양에 武烈祠를 세웠다. 무열사는 건립과 동시에 賜額이 내려졌으며, 후일 원병을 이끌어왔던 이여송·양원·이여백·장세작 등이 죽자 이들을 趨向했다. 병자호란 후 북벌론이 일어나고 존명의리가 강조되는 상황에서 국가로부터 특별한 은전과 지원을 받았으며 고종 8년(1871)에 흥선대원군에 의한 書院·祠宇의 철폐가 단행될 때도 그 대상에서 제외되고 계속 존속되었다.

李如松 ? ~ 1598

중국 明나라의 무장으로 자는 子茂이고, 호는 仰城이다. 遼東 鐵嶺衛 출생으로, 1592년 조선에서 壬辰倭亂이 일어나자 제2차 원군으로 4만의 군사를 이끌고 조선에 들어와, 1593년 1월 평양성에서 고니시 유키나가(小西行長)의 일본군을 격파하여 전세를 역전시키는 데 큰 공을 세웠다. 그러나 碧蹄館 싸움에서 고바야카와 다카카게(小早川隆景)에 패한 후로는 평양성을 거점으로 화의교섭 위주의 소극적인 활동을 하다가 그 해 말에 철군했다. 1597년 요동 總兵官이 되었으나 이듬해 土蕃의 침범을 받아 반격중에 전사했다. 일설에 의하면, 그의 5대조는 명나라에 귀화한 조선 사람으로 星州 李氏의 후예라 하며, 당시 조선 주둔중에 조선인 부인을 맞아 아들을 얻었는데 그의 자손들이 지금도 경남 거제군에 한 마을을 이루고 있다 한다.

● 제4권 ●

李昌壽 1710(숙종 36)~1787(정조 11)

1740년(영조 16)에 文科에 급제하고 여러 관직을 거쳐 1764년부터 이조판서·우참찬·판돈령부사·판의금부사 등을 지냈다. 1772년(영조 48)에는 병조판서로 옮기고, 이어 수어사 등을 역임했다.

金尙迪 1708(숙종 34)~1750(영조 26)

본관은 강릉이며, 자는 士順이고, 판서 始炯의 아들이다. 1733년(영조 9)에 調聖文科에 丙科로 급제하여, 承文院에 등용되었고, 校理를 거쳐 1735년에 史官이 되었다. 1748년에 參覈使로 鳳凰城에 갔으며, 이듬해 同知義禁府事, 예조참판을 지내고, 1750년(영조 26)에 형조참판을 역임했다. 경기·황해 兩都均稅使로 가던 중 봉산에서 죽었다. 풍모와 지기가 뛰어났고 직언도 서슴치 않았다.

金漢喆 1701(숙종 27)~1759(영조 35)

본관은 경주이며, 자는 士迪이고, 이조참판 龍慶의 아들이다. 1731년(영조 7)에 文科에 급제한 후 檢閱·正言·持平을 거쳐 1740년에는 副修撰·이조정랑 등을 지냈다. 그 후 1742년에 掌令·동래부사 등을 역임하고, 1747년(영조 23)에 대사간이 되었다. 1752년에 경기 감사를 거쳐 공조참판·대사성에 이어 1757년(영조 33)에는 대사헌·한성부판윤 등을 역임했다. 대사헌 재임시 백성의 고통을 덜어주기 위한 量田의 실시를 주장했고, 나중에 우참찬에 이르렀다. 시호는 孝簡이다.

金勉行 1702(숙종 28)~ ?

1755년(영조 31)에 文科에 급제한 후 여러 벼슬을 거쳐, 1759년에 承旨, 1763년에는 대사간을 지냈으며, 1771년(영조 47)에는 한성부우윤을 배임했다.

南泰齊 1699(숙종 25)~1776(정조 즉위)

본관은 宜寧이며, 자는 元鎭·觀甫이고 호는 澹亭·鶴

野이다. 1723년(경종 3)에 司馬試에 합격하고, 1727년(영조 3)에 增廣文科에 丙科로 급제했다. 이듬해 『肅宗實錄』 편찬에 참여한 뒤 李麟佐의 난 때 죄인 국문에 신속히 대처한 공으로 揚武原從功臣에 錄勳되었다. 1734년 正言에 올라 영의정 沈壽賢을 탄핵하다가 珍島郡守로 좌천되었으나, 趙顯命의 노력으로 중앙 요직에 복귀했다. 1743년 병조참의·형조참의·호조참판·대사헌 등을 역임했고, 1760년에 資憲을 거쳐 正憲으로 승계했고, 1767년에 이조판서에 이르러 耆老所에 들어갔다. 문장에 뛰어나고 詩書와 제자백가에 통달했다. 시호는 淸獻이며, 저서에는 『澹亭遺稿』이 있다.

趙榮錄 1702(숙종 28)~1788(정조 12)

1722년(경종 2)에 영주군수로 있을 때 辛壬士禍에서 역모 혐의로 拷問 致死된 伯父 松과 연루되어 관직을 削奪당했다. 그후 1732년(영조 8)에 안성군수로 임명되었다.

李森 1677(숙종 3)~1735(영조 11)

본관은 함평이며, 자는 遠伯이다. 監役 師吉의 아들이며 尹拯의 문하에서 修學 중에 병조판서 金構의 권고로 무예를 연마하여 1705년(숙종 31)에 무과에 급제했다. 정주 목사를 거쳐 평안도·함경남도 병마절도사를 지내고 경종 때 少論으로서 右捕盜大將·총융사를 역임하고, 1725년(영조 1)에 御營大將이 되었다가 老論의 탄핵을 받아 곤양에 安置되었다. 1727년 丁未換局으로 풀려나와 訓練大將에 승진하고, 이듬해 李麟佐의 난을 평정하는 데 공을 세워 奮武功臣 2등으로 咸恩君에 봉해졌다. 그 후 少論 출신으로서 누차 이인좌의 일당이라는 무고를 받았으나 왕의 신임을 받아 무사했으며 벼슬이 공조판서에 이르렀다. 무예가 출중하고 학문에도 뛰어났으며, 기계 제조의 방법과 刀槍技藝에 이르기까지 정통했다. 저서에는 『關西節要』가 있다.

李重庚 1680(숙종 6)~1757(영조 33)

1727년(영조 3)에 文科에 급제하여 1729년에는 正言이 되었다. 1735년에는 掌令이 된 후, 司諫·承旨 등을 역임하고, 1743년(영조 19)에는 공조참판, 이어 대사간을 거쳐 공조판서에 이르렀다.

高夢聖 1693(숙종 19)~1775(영조 51)

1756년(영조 32)에 나이 63세의 고령으로 耆老庭試에 급제하고, 1763년(영조 39)에 承旨를 배임받았으며, 이어 한성부판윤을 지냈다.

魚有龍 1678(숙종 4)~1764(영조 40)

본관은 함종이며, 자는 景雨이고, 注書 史商의 아들이다. 1710년(숙종 36)에 進士가 되고, 1713년에 增廣文科에 丙科로 급제하여 1720년(경종 즉위)에 持平이 되었다. 이듬해 司諫으로 朴致遠 등과 함께 王世子 책봉을 반대하는 少論의 처벌을 주장하고 代理聽政을 반대하는 趙泰耉 등을 탄핵하는 등 박치원·李重協과 함께 老論 3諫臣으로 불렸으나, 1722년(경종 2)에 辛壬士禍로 영암에 유배되었다. 1725년(영조 1)에 放還되고, 1736년 대사간에 이르고, 1744년 謝恩副使로 耆老所에 들어가고 이 해 漢城府判尹에 올랐다가 치안을 유지하지 못한 책임으로 면직되었다. 시호는 靖憲이다.

鄭壽期 1664(현종 5)~1752(영조 28)

본관은 연일이며, 자는 舜年이고, 호는 谷口이며, 寅賓의 아들이다. 1699년(숙종 25)에 增廣別試에 급제한 후 여러 관직을 거쳐 1729년(영조 5)에 대사간이 되었다. 1733년(영조 9)에 공조판서가 되었으며 이듬해에는 개성부유수가 되었다. 1736년 대사헌에 임용되어 서울로 올라와 지돈령부사·우참찬·예조판서 등을 역임하고 耆老堂上이 되었다. 1753년 영의정에 追贈되었으며, 시호는 貞簡이다.

宋昌明 1689(숙종 15)~1769(영조 45)

1736년(영조 12)에 文科에 급제하여 지평·부응교 등을 역임했다. 1746년(영조 22)에는 弼善이 되고, 이어 輔德·校理 등을 거쳐 다음 해에는 執義·司諫·承旨·大司諫·大司憲 등을 역임했으며, 1763년에는 한성부판윤을 지낸 후 공조판서에 이르렀다.

黃欽 앞과 같음.

姜鋧 앞과 같음.

金宇杭 1649(인조 27)~1723(경종 3)

본관은 김해이며, 자는 濟仲이고, 호는 甲峰·坐隱이다. 1669년(현종 10)에 司馬試에 합격하고, 1675년(숙종 1)에 유생들과 함께 慈懿大妃 복상문제로 유배된 宋時烈을 구하기 위하여 상소했으나 실패했다. 1681년 式年文科에 乙科로 급제하여 承文院에 등용되었다. 典籍을 거쳐 예조·병조의 좌랑 등을 역임했다. 1689년 己巳換局 때 벼슬에서 물러나고, 앞서 李翔을 변호한 일로 鐵山에 유배되나 곧 풀려났다. 1694년 甲戌獄事로 다시 기용되어 侍

講院司書가 되고, 회양부사·전라도관찰사를 지내면서 선정을 베풀었다. 1703년 형조판서, 뒤이어 병조판서·左參贊을 지냈다. 1710년 호조판서가 되어 北漢句管堂上을 겸하며, 산성의 축성과 행궁축조의 책임을 맡았다. 1713년 우의정을 거쳐, 1721년(경종 1)에 중추부영사에 올랐다. 辛壬士禍로 노론 4대신이 폐출되자 이의 부당함을 항소하고, 金一鏡의 私親追尊論을 적극 반대했다. 평생을 청빈하게 살았으며, 사람들로부터 長子·完人이라 불렸다. 시호는 忠靖이며, 저서에는 『甲峰集』이 있다.

南九萬 1629(인조 7)~1711(숙종 37)

본관은 의령이며, 자는 雲路이며, 호는 藥泉·美齋이다. 開國功臣 在의 후손이며 縣令 一星의 아들이다. 宋浚吉의 문하에서 수학하고, 1651년(효종 2)에 司馬試를 거쳐 1656년 別試文科에 乙科로 급제하여, 이듬해 正言을 지냈다. 1674년(현종 15)에 함경도관찰사로서 유학을 진흥시키고 변경 수비를 튼튼히 했다. 1679년 한성부좌윤을 지내고 서인으로서 尹鑴·許堅 등 南人을 탄핵하다가 남해로 유배되고, 이듬해 庚申大黜陟으로 남인이 실각하자 都承旨·副提學·대제학·대사간 등을 역임했다. 1683년 병조판서가 되어 廢四郡의 復置를 주장하여 茂昌·慈城 등의 2군을 설치했다. 이 때 서인이 老少論으로 분열되자 少論의 영수가 되었으며, 1684년에 우의정, 이듬해 좌의정, 1687년에 영의정에 올랐다. 1689년(숙종 15)에 己巳換局으로 남인이 득세하자 강릉에 유배되었으나 1694년에 甲戌獄事 때 다시 영의정에 기용되었다. 1701년 禧嬪 張氏의 처벌에 대해 輕刑을 주장하다가 숙종이 賜死를 결정하자 사직하고 낙향했다. 1707년(숙종 33)에 致仕하고 奉朝賀가 되었다. 文詞·書畵에도 뛰어났으며, 시조 〈동창이 밝았느냐〉가 『請求永言』에 전한다. 시호는 文忠이며, 저서에는 『藥泉集』 『周易參同契註』가 있다.

李周鎭 1691(숙종 17)~1749(영조 25)

본관은 덕수이며, 자는 文甫이고, 호는 炭翁이다. 좌의정 堜의 아들이며, 1714년(숙종 40)에 生員이 되고, 1725년(영조 1)에 增廣文科에 乙科로 급제하여 設書를 거쳐, 1728년 檢閱에 이어 正言·持平을 지냈다. 1732년 병조정랑을 지내고, 이듬해 副修撰·獻納 등을 역임하고 1736년 대사간에 올랐다. 다음 해 공홍도관찰사가 되고 承旨를 거쳐 1740년 大司成·이조참의·공조참판을 지내고, 1743년 知義禁府事·예조참판 등을 역임했다. 1745년에 知經筵事, 다음해 병조판서·경기도관찰사를 지내고, 1747년에 예조판서가 되고 判敦寧府事에 이르렀다. 비용

을 절감하여 국력의 충실에 힘썼고 불편부당의 자세로 소신껏 진언했다. 시호는 忠靖이다.

李景祜 1705(숙종 31)~1779(정조 3)

본관은 용인이며, 초명은 景祚이고, 자는 孝錫이다. 좌의정 普赫의 아들로 정제두의 문하에서 수학했다. 1735년(영조 11)에 生員試에 합격하고, 의금부도사를 비롯한 여러 관직을 거쳐 충주목사로 재임중, 文科에 급제했다. 판결사·대사간 등을 역임하고, 1760년(영조 36)에 한성부우윤으로 승임되어 대사헌·예조참판 등을 지냈다. 1762년(영조 38)에는 경기도관찰사가 되었으며, 이어 병조판서와 좌참찬·판의금부사 등을 역임한 다음, 耆老所에 들어갔으며, 知中樞府事에 이르렀다. 그는 성품이 온화하고 총명이 絶人하여 처신이 독실했다. 매양 퇴청 후에는 숙연히 정좌하거나 혹은 화초를 가꾸고 학을 기르며 스스로의 생활을 즐겼다고 한다.

沈鏽 1707(숙종 33)~1776(영조 52)

1745년(영조 21)에 文科에 급제한 후 사서·교리·우부승지 등을 역임하고, 1761년에 都承旨를 거쳐 대사헌·한성부좌윤을 지내고 1764년에는 공조판서에 승임되고, 1765년에 知經筵事·병조판서 등을 역임했다. 그후 예조판서로 있을 때는 參議 洪樂仁을 황해도 구월산에 보내어 三聖廟〔桓因·桓雄·檀君〕의 位版을 개조했다. 이어 호조판서로 옮기고 한성부판윤·경기감사를 역임하던 중, 1771년(영조 47)에 파직되었다.

金左魯 앞과 같음.

金致仁 앞과 같음.

趙曮 앞과 같음.

宋載經 1718(숙종 44)~1793(정조 17)

1764년(영조 40)에 文科에 급제한 후 正言·獻納을 거쳐 修撰·校理 등을 역임했으며, 1771년(영조 47)에 의주부윤이 되고, 이듬해 충청도감사를 지냈다. 정조 元年에는 陳慰兼進香副使로 청나라에 다녀왔고, 이조참판·한성부판윤에 이르렀으며, 1787년(정조 11)에 형조판서가 된 후, 우참찬·예조판서·이조판서 등을 역임했다.

한국소장품해설

An Introduction to
the Korean Relics

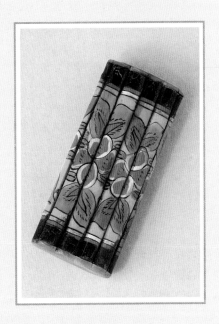

天理圖書館

繪 畫

天理圖書館에는 韓國繪畫史에서 빼놓을 수 없는 遺品이 두 종류 남아 있다. 하나는 安堅畫 安平大君筆의 〈夢遊桃源圖〉(橫軸)이고, 또 하나는 200여 폭의 초상화가 들어 있는 4卷의 肖像畫帖이다.

이 希代의 名品이 母國을 떠나 異域의 博物館도 아닌 圖書館에 소장되어 있게 된 것은 우리로서는 말할 수 없는 아쉬움이지만 여기에 이렇게 전모를 소개할 수 있음을 그나마 위안으로 삼는다.

安堅畫 · 安平大君筆 〈夢遊桃源圖〉 解題

安堅이 安平大君(1418~1453)의 請을 받아 〈夢遊桃源圖〉를 그리고, 이 그림에 安平大君 자신의 題詩와 跋文, 그리고 모두 21명의 讚詩가 들어 있는 이 畫卷은 세로폭 38.6cm, 가로폭 19.69m(상권 8.57m, 하권 11.12m)로 2개의 橫軸으로 되어 있다.

이 〈夢遊桃源圖〉 두루마리에 대해서는 그동안 詩 · 書 · 畫 모두에서 많은 연구가 있어 왔고, 이미 훌륭한 圖錄으로 출간된 바 있으므로 여기에서는 그 材源과 所藏 경위를 중심으로 간단히 밝히기로 하겠다.

〈夢遊桃源圖〉의 제작 경위는 안평대군이 쓴 跋文에 자세히 나와 있다. 1447년 4월 20일, 안평대군이 꿈을 꾸었는데 朴彭年 · 申叔舟 등 평소 가까이 지내던 集賢殿 學士들과 桃源에서 노니는 꿈이었다. 안평대군은 이 놀랍고 행복한 꿈을 安堅에게 그리게 하였더니 3일 만에 그림이 완성되었다고 하였다.

이후 안견의 이 그림과 안평대군의 跋文에 朴彭年 등 모두 21명의 집현전 학사 등 당대 名士들이 讚詩를 지어 붙였고 그림이 완성된 지 3년 뒤에는 안평대군이 이 書畫帖의 表題(제목)와 七言絶句를 朱書로 써서 그림 앞에 붙였다. 이것이 지금 上 · 下 두 개의 橫軸으로 되어 있는데, 처음에는 折帖으로 꾸며져 있었던 것이 아닌가 생각된다. 먼저 현재의 橫軸 구성을 보면 다음과 같다.

〈몽유도원도〉 원본과 모사본을 조사하고 있는 모습. 왼쪽부터 兪弘濬, 宮嶋一郎(特別本整理部長), 金光彦, 飯田照明(圖書館長).

〈上卷〉

※세로는 38.6cm, 여기에서는 가로 길이만 표시하였음.

① 安平大君의 表題   3.1cm
② 安平大君의 題詩   41.5cm
③ 安堅의 〈夢遊桃源圖〉   106.5cm
④ 安平大君의 跋文   70.5cm
⑤ 申叔舟(1417~1475)의 詩   108.6cm
⑥ 李塏(1417~1456)의 詩   30.3cm
⑦ 河演(1376~1453)의 詩   90.3cm
⑧ 宋處寬(1410~1477)의 詩   70.9cm
⑨ 金淡(1416~1464)의 詩   46.4cm
⑩ 高得宗(？~？)의 詩   123.3cm
⑪ 姜碩德(1395~1459)의 詩   31.8cm
⑫ 鄭麟趾(1396~1478)의 詩   47.8cm
⑬ 朴堧(1378~1458)의 詩   63.2cm

〈下卷〉

① 金宗瑞(1390~1453)의 詩   40.5cm
② 李迹(？~？)의 詩   65.3cm
③ 崔恒(1409~1474)의 詩   76.5cm
④ 朴彭年(1417~1456)의 序   85.7cm
⑤ 尹子雲(1416~1478)의 詩   51.6cm

⑥ 李芮(1419~1481)의 詩　　　　　　　39.8cm
⑦ 李賢老(?~1453)의 賦　　　　　　　200.6cm
⑧ 徐居正(1420~1488)의 詩　　　　　　116.5cm
⑨ 成三問(1418~1456)의 跋　　　　　　60.9cm
⑩ 金守溫(1409~1481)의 詩　　　　　　41.9cm
⑪ 卍雨(1357~?)의 詩　　　　　　　　23.2cm
⑫ 崔脩(?~?)의 詩　　　　　　　　　90.4cm

이 〈夢遊桃源圖〉가 일본으로 건너가 天理圖書館에 소장된 경위는 天理大의 鈴本治 교수가 天理圖書館의 館報인 『비블리아(ビブリア)』 제65호(1977년 3월)와 제67호(1977년 10월)에 자세히 추적해 놓은 것이 있고, 그 내용은 安輝濬 교수가 그의 저서 『夢遊桃源圖』(예경산업사, 1987)에서 「安堅과 〈夢遊桃源圖〉」라는 제목으로 체계 있게 정리해 소개함으로써 이미 널리 알려지게 되었다. 그 과정을 잠시 더듬어보면, 지금 추적하여 확인되는 가장 오래된 소장자는 鹿兒島의 島津久徽(1819~?)이다. 이는 〈夢遊桃源圖〉에는 1893년(明治 26)에 臨時全國寶物調査委員會에서 발행한 '鑑査證'이 붙어 있는데, 여기에는 '右, 美術上 참고가 될 수 있는 것으로 인정함' 이라고 쓰여 있고 소유자는 島津久徽으로 되어 있는 것이다. 이 감사증은 일본 國寶조사의 前身이었으니 그 공신력은 믿을 만한 것이다.

이것이 島津久徽의 아들인 島津繁雄 → 藤田禎三 → 園田才治 → 園田淳 → 龍泉堂 → 天理圖書館으로 소장처를 옮겨가는 과정은 鈴本治·安輝濬 두 교수의 글을 참조하기 바라며, 단지 이 작품은 1930년에 內藤湖南이 『朝鮮』이라는 잡지에 처음 소개되었고, 1933년에는 일본의 重要美術品으로 지정되었으며, 1934년에는 朝鮮總督府에서 발행한 『朝鮮古蹟圖譜』 14冊(조선시대 회화편)에서는 園田才治의 소장으로 기록되어 있다.

그리고 1950年代, 6·25동란이 끝나고 얼마 안 되어 이 작품이 한국에 賣物로 나왔다는 것이 骨董界의 秘話로 전해지고 있으며, 이 때 원매자를 만나지 못해 다시 일본으로 건너갔고 바로 天理圖書館이 구입한 것으로 알려졌다. 天理圖書館이 구입한 정확한 날짜는 확인되지 않으나 대금 分納이 완결된 것은 1955년이다.

이렇게 일본으로 건너간 〈夢遊桃源圖〉橫軸은 좀처럼 국내에 소개될 기회를 갖지 못하였다가 1986년 8월 국립중앙박물관이 舊朝鮮總督府 건물로 이전하여 개관할 때 韓炳三 관장의 노력으로 보름 간 대여 전시할 기회를 가졌고, 이듬해 李炳漢 교수가 번역하고 安輝濬 교수가 解說과 論文을 쓴 양인 共著의 『夢遊桃源圖』(예경산업사,

1987)가 출간되어 널리 감상하고 이해할 수 있게 되었다. 그리고 1996년 12월, 호암미술관에서 「朝鮮前期國寶展」(1996. 12. 14~1997. 2. 11)이 열리면서 다시 2개월 간 우리 곁에 왔다가 돌아갔다. 그것이 두 번째 국내전이었으며, 이 책은 두 번째 도록이 되는 것이다.

한편 이 희대의 명작 〈夢遊桃源圖〉는 정밀한 模寫本이 제작되었다. 제작시기와 제작처는 밝혀지지 않고 있지만 1980년대의 일이었으며, 日本의 法隆寺 金堂壁畵의 경우처럼 名作을 복제해 두는 전통에 따른 것으로 알려졌다. 본 조사단은 天理圖書館 측의 배려로 原本과 模寫本을 한 자리에 펴놓고 조사할 기회를 가졌다.

그 모사본의 정밀함이란 놀라움을 금할 수 없는 것이었다. 그림의 바탕에 깊숙이 스며 있는 먹빛과 泥金가루까지 한치의 다름이 없었으며 글씨의 바닥 종이 또한 冷金紙의 金粉까지 똑같았다. 조사단은 양자의 차이를 육안으로는 구별할 수 없다는 비참한(?) 결론에 도달하지 않을 수 없었다.

그러한 가운데 양자를 펴놓고 어느 것이 眞本이냐고 물었을 때 확실한 물증으로 답할 수 있는 곳이 하나 있었다. 그것은 申叔舟의 題詩에서 제8행 13字 중에서 제 10, 11, 12字에 해당하는 "……路走瑤……"라는 3字가 原本에서는 다른 종이를 오려서 修正해 놓았기 때문에 빛깔도 다르고 오려붙인 것이 눈에 띄는데, 模寫本에서는 이 修正字를 오려 붙인 것이 아니라 오려붙인 것처럼 그려넣었기 때문에 확연히 다르다. 그것이 육안으로 가려낼 수 있는 원본과 수정본의 가장 확실한 차이이다. 참고하기 바란다.

天理參考館 ————————————

繪　畫

天理大 參考館의 수장품은 주로 陶瓷器와 民俗品으로 이루어져 있기 때문에 繪畫는 거의 소장하고 있는 것이 없다. 단지 《文字圖》8幅屛風 한 틀이 민속품으로 소장되어 진열실에 상설전시되고 있다.

이 《文字圖》(도판 140)는 '孝悌忠信 禮義廉恥' 8자를 그림으로 圖案한 전형적인 조선 말기의 민화이다. 오랫동안 사용된 병풍인 듯 바닥에 얼룩이 많이 있고 빗물에 한번 젖은 것도 같은데 그림의 상태는 양호한 편이다. 문자도의 구성과 양식을 보면 흔히 '강원도 문자도'라고 해서 강릉지방에서 많이 나오는 형식으로 추정되는데 보통 알려진 '강원도 문자도'보다는 도상이 다양한 편이다.

〈孝字圖〉(도판 140-1)에는 왕상이 한겨울에 계모를 위해 얼음을 깨고 잉어를 잡은 효행, 맹종이 노모를 위해 한겨울에 죽순을 따낸 효행에 근거하여 잉어와 죽순을 크게 그렸다. 연꽃은 아마도 연못을 상징하는 것 같은데, 부채와 태양은 왜 들어왔는지 알 수 없다.

〈悌字圖〉(도판 140-2)에는 『詩經』에 나오는 상체지화(常棣之華)에서 友愛와 情을 읊은 노래에 근거하여 한 쌍의 할미새와 집비둘기, 옥매화(棣)를 그리는 것이 보통인데, 여기에서도 할미새 한 쌍과 매화를 그리고 모란꽃을 곁들였다.

〈忠字圖〉(도판 140-3)에는 보통 忠節을 상징하는 대나무와 君臣의 和合을 상징하여 새우와 조개의 어울림(蝦蛤相賀)을 그리고 있는데 여기에서도 그대로 대와 새우를 그렸다.

〈信字圖〉(도판 140-4)에는 西王母가 온다는 약속의 편지를 파랑새(靑鳥)가 물고 날아 왔다는 故事에 따라 종이를 물고 있는 새와 瑤池의 복숭아를 그리는 것이 보통이다.

여기에서도 복숭아와 새는 그렸는데 편지는 새의 목에 걸려 있다.

〈禮字圖〉(도판 140-5)에는 복희씨가 천하를 다스릴 때 예의의 근본으로 삼았다는 河圖 洛書를 그리고, 이 도상을 물 속에서 갖고 나왔다는 용마(龍馬)를 그리는 것이 보통인데, 여기에서도 그 원칙이 준수되었다.

〈義字圖〉(도판 140-6)에는 『삼국지』도원결의나 한 쌍의 꿩이 그려지고 보통은 〈萬世碧樓〉〈千秋經門〉의 현판이 달려 있는 건물이 그려진다. 그러나 여기에서는 한 쌍의 꿩이 좌우 대칭으로 그려져 있고, 건물도 추상적인 문양으로 대치되었다.

〈廉字圖〉(도판 140-7)는 봉황새는 천 리를 날다가 배가 고파도 좁쌀은 먹지 않는다는 이야기와, 군자는 물러날 때에는 물러날 줄 안다는 뜻의 게그림으로 그려진다. 여기에서도 봉황새와 게가 그려져 있다.

〈恥字圖〉(도판 140-8)는 伯夷와 叔齊의 청렴결백을 상징하여 이들을 모시는 위패를 그리고 '백세토록 맑게 드날리는 백이·숙제의 비'라는 뜻으로 '百世淸風 夷齊之碑'라는 글씨를 써 넣는다. 여기에서는 위패는 있으나 글은 없다.

이상 문자도의 내용과 형식을 살펴보았는데 문자도에는 흔히 그리는 사람의 주특기가 나오기 마련이다. 이 그림의 화가는 折枝畫가 특징인 듯 매 폭마다 복숭아나 매화가 장식적인 꽃무늬로 그려져 있다.

이 밖에 天理大 參考館에는 〈朝鮮通信使圖〉가 한 軸 전해지고 있는데, 日本人 화가가 그린 것으로 추정된다. 참고로 부기해 둔다.

陶瓷器

天理大 參考館 소장의 陶瓷器들은 三國時代 伽耶·新羅의 陶器들로부터 統一新羅時代의 印花紋盒들, 그리고 高麗時代의 靑瓷梅甁과 靑瓷象嵌雲鶴紋大楪 등으로 주로 도기들이 대부분을 차지하고 있다.

陶器들로는 삼국시대 가야의 5~6세기 陶器高杯·耳附盞·器臺·角杯 등과 삼국시대 5~6세기 新羅의 〈陶器兩耳大壺〉(도판 45)를 비롯하여 長頸壺·영락달린長頸壺(도판 32) 등 고분 출토의 작품들이 주류를 이루고 있다.

統一新羅의 陶器들은 7~8세기의 陶器印花紋盒(도판

33~35・48~50)・印花紋壺(도판 46)・印花紋盒 등의 骨壺의 작품들을 수집하였으며, 고려시대 12세기의 〈陶器梅瓶〉(도판 52)과 壺 등이 골고루 소장되어 있어 주목된다.

青瓷로는 고려 후기 14세기의 〈青瓷象嵌雲鶴紋大楪〉(도판 54)이 있으며, 이외에 조선 후기의 백자제기들이 포함되어 있다.

따라서 소장품의 주류는 삼국시대와 통일신라시대의 경상도 일대에서 출토된 가야와 신라의 도기들과 통일신라시대의 골호들이 주로 수집되어 소장되고 있음을 알 수 있다.

民俗品

천리대 참고관에 소장된 우리의 민속품은 다음 세 가지 점에서 큰 뜻을 지니고 있다.

첫째, 수장품 거의 모두가 일정한 시기, 곧 1920년대에서 1930년대 사이에 수집된 점이다. 해외에 있는 우리 문화재의 대부분이 그 수장 시기가 불분명한 까닭에 정확한 가치 평가를 내리기 어려운 점을 생각하면, 천리대참고관의 수장품들은 물품 하나 하나가 지닌 가치 외에도 20세기 초엽의 우리 생활문화를 되돌아 보는 데에 귀중한 자료 구실을 하는 셈이다. 더구나 1920년대에서 1930년대에 걸치는 시기에는 우리 스스로가 전통문화를 정리하거나 꼼꼼하게 따져보는 것이 불가능할 정도의 큰 혼란에 빠져 있었을 뿐더러, 당시의 생활문화 자체를 대수롭게 여기지 않았던 것이다.

정부 당국에서 문화재 여부의 판정 시기를 1910년에 두는 점에서도 우리는 이를 잘 알 수 있는 것이다.

둘째, 수집 대상이 어느 특정 분야에 한정되지 않고 생활문화 전반을 거의 모두 포함하고 있는 점이다.

1987년에 우리 三省言語研究院에서 한 해 전에 天理大學과 天理教道友社에서 낸 일문판 도록을 번역 출판한 『韓國의 民俗』편에 실린 247점을 종류별로 나누면 다음 내용처럼 30여 종이 넘는 것이다. 이들 가운데에는 달구지・항아리・똬리 등도 들어 있어서 수집자의 안목을 짐작케 한다. 곧, 호사 취미로 질이 뛰어난 공예품만을 골라 모은 것이 아니라, 참된 마음으로 이웃 나라의 문화를 이해하고, 또 이를 널리 알리기 위해 수집한 사실이 뚜렷한 것이다.

셋째, 앞의 뜻과도 연결되는 점으로서, 우리 문화재를 모으는 이가, 스스로 어떤 일정한 선을 긋고 이에 맞추어 수집하려고 노력한 점이다. 간단히 말하자면 지나치게 뛰어난 고급품에 눈을 돌리지 않았지만 그렇다고 해서 눈살이 찌푸려지거나 얼굴이 달아오를 정도의 조잡품도 없는 점이다. 참고관의 우리 유물은, 우리 겨레가 본디 가꾸어 온 소박하고 진실된 성품을 그대로 내보이고 있어, 어질고 착했던 옛분들을 대하는 듯한 느낌을 받기마련이다. 따라서 우리 조상이 누려온 생활문화를 남이 쉽게 이해하는 데에 이보다 더 적합한 컬렉션은 없으리라 생각된다. 다시 한번, 우리 문화재를 모아들인 분의 사심없는 의도와 높은 안목, 그리고 이웃 문화를 이해하려고 기울인 정성에 대해 경의를 표하고 싶다.

앞 책에 실린 247점의 민속품을 종류별로 나누고 이에 속한 중요 유물을 들면 다음과 같다.

1. 장승 3점(上元周將軍・下元周將軍 등)
2. 목각 神像 8점(日月男女木刻像・최영 장군상 등)
3. 무신도 3점(山神・최영 장군・각씨부인)
4. 무구 2점(부채・북)
5. 무복 3점(전립・무복・한삼)
6. 제기류 11점(제기・향로・향합・탕기・잔 등)
7. 부채류 3점(태극선・梧葉扇・細尾扇)
8. 상 3점(돌상・책상반・공고상)
9. 장신구 22점(비녀・빗치개・뒤꽂이 등)
10. 부엌세간 35점(주걱・조리・광주리・강판・떡살・약과판・석간주 항아리・물동이・똬리・수저집・지승합・지승대접・지승바구니・뒤주・자물쇠・다리미・인두・찬합・밥고리・상보・피죽상자・단지・기름병・독・술병 등)
11. 안방세간 13점(반짇고리・실패・의걸이・2층농・열쇠패 등)
12. 혼례구 2점(기러기)
13. 상례구 3점(腰輿・石枕・漆棺)
14. 탈 11점(양주탈・봉산탈・나무탈)
15. 문방구류 28점(벼루・연적・색지봉투・필통 등)
16. 여성용구 5점(분첩・빗집・화각 앉은거울・솔)
17. 문자도 8점(孝・悌・忠・信・禮・義・廉・恥)
18. 주머니류 2점(귀주머니・두루주머니)
19. 사랑세간 16점(칠장・안석・사방침・가죽함・재떨이・담뱃대・담배합・담뱃대걸이・편지꽂이・죽부인 등)
20. 침구류 8점(퇴침・베개・베갯모・죽침・목침・안침 등)
21. 조명구 10점(촛대・등가・등잔・조족등・제등 등)

22. 신앙구 4점(鐵馬·陶瓷馬·점통)

23. 형장구 2점(쇠도리깨·육모방망이)

24. 악기 3점(징·해금·장고)

25. 놀이구 3점(골패·윷·투전)

26. 목공구 4점(먹통)

27. 의상구 9점(관복함·탕건·망건·정자관·갓집·
　　갓·토시·등거리 등)

28. 의약구 4점(약탕관·약장·약연)

29. 신발 3점(진신·태사혜·나막신)

30. 농기구 2점(장군·달구지)

31. 기타 14점(화로·선추·일산·대륜산·표주박·돌
　　사자·저울·화약통·요강·마패·안경·안경
　　집·자라병 등)

이들 민속품 가운데 가장 크게 눈길을 끄는 것은 양주
산대놀이탈(도판 125~133) 21점과 봉산탈(도판 134) 1점
이다.

양주탈은 1933년, 서울에서 구입하였다는 구전이 있을
뿐, 수집 경위는 알 수 없다. 노장탈의 불쑥 솟아오른 입
술에 쓰여진 '天啓 四年 月 日 宮內山臺'라는 글귀는 매
우 놀라웠다. 천계 4년은 서기 1621년으로, 조선왕조 인조
21년에 해당한다. 더구나 '궁내산대'라는 내용은 당시 궁
중의식의 하나로 벌였던 산대도감극에서 쓴 탈일 가능성
을 알리는 것이기도 하다.

이처럼 탈의 연대에 관한 자료가 나온 것은 매우 드문
일인데다 그 위에 궁중에서 썼다고 하니 우리나라 탈춤
연구에 이보다 더 귀중한 자료는 찾기 어려울 것이다. 또
앞의 기록이 사실이라면 나무를 깎아 만든 하회탈을 제
외하면 우리나라에 남은 가장 오랜 탈이 되는 것이다.

앞의 기록이 진실인가 하는 데에 의문이 없는 것은 아
니다. 첫째, 탈의 재료로 미루어 과연 300년이 지나면서도
이처럼 깨끗한 모습을 유지할 수 있는가 하는 점이고, 둘
째 탈의 유래에 관한 글을 하필이면 아랫입술에 적어 놓
았을까 하는 의문이다. 탈 이름 따위는 흔히 탈 안쪽이나
탈보에 적어두기 때문이다. 따라서 이 글은 탈의 내력을
후세에 알리기 위해서가 아니라 남(관중)들에게 보이려
고 일부러 적어 넣었을 가능성을 생각할 수 있다. '오랜
역사'와 '궁중'은 사람들의 각별한 관심을 모으는 구실
도 하기 때문이다.

이 밖에 또 한 가지는 탈 자체가 지닌 형식미를 견주어
볼 때 이들이 180여 년 전의 서울대학교 박물관 소장품보
다 현대에 가까운 면모를 지니고 있는 점이다. 이 자리에
서 이 문제에 대해 더 구체적으로 논증할 겨를이 없는 것

이 아쉽지만, 누가 보더라도 서울대 소장품이 이들보다
더 고전적인 형식미를 보이는 것이 사실이다.

하회탈도 목재 자체를 정밀 검사한 결과 '고려시대'의
것으로 판명된 만큼, 이들 탈에 대해서도 여러 분야 전문
가들의 세밀한 검사가 이루어져야 할 것이다.

예전의 탈꾼들은 탈춤을 추고 난 후 탈을 그대로 두면
'탈'이 난다고 하여 놀이판 뒤에 곧바로 불에 던져 버리
는 일이 많았다. 不淨을 없애기 위해서이다. 그러나 이러
한 관행은 가면의 우리말인 '탈'과 '액운'을 이르는 '탈'
의 소리값이 같은 데에서 온 것에 지나지 않음에도 근래
까지 이어져 내려왔다. 신라시대 이래 천 수백 년이 넘는
오랫동안 우리 겨레가 탈춤을 즐겨 왔음에도 하회 탈을
제외하면 불과 수백 년 전의 탈조차 남아 있지 않은 가장
중요한 이유 중의 하나도 바로 이 점에 있다. 하회의 탈
도 나무로 깎아 만든 데다가 현지 주민들이 이를 신으로
떠받들어 왔기 때문에 본디 모습이 오늘날까지 남게 된
것이다.

탈꾼들은 새로 판을 벌일 때마다 "지난 번의 것과 똑같
이 만든다."며 제작하여 왔지만, 놀랍게도 그 결과는 크
게 빗나가고 말았다. 예컨대, 현재 서울대학교 박물관에
소장된 180여 년 전의 양주탈과 오늘날의 것을 견주어 보
면, 누구나 이를 잘 알 수 있다. 이 가운데 어떤 것이 과
연 양주탈인가 싶을 정도로 바뀐 모습을 보인다.

가령 노장탈의 경우, 1960년대 양주탈은 검은 바탕에
흰점과 붉은점을 아무렇게나 찍어 놓았고, 이마의 주름
이 깊으며, 광대뼈는 꼬리를 끌며 귀쪽으로 뻗어나갔다.
그리고 입을 꽉 다물어서 반달꼴의 아랫입술은 콧구멍에
까지 이르러 입모습이 가려졌다. 이에 비하여 서울대학
교 박물관 소장품은 우선 입의 모습이 뚜렷하며 콧잔등
의 가운데가 움푹 들어갔고 뺨에 솟은 혹 또한 둥글게 우
뚝 솟았다. 그 위에 눈썹의 형태나 크기도 다르고, 무엇보
다 전체적인 인상이 이쪽의 것은 잔뜩 못마땅한 표정임
에 반해 현대의 것은 무엇에 깜짝 놀란 듯한 얼굴이다.
천리대 참고관의 것은 우선 눈꼬리가 좌우 양쪽으로 치
켜 올라갔고 얼굴 바탕은 모두 검은 빛으로, 점은 하나도
찍혀 있지 않다. 광대뼈의 혹도 가늘고 길게 타원을 그리
며 입술 쪽으로 뻗어 내렸고 입 모양 또한 완연하게 드러
났다. 그리고 얼굴은 화가 머리끝까지 뻗친 표정이다.

따라서 여간한 눈썰미가 아니고는 이 세 가지의 탈이
같은 인물임을 알아 보기는 쉽지 않다. 노장탈을 보기로
든 것은 단지 앞에서 천리대 참고관 소장품에 기록된 내
용을 예시했기 때문이며, 이러한 정도의 차이는 다른 탈
들에서 얼마든지 찾을 수 있다. 참으로 놀라운 일이라 하

겠다.

더구나 오늘날에는 텔레비전의 악영향 때문에 탈 자체는 물론이거니와 탈꾼들의 복색 또한 크게 뒤바뀌고 말았다. 방송가 쪽에서 색채 효과를 더 하려고 원색을 강요하기 때문이다. 탈에 에나멜을 칠해서 번쩍거리는 모습은 '낮도깨비' 그대로이며, 옷차림 또한 천박스럽기 그지없다. 예전에는 모닥불을 조명으로 삼았던 까닭에 탈의 빛이 사람의 피부색에 가까웠으나 오늘날에는 강한 스포트라이트를 받아야 하므로 온통 원색을 뒤집어 쓰게된 것이다. 오늘날의 탈과 불과 수십 년 전의 탈 사이에 큰 변화가 있었던 것은 바로 이 때문이다.

탈의 모습이 이렇게 뒤바뀐 데에는 우리 생활 자체의 변화도 적지 않은 작용을 한 것이 사실이다. 오늘날의 탈은 현재의 우리를 그대로 닮아서 이악스럽고 약삭빠르며, 남은 어찌되었든 제 이익만 챙기려는 현대판 봉이 김선달 그대로이다. 이러한 점은 앞에서 든 서울대학교 박물관 소장품과 비교해 보면 뚜렷하게 드러난다. 저쪽의 탈에는 어질고 착하고 자기보다 이웃을 먼저 생각하던 우리 옛분들의 얼굴 모습이 남아 있다. '굶기를 밥먹듯' 하면서도 거짓을 멀리하며, 인간답게 살려고 애썼던 '한국인'의 얼굴인 것이다.

이러한 점은 장승의 표정에도 그대로 나타난다. 천리대 참고관 소장의 장승(도판 75) 3개는 모두 '귀신을 쫓기 위해 세상에서 가장 무섭게' 깎았지만, 귀신이 놀라 달아나기는 커녕, 오히려 "여보게들, 나 하고 술 한잔 하세나."하고 달라붙지 않을까 걱정이 앞선다. 예전의 우리 할아버지들의 모습 그대로이기 때문이다. 우리들은 할아버지가 아무리 험한 표정을 짓고 주먹을 쥐어도 겁을 먹기보다 웃음이 나와 참기 어려웠던 추억을 지니고 있다. 손자녀를 사랑하는 마음이 워낙 지극하였던 까닭에, 겁보다 재미를 느꼈던 것이다. 옛 장승의 표정이 착하고 어질며 순박한 것은 우리네 심성이 바로 그러하였기 때문이다. 이러한 점은 일본의 '오니'와 대조적이다.

그러나 오늘날의 장승은 어떠한가? 추악하기 그지없는 현대의 한국인이 그 자리에 서 있을 뿐이다. '天下大將軍'은 '봉이 김선달'이고 '地下女將軍'은 심학규의 마지막 남은 몇 푼까지 빼앗고 줄행랑을 친 '뺑덕 어멈'이 아닌가?

집필 / 유 홍 준
윤 용 이
김 광 언

Tenri University Central Library

Paintings

Tenri University's Central Library has in its collection two very important cultural properties. One is the painting *Dream Journey to the Peach Blossom Paradise* by An Kyŏn, which incorporates writings by Prince Anp'yŏng; and the other is a set of four albums of more than 200 portrait paintings. I am uncomfortable seeing these Korean national treasures in a Japanese library, not even a museum, but it is a consolation that I can introduce them not only to Koreans but also to the world through this catalog.

Dream Journey to the Peach Blossom Paradise by An Kyŏn, with writings by Prince Anp'yŏng

An Kyŏn's painting *Dream Journey to the Peach Blossom Paradise* was commissioned by Prince Anp'yŏng (1418-1453), who wrote the title poem and the explication; the work also includes poems by 21 contemporary dignitaries. The painting, consisting of two scrolls, measures 38.6 centimeters in height by 19.69 meters in width (the first scroll is 8.57 meters wide and the second is 11.12 meters wide).

Many studies have been made of this painting in terms of its technique and calligraphy as well as the quality of the poems themselves, and an excellent commentary has already been published. Therefore, I will only briefly describe the details of these scrolls and their history.

According to Prince Anp'yŏng's explication, the prince dreamed on the night of April 20, 1447, that he was promenading in a beautiful grove of blossoming peach trees along with several of his close associates, including Pak P'aeng-nyŏn and Sin Suk-chu, all scholars in the Hall of Worthies. After waking, the prince asked An Kyŏn to reproduce this astounding, happy dream, and the commissioned painter finished the work in three days.

Later, 21 dignitaries, including Pak P'aeng-nyŏn, added their poems to the painting, and Prince Anp'yŏng added the explication. Three years later, Prince Anp'yŏng added the title poem, a quatrain with seven characters per line in red ink, to the painting.

The painting is now mounted in two scrolls, but it seems likely that it was originally mounted in a folding album. The two scrolls are composed in the following manner (with the width of each item shown in centimeters):

- The First Scroll

1) The title by Prince Anp'yŏng	3.1 cm
2) Prince Anp'yŏng's title poem	41.5 cm
3) An Kyŏn's painting	106.5 cm
4) Prince Anp'yŏng's explication	70.5 cm
5) Sin Suk-chu's (1417-1475) poem	108.6 cm
6) Yi Kae's (1417-1456) poem	30.3 cm
7) Ha Yŏn's (1376-1453) poem	90.3 cm
8) Song Ch'ŏ-gwan's (1410-1477) poem	70.9 cm
9) Kim Tam's (1416-1464) poem	46.4 cm
10) Ko Tŭk-jong's (? ~ ?) poem	12.3 cm
11) Kang Sŏk-dŏk's (1395-1459) poem	31.8 cm
12) Chŏng In-ji's (1396-1478) poem	47.8 cm
13) Pak Yŏn's (1378-1458) poem	63.2 cm

- The Second Scroll

1) Kim Chong-sŏ's (1390-1453) poem	40.5 cm
2) Yi Chŏk's (? ~ ?) poem	65.3 cm
3) Ch'oe Hang's (1408-1474) poem	76.5 cm
4) Pak P'aeng-nyŏn's (1417-1456) poem	85.7 cm
5) Yun Cha-un's (1416-1478) poem	51.6 cm
6) Yi Ye's (1419-1481) poem	39.8 cm
7) Yi Hyŏn-no's (? -1453) poem	200.6 cm

8) Sŏ Kŏ-jŏng's (1420-1488) poem   116.5 cm

9) Sŏng Sam-mun's (1418-1456) poem   60.9 cm

10) Kim Su-on's (1409-1481) poem   41.9 cm

11) Buddhist Monk Manu's (1357- ?)

     poem   23.2 cm

12) Ch'oe Su's (? ~ ?) poem   90.4 cm

The particulars of how *Dream Journey to the Peach Blossom Paradise* became a part of the Tenri library's collection are provided by Professor Suzuki of Tenri University in the library's bulletin, *Biblia*, Nos. 65 (March 1977) and 67 (October 1977); Professor Ahn Hwi-joon systematically arranged this information in his article "An Kyŏn and *The Dream Journey to the Peach Blossom Paradise*."

Retracing the history of this painting's pilgrimage, the oldest owner of the painting was Shimazu Gucho (1819- ?) of Kagoshima. This fact has been proven by a certificate of appraisal issued in 1893 (the 26th year of Meiji) by a temporary national committee for the investigation of treasures, which states: "This is to certify that this painting is worthy to be a reference material in the history of art," and confirms that the painting's owner is Shimazu. The authenticity of this certificate is indisputable because it was issued by the predecessor of the Japanese Committee for the Investigation of National Treasures.

Shimazu then handed the painting over to his son, Shimazu Shigeo, from whom it passed to Fujida Teizoo, then to Sonoda Saiji, then to Sonoda's son Sonoda Jun, then to Ryusendo, and finally to Tenri University Central Library. The articles by Professor Suzuki and Professor Ahn provide more details on these transactions. The painting was first introduced to the public in 1930 by Naito Konan in the magazine *Chosŏn*; in 1933 it was designated as an important fine arts piece in Japan, and in 1934 it was included in the 14th volume (on paintings) in the multivolume *Catalog of Historical Remains of Chosŏn*, issued by the Government General of Chosŏn; the catalog records Sonoda Saiji as the painting's owner.

An undocumented story suggests that *Dream Journey* was put up for sale in the Korean market in the wake of the Korean War in the 1950s, but it could not find a buyer and was returned to Japan, eventually finding its way to Tenri library. It is uncertain when the library purchased the work, but there is a document stating that the last installment payment was made in 1955.

Dream Journey to the Peach Blossom Paradise, thus returned to Japan, was introduced to the Korean public for the first time in August 1986, when it was displayed for 15 days in the National Museum of Korea in Seoul, newly opened in the building of the former Japanese Government General's office, thanks to the great effort of the director of the National Museum at that time, Han Pyŏng-sam.

Dream Journey was reproduced in a book in the following year; Professor Yi Pyŏng-han translated the explication and the poems into Korean, and Professor Ahn Hwi-joon wrote explanatory notes and an article on the painting. *Dream Journey* was shown again in an exhibition entitled "National Treasures of the Early Chosŏn Period" at the Ho-Am Gallery in Seoul from December 14, 1996, to February 11, 1997. This was the painting's second exhibition in Korea, and a second catalog was also published.

We have found an exquisite replica of this painting. The exact date and place of this replica are unknown, but it was made in the 1980s in the Japanese tradition of copying masterpieces, just as in the case of a mural painted in Kondo Hall of Horyuji Temple. We were able, thanks to the consideration of Tenri University Central Library, to compare the original with the replica. We could not suppress our astonishment at the precision and accuracy of the replica. The tones of colored ink deeply absorbed by the paper, and the gold paint, are exactly the same as in the original, even down to the gold dust-pasted paper and the gold dust. We were disheartened that we were unable to distinguish the original from the replica with our naked eyes!

However, we were finally able to tell the two paintings apart by material evidence: Of the 13 Chinese characters in the eighth line of Sin Suk-chu's poem, the 10th, 11th and 12th characters in the original had been revised on a different paper, which was then pasted over the original; therefore, the color of the paper is slightly different and the pasted slip is clearly visible. In the replica, however, these revised characters were not written on a separate slip of paper and pasted over the original, but were simply written together over the same background. This was the only difference between the original painting and the replica.

Tenri University Sankokan Museum

Paintings

The Korean art works in the Tenri University Sankokan Museum are exclusively ceramics and folkloric artifacts, except for an eight-panel folding screen, a pictorial representation of the Confucian code of ethics, which is displayed in a permanent exhibition hall.

This painting (Plate No. 140) is a typical *minhwa* of the late Chosŏn period showing eight stylized Chinese characters of filial piety, brotherly love, loyalty, trust, courteousness, righteousness, integrity and shame. It seems to have been in use for a long time because there are many spots on the bottom of the screen and other indications that the screen was once exposed to rain. But the overall condition is relatively good. The composition and style of this pictorial representation of Chinese characters indicates that it is from Kangwon-do, because this kind of painting came chiefly from the Kangnŭng area, but its iconography is far more diverse.

The representation of filial piety (Plate No. 140-1) depicts carps and bamboo shoots, following the legends that Wangsang broke the ice on a pond and fished for carp in mid-winter for his ailing stepmother, and that Maengjong picked bamboo shoots in mid-winter for his aged mother. The lotus flower may symbolize a lotus pond, but it is uncertain why the fan and sun crept into the painting.

The representation of brotherly love (Plate No. 140-2) depicts pairs of wagtails and pigeons and a plum, on the basis of songs of brotherly love from the Chinese Book of Odes. A peony flower was also added.

The representation of loyalty (Plate No. 140-3) delineates bamboo as a symbol of loyalty and the harmonious shrimps and shells as symbols of harmony between the king and his retainers.

The representation of trust (Plate No. 140-4) visualizes a legend that a blue bird brought in its beak a letter of promise that Hsiwangmu, a fabulous fairy princess, would return to this world. This kind of painting usually depicts a bird with a letter in its beak and peaches from the pool of fairyland. The peaches and the bird are shown in this painting, but the letter is hung around the bird's neck instead of held in its beak.

The representation of courteousness (Plate No. 140-5) visualizes *The Plan of the Yellow River*, which the ancient Chinese emperor Fuxi adopted as his primer of courteousness; it also depicts a dragon-like horse that is said to have brought the primer up from the sea bottom. This painting faithfully follows this legend.

The representation of righteousness (Plate No. 140-6) visualizes the compact made in a peach orchard by protagonists during the Three Kingdoms period of ancient China; or a pair of pheasants and a board hanging in a pavilion with inscriptions about the meaning of eternity. This painting depicts a pair of symmetrical pheasants, and instead of a pavilion are geometric patterns.

The representation of integrity (Plate No. 140-7) depicts two legends: the Chinese phoenix that never eats grains of hulled millet, however hungry it is after flying for long distances; and the crab, which represents a completely virtuous man who knows when it is his time to retire.

The representation of shame (Plate No. 140-8) depicts a tablet of Boyi and Shuqi, legendary Chinese officials who refused to serve a usurper king and instead starved in the mountains, a symbolic act of their integrity. Even though paintings of this sort usually also depict Chinese characters meaning "The Monument of Boyi and Shuqi and their eternal integrity" on the tablet, this painting depicts only the tablet.

I have examined above the contents and forms of this pictorial representation of the Chinese Confucian code of ethics, a form that usually reveals the painter's special skill. This particular painter seems to have excelled in the painting of cut branches, because peaches and plums appear decoratively in each panel.

The Tenri University Sankokan Museum also has a painting of a Chosŏn diplomatic mission to Japan, which seems to have been done by a Japanese painter.

Ceramics

The Tenri University Sankokan Museum's collection of Korean pottery is mainly composed of works of the Kaya and Silla Kingdoms of the Three Kingdoms period, bowls with lids with stamped floral designs from the Unified Silla period, and Koryŏ celadon vases and dishes.

The collection includes pottery cups with long stems, eared dishes, vessel stands, horn-shaped cups of the Kaya Kingdom (fifth-sixth centuries), large eared storage jars (Plate No. 45), long-necked jars, and a long-necked jar with dangling ornaments (Plate No. 32) of the Silla Kingdom prior to Unification; most of these artifacts are burial objects from the fifth-sixth centuries.

The Unified Silla (seventh-eighth centuries) pottery includes bowls and covers with stamped floral designs (Plate Nos. 33-35 and 48-50), a jar with a stamped floral design (Plate No. 46), and pottery urns. The 12th-century Koryŏ celadon pieces include the *maebyŏng* vase (Plate No. 52) and jars.

There is also a celadon bowl with a cloud and crane design (Plate No. 54) of the late Koryŏ period (14th century) and porcelain ritual vessels of the late Chosŏn period.

This major ceramics collection is composed primarily of Kaya and Silla pottery, mostly burial objects collected from Kyŏngsang Province (the former territory of the Silla Kingdom), as well as urns of the Unified Silla period.

Crafts and Folklore Objects

The Korean folklore materials found in the Tenri University Sankokan Museum are significant in the following three respects.

First, most of collection of folklore materials dates from the 1920s and 1930s. Considering that most of the Korean cultural properties in foreign collections are of uncertain provenance and date, it is very difficult to assess their real value; however, Tenri's Korean collections are invaluable not only as cultural properties but also as materials through which to reexamine Korea's living culture in the first decades of the 20th century. The collections' importance is even more pronounced because in the 1920s and 1930s, Korean society was so chaotic that it was impossible to arrange and investigate traditional culture; society at that time did not hold living culture in high esteem. This we can ascertain from the fact that the government stipulated that only those artifacts made before 1910 were to be considered cultural properties to be protected.

Second, the collection encompasses all fields of Korea's living culture. *Korean Folklore*, a catalog of the collection, was first published in Japanese by Tenri University and the Association of Friends of Tenrikyo and was then published in Korean translation in 1987 by the Samsung Language Research Institute. The catalog lists 247 Korean items in more than 30 categories; these items include oxcarts, crocks, ring-shaped head pads, and such everyday items that indicate the critical eye of the collector, who did not limit his collection to luxury items but included almost everything related to the Korean people's everyday life out of his desire to understand and disseminate Korean culture as widely as possible.

Third, the collector followed a certain policy that consistently governed his activity; that is, he neither placed undue emphasis on the collection of excellent pieces nor burdened himself with a large number of poor-quality items that may have made one regret the endeavor. The collection genuinely reflects the sincere character of the Korean people, giving the impression that we are meeting our gentle and good-hearted ancestors face to face. No collection outside Korea surpasses this one in the proper understanding of Korea's living culture. I would like to express my sincere thanks to the collector for his unselfish intentions, his artistic judgment, and his effort to understand the culture of his neighboring country.

The 247 items cataloged in *Korean Folklore* may be classified into the following 31 categories:

1. 3 village spirit poles
2. 8 wooden carved images of deities

3. 3 shaman paintings, including those of a mountain god and of General Ch'oe Yŏng

4. 2 shaman ritual items: a fan and a drum

5. 3 shaman costumes

6. 11 ritual vessels, including an incense burner, an incense container and a cup

7. 3 fans

8. 3 dining tables and desks

9. 22 personal ornaments including hairpins and ornamental knives

10. 35 kitchen utensils including rice scoops, bamboo strainers, baskets, graters, wooden rice cake stamps, water jars, spoon and chopstick cases, paper string bowls, wine bottles and large jars

11. 13 household items from women's quarters including sewing baskets, spools, wardrobes, two-level clothes chests and keyholders

12. 2 wooden wedding geese

13. 3 funeral items: a small palanquin carrying a mortuary table, a stone pillow and a lacquer coffin

14. 11 masks, including those of the Yangju and Pongsan mask dance dramas

15. 28 writing implements including inkstones, waterdroppers, colored paper envelopes and a brush stand

16. 5 ladies' items including a powder puff, comb boxes, a hand mirror decorated with painted ox-horn sheet, and a brush

17. 8 paintings of Chinese characters representing filial piety, brotherly love, loyalty, trust, courteousness, righteousness, integrity and shame

18. 2 decorative purses

19. 16 household items from the men's quarters including a lacquered chest, smoking pipes, tobacco cases, smoking pipe racks, letter racks, and "bamboo lady" or Dutch wife

20. 8 bedding items including wooden pillows, pillows, decorative pillow ends, and bamboo pillows

21. 10 lighting apparatuses including candlesticks, lamp stands, and various other lamps

22. 4 religious items including iron and pottery horses and fortune-telling paraphernalia

23. 2 instruments of torture: iron flails and hexagonal clubs

24. 3 musical instruments: a large gong, a *kayagum* (a Korean zither) and an hourglass drum

25. 3 gaming items: a set of dominoes, a *yut* (four-stick game) set and Korean playing cards

26. 4 carpentry tools including a carpenter's ink pot

27. 9 men's accessory items including a case for official attire, various official headgear, muffs and a sleeveless hemp shirt

28. 4 medicinal tools including pipkins for preparing medicinal concoctions, a chest for medicinal herbs, and a medicinal herb grinder

29. 3 footwear items: leather shoes, wet-weather shoes and wooden clogs

30. 2 farming tools: a bale-shaped jar and an oxcart

31. 14 miscellaneous items including braziers, fan ornaments, umbrellas, powder flasks, balances, chamber pots, and eyeglasses

What attracts our attention are the nine masks of the Yangju Mask Dance Drama (Plate Nos. 125-133) and one of the Pongsan Mask Dance Drama (Plate No. 134).

The Yangju masks are said to have been collected in Seoul in 1933; the inscription "Fourth Year of Ch'ŏngye" written on the bulging lips of the mask of Nojang, an apostate monk, corresponds to the 21st year of the reign of King Injo of the Chosŏn dynasty (1621) and the following inscription, "Kungnae Sandae," states that this mask dance drama was performed as part of the palace ceremonies under the auspices of the Office of Sandae (mask dance drama).

It is a very rare occasion when this kind of important information about the mask dance drama of the Chosŏn dynasty can be obtained, all the more so in the study of Korean mask dance drama pertaining to palace ceremonies. If this information can be proven, then these will be the oldest Korean masks after the wooden masks of the Hahoe Mask Dance Drama.

There are, however, some doubts as to the authenticity of the above information. The first doubt is how masks made of gourd could be so well preserved after three centuries, and the second is the question of why the inscription was written on the lower lip of the mask. The title of a mask was usually written on the inside of the mask, or on its wrapper. Therefore, it is possible to assume that the inscription was written not to transmit the pedigree of the masks to posterity but to identify them to the audience. The inscriptions are meant to attract special attention to these masks.

There is also a third doubt. The formal beauty of

these masks, compared with those made 180 years ago that are housed in the Seoul National University Museum, bear features closer to those of modern times. It is regrettable that I cannot discuss this matter further here; however, anyone can discern that the masks in the Seoul National University Museum are more classical in terms of formal beauty than those at Tenri University.

As the wooden masks of the Hahoe Mask Dance Drama were also proved, after careful investigation, to have been made during the Koryŏ period instead of Silla, these masks should also be carefully investigated by experts in various fields.

It happened on most occasions that the performers in a mask dance drama burned their masks after the performance in the belief that if the masks were left intact, something inauspicious would happen. The act of burning was meant to purify uncleanliness or defilement. This custom is still alive in spite of the fact that the Korean words for mask (t'al) and calamity (t'al) have the same phonetic value. Even though the Korean people have loved mask dance drama for well over a thousand years, it is because of this custom of burning masks that so few old masks remain today, except those of Hahoe. The Hahoe masks remain today because the masks were made of wood and were worshiped as gods.

Whenever preparing masks for a new performance, craftsmen tried to make masks "the same as those of the previous performance," but the results were usually quite different. For example, if we compare the 180-year-old masks in the collection of Seoul National University Museum with the present-day Yangju masks, anyone could distinguish the differences between them. Some are so different that we even wonder whether they are intended to represent the same character.

Let us take the example of the Nojang, or apostate monk's mask of Yangju. The Nojang mask of the 1960s bears white and red spots scattered on a black background, with deep wrinkles on the forehead and cheekbones spreading toward the ears. The mouth is closed so tightly and the half-moon shaped lower lip twists up so near to the nostrils that it almost conceals the shape of the mouth. In contrast, the Nojang mask at Seoul National University Museum has a clearly shaped mouth and a deep groove in the narrow part of the nose; the lump on the cheek is round and high; and the shape and size of the eyebrows are different. The overall effect of this older mask is an expression of displeasure, while the modern mask expresses surprise. The mask at Tenri University has slanting eyes and a clear black face with no spots; the lump on the cheekbone is slim and shaped like an oval hanging toward the lips, and the shape of mouth is clear-cut. The overall effect expresses rage.

Therefore, it is very difficult to recognize these masks as representing the same person, unless one has a very practiced eye. The reason why I cite the Nojang mask as an example is because of the inscription on the lower lip of the mask at Tenri. The same kind of difference can be easily found in other masks. It is remarkable.

Because of the adverse effect of television, not only the masks themselves but also the costumes of the performers have been greatly changed these days. These changes have resulted because television prefers primary colors for a stronger effect. The masks coated with glistening enamel look like ghosts on the prowl in broad daylight! And the costumes in primary colors look very frivolous. In the olden days, when bonfires provided the only lighting, the color of the masks was neutralized by the performers' skin color but today the masks and costumes under the strong artificial spotlights become a confusion of primary colors. The difference between today's masks and those of even just a few decades ago is primarily due to the demands of television.

Modern lifestyles in Korea have greatly affected the appearance of masks. Today's masks seem to emulate quick-witted buffoons who look out only for their own interests. We can determine this easily if we compare today's masks with those in the Seoul National University Museum. The latter still retain the faces of our ancestors who were wise and good-hearted and who cared more for their neighbors than themselves. These were the faces of real Koreans who, although poor and hungry, were honest, truthful and human.

The same can be said of the faces on the village spirit poles. The three spirit poles at the Tenri University Sankokan Museum (Plate No. 75) were carved into "the most frightful figures in order to expel devils," but at the same time they look as though they might just as well invite a passerby in for a drink. They are just like our grandfathers. We recall our childhood memories: However frightful an expression our grandfather made with a threatening fist, we were more entertained than intimidated because his love for his grandchildren so obviously overpowered his short-term anger. The reason why the spirit poles appear so good-natured, benevolent and naive is that they reflect the good nature of the Korean people. In this respect, they make an interesting contrast with the Japanese spirit poles, *oni*.

How then do more recently made spirit poles look? They represent the ugly Koreans of today. The male poles portray buffoons and the female poles vipers who would extort the last penny from a blind old man, as in the "Story of Shimch'ong."

Writers / You Houg-june
Yun Yong-i
Kim Kwang-on

도판목록
Descriptions of the Plates

天理大學
天理圖書館
夢遊桃源圖

1. 몽유도원도의 표제 및 시문(夢遊桃源圖 表題 及 詩文)
   안평대군(安平大君)
   조선, 1447년.
   비단에 먹자·주자(朱字).
   Title and poem of *Dream Journey to the Peach Blossom Paradise.*
   By Prince Anp'yŏng(1418~1453).
   Chosŏn Dynasty, Dated 1447. Ink on silk.

2. 몽유도원도(夢遊桃源圖)
   안견(安堅)
   조선, 1447년.
   비단채색. 38.6×106.2cm.
   일본 주요문화재.
   Dream Journey to the Peach Blossom Paradise.
   By An Kyŏn.
   Chosŏn Dynasty, Dated 1447.
   Color on silk.
   Important cultural property of Japan.

3. 몽유도원도(夢遊桃源圖)의 부분
   Detail of the painting in plate No. 2.

4. 몽유도원도(夢遊桃源圖)의 부분
   Detail of the painting in plate No. 2.

5. 발문(跋文)
   안평대군(安平大君)
   조선, 1447년.
   비단묵서. 38.6×70.5cm.
   Explication.
   By Prince Anp'yŏng(1418~1453).
   Chosŏn Dynasty, Dated 1447.
   Ink on silk.

6. 몽유원서(夢遊源序)
   박팽년(朴彭年)
   조선, 1447년.
   종이묵서. 38.6×85.7cm.
   Preface to *Dream Journey.*
   By Pak P'aeng-nyŏn(1417~1456).
   Chosŏn Dynasty, Dated 1447.
   Ink on paper.

7. 시문(詩文)
   신숙주(申叔舟)
   조선, 1447년.
   종이묵서. 38.6×108.6cm.
   Poem.
   By Sin Suk-chu(1417~1475).
   Chosŏn Dynasty, Dated 1447.
   Ink on paper.

8. 시문(詩文)
   이개(李塏)
   조선, 1447년.
   종이묵서. 38.6×30.3cm.
   Poem.
   By Yi Kae(1417~1456).
   Chosŏn Dynasty, Dated 1447.
   Ink on paper.

9. 시문(詩文)
   김수온(金守溫)
   조선, 1447년.
   종이묵서. 38.6×41.9cm.
   Poem.
   By Kim Su-on(1409~1481).
   Chosŏn Dynasty, Dated 1447.
   Ink on paper.

10. 시문(詩文)
    하연(河演)
    조선, 1447년.
    종이묵서. 38.6×90.3cm.
    Poem.
    By Ha Yŏn(1376~1453).
    Chosŏn Dynasty, Dated 1447.
    Ink on paper.

11. 시문(詩文)
    정인지(鄭麟趾)
    조선, 1447년.
    종이묵서. 38.6×47.8cm.
    Poem.
    By Chŏng In-ji (1396~1478).
    Chosŏn Dynasty, Dated 1447.
    Ink on paper.

12. 시문(詩文)
    김종서(金宗瑞)
    조선, 1447년.
    종이묵서. 38.6×68.8cm.
    Poem.
    By Kim Chong-sŏ(1390~1453).
    Chosŏn Dynasty, Dated 1447.
    Ink on paper.

13. 시문(詩文)
    성삼문(成三問)
    조선, 1447년.
    종이묵서. 38.6×60.9cm.
    Poem.
    By Sŏng Sam-mun(1418~1456).
    Chosŏn Dynasty, Dated 1447.
    Ink on paper.

天理大學
天理圖書館
肖像畫

—— 1권 ——

1. 김치인초상(金致仁肖像)
조선, 19세기.
비단채색. 56.1×41.2cm.
Portrait of Kim Ch'i-in(1716~1790).
Anonymous.
Chosŏn Dynasty, 19th century.
Color on silk.

2. 홍낙성초상(洪樂性肖像)
조선, 19세기.
비단채색. 56.1×41.2cm.
Portrait of Hong Nak-sŏng(1718~1798).
Anonymous.
Chosŏn Dynasty, 19th century.
Color on silk.

3. 이은초상(李溵肖像)
조선, 19세기.
비단채색. 56.1×41.2cm.
Portrait of Yi Ŭn(1722~1781).
Anonymous.
Chosŏn Dynasty, 19th century.
Color on silk.

4. 정존겸초상(鄭存謙肖像)
조선, 19세기.
비단채색. 56.1×41.2cm.
Portrait of Chŏng Chon-gyŏm(1722~1794).
Anonymous.
Chosŏn Dynasty, 19th century.
Color on silk.

5. 서명선초상(徐命善肖像)
조선, 19세기.
비단채색. 56.1×41.2cm.
Portrait of Sŏ Myŏng-sŏn(1728~1791).
Anonymous.
Chosŏn Dynasty, 19th century.
Color on silk.

6. 정홍순초상(鄭弘淳肖像)
조선, 19세기.
비단채색. 56.1×41.2cm.
Portrait of Chŏng Hong-sun(1720~1784).
Anonymous.
Chosŏn Dynasty, 19th century.
Color on silk.

7. 이휘지초상(李徽之肖像)
조선, 19세기.
비단채색. 56.1×41.2cm.
Portrait of Yi Hwi-ji(1715~1785).
Anonymous.
Chosŏn Dynasty, 19th century.
Color on silk.

8. 이복원초상(李福源肖像)
조선, 19세기.
비단채색. 56.1×41.2cm.
Portrait of Yi Pok-wŏn(1719~1792).
Anonymous.
Chosŏn Dynasty, 19th century.
Color on silk.

9. 조경초상(趙璥肖像)
조선, 19세기.
비단채색. 56.1×41.2cm.
Portrait of Cho Kyŏng(1727~1787).
Anonymous.
Chosŏn Dynasty, 19th century.
Color on silk.

10. 이재협초상(李在協肖像)
조선, 19세기.
비단채색. 56.1×41.2cm.
Portrait of Yi Chae-hyŏp(1731~1790).
Anonymous.
Chosŏn Dynasty, 19th century.
Color on silk.

11. 유언호초상(兪彦鎬肖像)
조선, 19세기.
비단채색. 56.1×41.2cm.
Portrait of Yu Ŏn-ho(1730~1796).
Anonymous.
Chosŏn Dynasty, 19th century.
Color on silk.

12. 이성원초상(李性源肖像)
조선, 19세기.
비단채색. 56.1×41.2cm.
Portrait of Yi Sŏng-wŏn(1725~1790).
Anonymous.
Chosŏn Dynasty, 19th century.
Color on silk.

13. 채제공초상(蔡濟恭肖像)
조선, 19세기.
비단채색. 56.1×41.2cm.
Portrait of Ch'ae Che-gong(1720~1799).
Anonymous.
Chosŏn Dynasty, 19th century.
Color on silk.

14. 김종수초상(金鍾秀肖像)
조선, 19세기.
비단채색. 56.1×41.2cm.
Portrait of Kim Chong-su(1728~1799).
Anonymous.

Choson Dynasty, 19th century.
Color on silk.

15. 김이소초상(金履素肖像)
조선, 19세기.
비단채색. 56.1×41.2cm.
Portrait of Kim I-so(1735~1798).
Anonymous.
Choson Dynasty, 19th century.
Color on silk.

16. 이병모초상(李秉模肖像)
조선, 19세기.
비단채색. 56.1×41.2cm.
Portrait of Yi Pyŏng-mo(1742~1806).
Anonymous.
Choson Dynasty, 19th century.
Color on silk.

17. 윤시동초상(尹蓍東肖像)
조선, 19세기.
비단채색. 56.1×41.2cm.
Portrait of Yun Si-dong(1729~1797).
Anonymous.
Choson Dynasty, 19th century.
Color on silk.

18. 심환지초상(沈煥之肖像)
조선, 19세기.
비단채색. 56.1×41.2cm.
Portrait of Sim Hwan-ji(1730~1802).
Anonymous.
Choson Dynasty, 19th century.
Color on silk.

19. 서명응초상(徐命膺肖像)
조선, 19세기.
비단채색. 56.1×41.2cm.
Portrait of Sŏ Myŏng-ŭng(1716~1787).
Anonymous.
Choson Dynasty, 19th century.
Color on silk.

20. 오재순초상(吳載純肖像)
조선, 19세기.
비단채색. 56.1×41.2cm.
Portrait of O Chae-sun(1727~1792).
Anonymous.
Choson Dynasty, 19th century.
Color on silk.

21. 정민시초상(鄭民始肖像)
조선, 19세기.
비단채색. 56.1×41.2cm.
Portrait of Chŏng Min-si(1745~1800).
Anonymous.
Choson Dynasty, 19th century.
Color on silk.

22. 서유린초상(徐有隣肖像)
조선, 19세기.

비단채색. 56.1×41.2cm.
Portrait of Sŏ Yu-rin(1738~1802).
Anonymous.
Choson Dynasty, 19th century.
Color on silk.

23. 조돈초상(趙暾肖像)
조선, 19세기.
비단채색. 56.1×41.2cm.
Portrait of Cho Ton(1308~1380).
Anonymous.
Choson Dynasty, 19th century.
Color on silk.

═══ 2권 ═══

1. 이제현초상(李齊賢肖像)
조선, 19세기.
종이채색. 51.2×39.5cm.
Portrait of Yi Che-hyŏn(1287~1367).
Anonymous.
Choson Dynasty, 19th century.
Color on paper.

2. 최치원초상(崔致遠肖像)
조선, 19세기.
종이채색. 51.2×39.5cm.
Portrait of Ch'oe Ch'i-wŏn(857~?).
Anonymous.
Choson Dynasty, 19th century.
Color on paper.

3. 최유선초상(崔惟善肖像)
조선, 19세기.
종이채색. 51.2×39.5cm.
Portrait of Ch'oe Yu-sŏn(?~1075).
Anonymous.
Choson Dynasty, 19th century.
Color on paper.

4. 김응하초상(金應河肖像)
조선, 19세기.
종이채색. 51.2×39.5cm.
Portrait of Kim Ŭng-ha(1580~1619).
Anonymous.
Choson Dynasty, 19th century.
Color on paper.

5. 안향초상(安珦肖像)
조선, 19세기.
비단채색. 51.2×39.5cm.
Portrait of An Hyang(1243~1306).
Anonymous.
Choson Dynasty, 19th century.
Color on silk.

6. 정몽주초상(鄭夢周肖像)
조선, 19세기.
비단채색. 51.2×39.5cm.

Portrait of Chŏng Mong-ju(1337~1392).
Anonymous.
Chosŏn Dynasty, 19th century.
Color on silk.

7. 주세붕초상(周世鵬肖像)
조선, 19세기.
비단채색. 51.2×39.5cm.
Portrait of Chu Se-bung(1495~1554).
Anonymous.
Chosŏn Dynasty, 19th century.
Color on silk.

8. 김시습초상(金時習肖像)
조선, 19세기.
비단채색. 51.2×39.5cm.
Portrait of Kim Si-sŭp(1435~1493).
Anonymous.
Chosŏn Dynasty, 19th century.
Color on silk.

9. 하연초상(河演肖像)
조선, 19세기.
비단채색. 51.2×39.5cm.
Portrait of Ha Yŏn(1376~1453).
Anonymous.
Chosŏn Dynasty, 19th century.
Color on silk.

10. 하연부인초상(河演夫人肖像)
조선, 19세기.
비단채색. 51.2×39.5cm.
Portrait of Wife of Ha Yŏn(? ~ ?).
Anonymous.
Chosŏn Dynasty, 19th century.
Color on silk.

11. 임경업초상(林慶業肖像)
조선, 19세기.
비단채색. 51.2×39.5cm.
Portrait of Im Kyŏng-ŏp(1594~1646).
Anonymous.
Chosŏn Dynasty, 19th century.
Color on silk.

12. 황정욱초상(黃廷彧肖像)
조선, 19세기.
비단채색. 51.2×39.5cm.
Portrait of Hwang Chŏng-uk(1532~1607).
Anonymous.
Chosŏn Dynasty, 19th century.
Color on silk.

13. 이덕형초상(李德馨肖像)
조선, 19세기.
비단채색. 51.2×39.5cm.
Portrait of Yi Tŏk-hyŏng(1561~1613).
Anonymous.
Chosŏn Dynasty, 19th century.
Color on silk.

14. 박순초상(朴淳肖像)
조선, 19세기.
비단채색. 51.2×39.5cm.
Portrait of Pak Sun(1523 ~1589).
Anonymous.
Chosŏn Dynasty, 19th century.
Color on silk.

15. 이원익초상(李元翼肖像)
조선, 19세기.
비단채색. 51.2×39.5cm.
Portrait of Yi Wŏn-ik(1547~1634).
Anonymous.
Chosŏn Dynasty, 19th century.
Color on silk.

16. 이후원초상(李厚源肖像)
조선, 19세기.
비단채색. 51.2×39.5cm.
Portrait of Yi Hu-wŏn(1598~1660).
Anonymous.
Chosŏn Dynasty, 19th century.
Color on silk.

17. 김창흡초상(金昌翕肖像)
조선, 19세기. 비단채색. 51.2×39.5cm.
Portrait of Kim Ch'ang-hŭp(1653~1722).
Anonymous.
Chosŏn Dynasty, 19th century.
Color on silk.

18. 김원행초상(金元行肖像)
조선, 19세기.
비단채색. 51.2×39.5cm.
Portrait of Kim Wŏn-haeng(1702~1772).
Anonymous.
Chosŏn Dynasty, 19th century.
Color on silk.

19. 초상화(肖像畵)
조선, 19세기.
비단채색. 51.2×39.5cm.
Portrait of a Korean official.
Anonymous.
Chosŏn Dynasty, 19th century.
Color on silk.

20. 이유초상(李濡肖像)
조선, 19세기.
비단채색. 51.2×39.5cm.
Portrait of Yi Yu(1645~1721).
Anonymous.
Chosŏn Dynasty, 19th century.
Color on silk.

21. 이여초상(李畬肖像)
조선, 19세기.
비단채색. 51.2×39.5cm.
Portrait of Yi Yŏ(1645~1718).
Anonymous.
Chosŏn Dynasty, 19th century.

Color on silk.

22. 신임초상(申銋肖像)
조선, 19세기.
종이채색. 51.2×39.5cm.
Portrait of Sin Im(1642~1725).
Anonymous.
Chosŏn Dynasty, 19th century.
Color on paper.

23. 유척기초상(兪拓基肖像)
조선, 19세기.
비단채색. 51.2×39.5cm.
Portrait of Yu Ch'ŏk-ki(1691~1767).
Anonymous.
Chosŏn Dynasty, 19th century.
Color on silk.

24. 이의현초상(李宜顯肖像)
조선, 19세기.
비단채색. 51.2×39.5cm.
Portrait of Yi Ŭi-hyŏn(1669~1745).
Anonymous.
Chosŏn Dynasty, 19th century.
Color on silk.

25. 임방초상(任堕肖像)
조선, 19세기.
비단채색. 51.2×39.5cm.
Portrait of Im Pang(1640~1724).
Anonymous.
Chosŏn Dynasty, 19th century.
Color on silk.

26. 정형복초상(鄭亨復肖像)
조선, 19세기.
비단채색. 51.2×39.5cm.
Portrait of Chŏng Hyŏng-bok(1686~1769).
Anonymous.
Chosŏn Dynasty, 19th century.
Color on silk.

27. 유복명초상(柳復明肖像)
조선, 19세기.
비단채색. 51.2×39.5cm.
Portrait of Yu Pok-myŏng(1685~1760).
Anonymous.
Chosŏn Dynasty, 19th century.
Color on silk.

28. 조영진초상(趙榮進肖像)
조선, 19세기.
비단채색. 51.2×39.5cm.
Portrait of Cho Yŏng-jin(1703~1775).
Anonymous.
Chosŏn Dynasty, 19th century.
Color on silk.

29. 윤봉조초상(尹鳳朝肖像)
조선, 19세기.
비단채색. 51.2×39.5cm.

Portrait of Yun Pong-jo(1680~1761).
Anonymous.
Chosŏn Dynasty, 19th century.
Color on silk.

30. 윤봉오초상(尹鳳五肖像)
조선, 19세기.
비단채색. 51.2×39.5cm.
Portrait of Yun Pong-o(1688~1769).
Anonymous.
Chosŏn Dynasty, 19th century.
Color on silk.

31. 김원택초상(金元澤肖像)
조선, 19세기.
비단채색. 51.2×39.5cm.
Portrait of Kim Wŏn-t'aek(? ~1766).
Anonymous.
Chosŏn Dynasty, 19th century.
Color on silk.

32. 이지억초상(李之億肖像)
조선, 19세기.
비단채색. 51.2×39.5cm.
Portrait of Yi Chi-ŏk(1699~1770).
Anonymous.
Chosŏn Dynasty, 19th century.
Color on silk.

33. 이천보초상(李天輔肖像)
조선, 19세기.
비단채색. 51.2×39.5cm.
Portrait of Yi Ch'ŏn-bo(1698~1761).
Anonymous.
Chosŏn Dynasty, 19th century.
Color on silk.

34. 이정보초상(李鼎輔肖像)
조선, 19세기.
비단채색. 51.2×39.5cm.
Portrait of Yi Chŏng-bo(1693~1766).
Anonymous.
Chosŏn Dynasty, 19th century.
Color on silk.

35. 이길보초상(李吉輔肖像)
조선, 19세기.
비단채색. 51.2×39.5cm.
Portrait of Yi Kil-bo(1699~1771).
Anonymous.
Chosŏn Dynasty, 19th century.
Color on silk.

36. 이철보초상(李喆輔肖像)
조선, 19세기.
비단채색. 51.2×39.5cm.
Portrait of Yi Ch'ŏl-bo(1691~1775).
Anonymous.
Chosŏn Dynasty, 19century,
Color on silk.

37. 윤양래초상(尹陽來肖像)
조선, 19세기.
비단채색. 51.2×39.5cm.
Portrait of Yun Yang-rae(1673~1751).
Anonymous.
Chosŏn Dynasty, 19th century.
Color on silk.

38. 윤급초상(尹汲肖像)
조선, 19세기.
비단채색. 51.2×39.5cm.
Portrait of Yun Kŭp(1679~1770).
Anonymous.
Chosŏn Dynasty, 19th century.
Color on silk.

39. 박문수초상(朴文秀肖像)
조선, 19세기.
비단채색. 51.2×39.5cm.
Portrait of Pak Mun-su(1691~1756).
Anonymous.
Chosŏn Dynasty, 19th century.
Color on silk.

40. 이종성초상(李宗城肖像)
조선, 19세기.
비단채색. 51.2×39.5cm.
Portrait of Yi Chong-sŏng(1692~1759).
Anonymous.
Chosŏn Dynasty, 19th century.
Color on silk.

41. 남유용초상(南有容肖像)
조선, 19세기.
비단채색. 51.2×39.5cm.
Portrait of Nam Yu-yong(1698~1773).
Anonymous.
Chosŏn Dynasty, 19th century.
Color on silk.

42. 황경원초상(黃景源肖像)
조선, 19세기.
비단채색. 51.2×39.5cm.
Portrait of Hwang Kyŏng-wŏn(1709~1787).
Anonymous.
Chosŏn Dynasty, 19th century.
Color on silk.

43. 김상석초상(金相奭肖像)
조선, 19세기.
비단채색. 51.2×39.5cm.
Portrait of Kim Sang-sŏk(1690~1765).
Anonymous.
Chosŏn Dynasty, 19th century.
Color on silk.

44. 김재찬초상(金載瓚肖像)
조선, 19세기.
비단채색. 51.2×39.5cm.
Portrait of Kim Chae-ch'an(1746~1827).
Anonymous.

Chosŏn Dynasty, 19th century.
Color on silk.

45. 홍상한초상(洪象漢肖像)
조선, 19세기.
비단채색. 51.2×39.5cm.
Portrait of Hong Sang-han(1701~1769).
Anonymous.
Chosŏn Dynasty, 19th century.
Color on silk.

46. 홍낙성초상(洪樂性肖像)
조선, 19세기.
비단채색. 51.2×39.5cm.
Portrait of Hong Nak-sŏng(1718~1798).
Anonymous.
Chosŏn Dynasty, 19th century.
Color on silk.

47. 조중회초상(趙重晦肖像)
조선, 19세기.
비단채색. 51.2×39.5cm.
Portrait of Cho Chung-hoe(1711~1782).
Anonymous.
Chosŏn Dynasty, 19th century.
Color on silk.

48. 권도초상(權導肖像)
조선, 19세기.
비단채색. 51.2×39.5cm.
Portrait of Kwŏn To(1710~1791).
Anonymous.
Chosŏn Dynasty, 19th century.
Color on silk.

49. 윤동도초상(尹東度肖像)
조선, 19세기.
비단채색. 51.2×39.5cm.
Portrait of Yun Tong-do(1707~1768).
Anonymous.
Chosŏn Dynasty, 19th century.
Color on silk.

50. 이후초상(李㷞肖像)
조선, 19세기.
비단채색. 51.2×39.5cm.
Portrait of Yi Hu(1694~1761).
Anonymous.
Chosŏn Dynasty, 19th century.
Color on silk.

51. 조문명초상(趙文命肖像)
조선, 19세기.
비단채색. 51.2×39.5cm.
Portrait of Cho Mun-myŏng(1680~1732).
Anonymous.
Chosŏn Dynasty, 19th century.
Color on silk.

52. 송인명초상(宋寅明肖像)
조선, 19세기.

비단채색. 51.2×39.5cm.
Portrait of Song In-myŏng(1689~1746).
Anonymous.
Chosŏn Dynasty, 19th century.
Color on silk.

53. 조현명초상(趙顯命肖像)
조선, 19세기.
비단채색. 51.2×39.5cm.
Portrait of Cho Hyŏn-myŏng(1690~1752).
Anonymous.
Chosŏn Dynasty, 19th century.
Color on silk.

54. 조재호초상(趙載浩肖像)
조선, 19세기.
비단채색. 51.2×39.5cm.
Portrait of Cho Chae-ho(1702~1762).
Anonymous.
Chosŏn Dynasty, 19th century.
Color on silk.

55. 이덕수초상(李德壽肖像)
조선, 19세기.
비단채색. 51.2×39.5cm.
Portrait of Yi Tŏk-su(1673~1744).
Anonymous.
Chosŏn Dynasty, 19th century.
Color on silk.

56. 오명항초상(吳命恒肖像)
조선, 19세기.
비단채색. 51.2×39.5cm.
Portrait of O Myŏng-hang(1673~1728).
Anonymous.
Chosŏn Dynasty, 19th century.
Color on silk.

57. 한익모초상(韓翼謩肖像)
조선, 19세기.
비단채색. 51.2×39.5cm.
Portrait of Han Ik-mo(1703~1781).
Anonymous.
Chosŏn Dynasty, 19th century.
Color on silk.

58. 민백상초상(閔百祥肖像)
조선, 19세기.
비단채색. 51.2×39.5cm.
Portrait of Min Paek-sang(1711~1761).
Anonymous.
Chosŏn Dynasty, 19th century.
Color on silk.

59. 이창의초상(李昌誼肖像)
조선, 19세기.
비단채색. 51.2×39.5cm.
Portrait of Yi Ch'ang-ŭi(1704~1772).
Anonymous.
Chosŏn Dynasty, 19th century.
Color on silk.

60. 구윤명초상(具允明肖像)
조선, 19세기.
비단채색. 51.2×39.5cm.
Portrait of Ku Yun-myŏng(1711~1797).
Anonymous.
Chosŏn Dynasty, 19th century.
Color on silk.

—— 3권 ——

1. 최유선초상(崔惟善肖像)
조선, 19세기.
비단채색. 37.0×29.1cm.
Portrait of Ch'oe Yu-sŏn(? ~1075).
Anonymous.
Chosŏn Dynasty, 19th century.
Color on silk.

2. 이제현초상(李齊賢肖像)
조선, 19세기.
비단채색. 37.0×29.1cm.
Portrait of Yi Che-hyŏn(1287~1367).
Anonymous.
Chosŏn Dynasty, 19th century.
Color on silk.

3. 김상용초상(金尙容肖像)
조선, 19세기.
비단채색. 37.0×29.1cm.
Portrait of Kim Sang-yong(1561~1637).
Anonymous.
Chosŏn Dynasty, 19th century.
Color on silk.

4. 이유초상(李濡肖像)
조선, 19세기.
비단채색. 37.0×29.1cm.
Portrait of Yi Yu(1645~1721).
Anonymous.
Chosŏn Dynasty, 19th century.
Color on silk.

5. 임경업초상(林慶業肖像)
조선, 19세기.
비단채색. 37.0×29.1cm.
Portrait of Im Kyŏng-ŏp(1594~1646).
Anonymous.
Chosŏn Dynasty, 19th century.
Color on silk.

6. 이후원초상(李厚源肖像)
조선, 19세기.
비단채색. 37.0×29.1cm.
Portrait of Yi Hu-wŏn(1598~1660).
Anonymous.
Chosŏn Dynasty, 19th century.
Color on silk.

7. 초상화(肖像畵)
조선, 19세기.

비단채색. 37.0×29.1cm.
Portrait of a Korean official.
Anonymous.
Chosŏn Dynasty, 19th century.
Color on silk.

8. 송시열초상(宋時烈肖像)
조선, 19세기.
비단채색. 37.0×29.1cm.
Portrait of Song Si-yŏl(1607~1689).
Anonymous.
Chosŏn Dynasty, 19th century.
Color on silk.

9. 최치원초상(崔致遠肖像)
조선, 19세기.
비단채색. 37.0×29.1cm.
Portrait of Ch'oe Ch'i-wŏn(857~ ?).
Anonymous.
Chosŏn Dynasty, 19th century.
Color on silk.

10. 안향초상(安珦肖像)
조선, 19세기.
비단채색. 37.0×29.1cm.
Portrait of An Hyang(1243~1306).
Anonymous.
Chosŏn Dynasty, 19th century.
Color on silk.

11. 이덕형초상(李德馨肖像)
조선, 19세기.
비단채색. 37.0×29.1cm.
Portrait of Yi Tŏk-hyŏng(1561~1613).
Anonymous.
Chosŏn Dynasty, 19th century.
Color on silk.

12. 황정욱초상(黃廷彧肖像)
조선, 19세기.
비단채색. 37.0×29.1cm.
Portrait of Hwang Chŏng-uk(1532~1607).
Anonymous.
Chosŏn Dynasty, 19th century.
Color on silk.

13. 이이명초상(李頤命肖像)
조선, 19세기.
비단채색. 37.0×29.1cm.
Portrait of Yi I-myŏng(1658~1722).
Anonymous.
Chosŏn Dynasty, 19th century.
Color on silk.

14. 윤증초상(尹拯肖像)
조선, 19세기.
비단채색. 37.0×29.1cm.
Portrait of Yun Chŭng(1629~1711).
Anonymous.
Chosŏn Dynasty, 19th century.
Color on silk.

15. 조태채초상(趙泰采肖像)
조선, 19세기.
비단채색. 37.0×29.1cm.
Portrait of Cho T'ae-ch'ae(1660~1722).
Anonymous.
Chosŏn Dynasty, 19th century.
Color on silk.

16. 이건명초상(李健命肖像)
조선, 19세기.
비단채색. 37.0×29.1cm.
Portrait of Yi Kŏn-myŏng(1663~1722).
Anonymous.
Chosŏn Dynasty, 19th century.
Color on silk.

17. 정호초상(鄭澔肖像)
조선, 19세기.
비단채색. 37.0×29.1cm.
Portrait of Chŏng Ho(1648~1736).
Anonymous.
Chosŏn Dynasty, 19th century.
Color on silk.

18. 이의현초상(李宜顯肖像)
조선, 19세기.
비단채색. 37.0×29.1cm.
Portrait of Yi Ŭi-hyŏn(1669~1745).
Anonymous.
Chosŏn Dynasty, 19th century.
Color on silk.

19. 조문명초상(趙文命肖像)
조선, 19세기.
비단채색. 37.0×29.1cm.
Portrait of Cho Mun-myŏng(1680~1732).
Anonymous.
Chosŏn Dynasty, 19th century.
Color on silk.

20. 김재로초상(金在魯肖像)
조선, 19세기.
비단채색. 37.0×29.1cm.
Portrait of Kim Chae-ro(1682~1759).
Anonymous.
Chosŏn Dynasty, 19th century.
Color on silk.

21. 유척기초상(兪拓基肖像)
조선, 19세기.
비단채색. 37.0×29.1cm.
Portrait of Yu Ch'ŏk-ki(1691~1767).
Anonymous.
Chosŏn Dynasty, 19th century.
Color on silk.

22. 조현명초상(趙顯命肖像)
조선, 19세기.
비단채색. 37.0×29.1cm.
Portrait of Cho Hyŏn-myŏng(1690~1752).
Anonymous.

Chosŏn Dynasty, 19th century.
Color on silk.

23. 이천보초상(李天輔肖像)
조선, 19세기.
비단채색. 37.0×29.1cm.
Portrait of Yi Ch'ŏn-bo(1698～1761).
Anonymous.
Chosŏn Dynasty, 19th century.
Color on silk.

24. 민백상초상(閔百祥肖像)
조선, 19세기.
비단채색. 37.0×29.1cm.
Portrait of Min Paek-sang(1711～1761).
Anonymous.
Chosŏn Dynasty, 19th century.
Color on silk.

25. 홍봉한초상(洪鳳漢肖像)
조선, 19세기.
비단채색. 37.0×29.1cm.
Portrait of Hong Pong-han(1713～1778).
Anonymous.
Chosŏn Dynasty, 19th century.
Color on silk.

26. 김치인초상(金致仁肖像)
조선, 19세기.
비단채색. 37.0×29.1cm.
Portrait of Kim Ch'i-in(1716～1790).
Anonymous.
Chosŏn Dynasty, 19th century.
Color on silk.

27. 조돈초상(趙暾肖像)
조선, 19세기.
비단채색. 37.0×29.1cm.
Portrait of Cho Ton(1308～1380).
Anonymous.
Chosŏn Dynasty, 19th century.
Color on silk.

28. 초상화(肖像畵)
조선, 19세기.
비단채색. 37.0×29.1cm.
Portrait of a Korean official.
Anonymous.
Chosŏn Dynasty, 19th century.
Color on silk.

29. 한익모초상(韓翼謩肖像)
조선, 19세기.
비단채색. 37.0×29.1cm.
Portrait of Han Ik-mo(1703～1781).
Anonymous.
Chosŏn Dynasty, 19th century.
Color on silk.

30. 윤양래초상(尹陽來肖像)
조선, 19세기.

비단채색. 37.0×29.1cm.
Portrait of Yun Yang-rae(1673～1751),
Anonymous.
Chosŏn Dynasty, 19th century.
Color on silk.

31. 조관빈초상(趙觀彬肖像)
조선, 19세기.
비단채색. 37.0×29.1cm.
Portrait of Cho Kwan-bin(1691～1757).
Anonymous.
Chosŏn Dynasty, 19th century.
Color on silk.

32. 윤급초상(尹汲肖像)
조선, 19세기.
비단채색. 37.0×29.1cm.
Portrait of Yun Kŭp(1679～1770).
Anonymous.
Chosŏn Dynasty, 19th century.
Color on silk.

33. 남유용초상(南有容肖像)
조선, 19세기.
비단채색. 37.0×29.1cm.
Portrait of Nam Yu-yong(1698～1773).
Anonymous.
Chosŏn Dynasty, 19th century.
Color on silk.

34. 박문수초상(朴文秀肖像)
조선, 19세기.
비단채색. 37.0×29.1cm.
Portrait of Pak Mun-su(1691～1756).
Anonymous.
Chosŏn Dynasty, 19th century.
Color on silk.

35. 김창집초상(金昌集肖像)
조선, 19세기.
비단채색. 37.0×29.1cm.
Portrait of Kim Ch'ang-jip(1648～1722).
Anonymous.
Chosŏn Dynasty, 19th century.
Color on silk.

36. 김창흡초상(金昌翕肖像)
조선, 19세기.
비단채색. 37.0×29.1cm.
Portrait of Kim Ch'ang-hŭp(1653～1722).
Anonymous.
Chosŏn Dynasty, 19th century.
Color on silk.

37. 박순초상(朴淳肖像)
조선, 19세기.
비단채색. 37.0×29.1cm.
Portrait of Pak Sun(1523～1589).
Anonymous.
Chosŏn Dynasty, 19th century.
Color on silk.

38. 이원익초상(李元翼肖像)
   조선, 19세기.
   비단채색. 37.0×29.1cm.
   Portrait of Yi Wŏn-ik(1547~1634).
   Anonymous.
   Chosŏn Dynasty, 19th century.
   Color on silk.

39. 김수항초상(金壽恒肖像)
   조선, 19세기.
   비단채색. 37.0×29.1cm.
   Portrait of Kim Su-hang(1629~1689).
   Anonymous.
   Chosŏn Dynasty, 19th century.
   Color on silk.

40. 황흠초상(黃欽肖像)
   조선, 19세기.
   비단채색. 37.0×29.1cm.
   Portrait of Hwang Hŭm(1639~1730).
   Anonymous.
   Chosŏn Dynasty, 19th century.
   Color on silk.

41. 강현초상(姜鋧肖像)
   조선, 19세기.
   비단채색. 37.0×29.1cm.
   Portrait of Kang Hyŏn(1650~1733).
   Anonymous.
   Chosŏn Dynasty, 19th century.
   Color on silk.

42. 임방초상(任埅肖像)
   조선, 19세기.
   비단채색. 37.0×29.1cm.
   Portrait of Im Pang(1640~1724).
   Anonymous.
   Chosŏn Dynasty, 19th century.
   Color on silk.

43. 초상화(肖像畵)
   조선, 19세기.
   비단채색. 37.0×29.1cm.
   Portrait of a Korean official.
   Anonymous.
   Chosŏn Dynasty, 19th century.
   Color on silk.

44. 김응하초상(金應河肖像)
   조선, 19세기.
   종이채색. 37.0×29.1cm.
   Portrait of Kim Ŭng-ha(1580~1619).
   Anonymous.
   Chosŏn Dynasty, 19th century.
   Color on silk.

45. 김기종초상(金起宗肖像)
   조선, 19세기.
   비단채색. 37.0×29.1cm.
   Portrait of Kim Ki-jong(1585~1635).
   Anonymous.

Chosŏn Dynasty, 19th century.
Color on silk.

46. 초상화(肖像畵)
   조선, 19세기.
   비단채색. 37.0×29.1cm.
   Portrait of a Korean official.
   Anonymous.
   Chosŏn Dynasty, 19th century.
   Color on silk.

47. 정몽주초상(鄭夢周肖像)
   조선, 19세기.
   비단채색. 37.0×29.1cm.
   Portrait of Chŏng Mong-ju(1337~1392).
   Anonymous.
   Chosŏn Dynasty, 19th century.
   Color on silk.

48. 이색초상(李穡肖像)
   조선, 19세기.
   비단채색. 37.0×29.1cm.
   Portrait of Yi Saek(1328~1396).
   Anonymous.
   Chosŏn Dynasty, 19th century.
   Color on silk.

49. 황희초상(黃喜肖像)
   조선, 19세기.
   비단채색. 37.0×29.1cm.
   Portrait of Hwang Hŭi(1363~1452).
   Anonymous.
   Chosŏn Dynasty, 19th century.
   Color on silk.

50. 하연초상(河演肖像)
   조선, 19세기.
   비단채색. 37.0×29.1cm.
   Portrait of Ha Yŏn(1376~1453).
   Anonymous.
   Chosŏn Dynasty, 19th century.
   Color on silk.

51. 김시습초상(金時習肖像)
   조선, 19세기.
   비단채색. 37.0×29.1cm.
   Portrait of Kim Si-sŭp(1435~1493).
   Anonymous.
   Chosŏn Dynasty, 19th century.
   Color on silk.

52. 주세붕초상(周世鵬肖像)
   조선, 19세기.
   비단채색. 37.0×29.1cm.
   Portrait of Chu Se-bung(1495~1554).
   Anonymous.
   Chosŏn Dynasty, 19th century.
   Color on silk.

53. 조경초상(趙璥肖像)
   조선, 19세기.

비단채색. 37.0×29.1cm.
Portrait of Cho Kyŏng(1727~1787).
Anonymous.
Chosŏn Dynasty, 19th century.
Color on silk.

54. 초상화(肖像畵)
조선, 19세기.
비단채색. 37.0×29.1cm.
Portrait of a Korean official.
Anonymous.
Chosŏn Dynasty, 19th century.
Color on silk.

55. 김재찬초상(金載瓚肖像)
조선, 19세기.
비단채색. 37.0×29.1cm.
Portrait of Kim Chae-ch'an(1746~1827).
Anonymous.
Chosŏn Dynasty, 19th century.
Color on silk.

56. 한용구초상(韓用龜肖像)
조선, 19세기.
비단채색. 37.0×29.1cm.
Portrait of Han Yong-gu(1747~1828).
Anonymous.
Chosŏn Dynasty, 19th century.
Color on silk.

57. 석성초상(石星肖像) 명(明)
조선, 19세기.
비단채색. 37.0×29.1cm.
Portrait of Sŏk Sŏng(? ~ ?).
Anonymous.
Chosŏn Dynasty, 19th century.
Color on silk.

58. 이여송초상(李如松肖像) 명(明)
조선, 19세기.
비단채색. 37.0×29.1cm.
Portrait of Yi Yŏ-song(? ~1598).
Anonymous.
Chosŏn Dynasty, 19th century.
Color on silk.

—— 4권 ——

1. 이창수초상(李昌壽肖像)
조선, 19세기.
종이채색. 50.1×35.1cm.
Portrait of Yi Ch'ang-su(1710~1787).
Anonymous.
Chosŏn Dynasty, 19th century.
Color on paper.

2. 김상적초상(金尙迪肖像)
조선, 19세기.
종이채색. 50.1×35.1cm.

Portrait of Kim Sang-jŏk(1708~1750).
Anonymous.
Chosŏn Dynasty, 19th century.
Color on paper.

3. 초상화(肖像畵)
조선, 19세기.
종이채색. 50.1×35.1cm.
Portrait of a Korean official.
Anonymous.
Chosŏn Dynasty, 19th century.
Color on paper.

4. 김한철초상(金漢喆肖像)
조선, 19세기.
종이채색. 50.1×35.1cm.
Portrait of Kim Han-ch'ŏl(1701~1759).
Anonymous.
Chosŏn Dynasty, 19th century.
Color on paper.

5. 초상화(肖像畵)
조선, 19세기.
종이채색. 50.1×35.1cm.
Portrait of a Korean official.
Anonymous.
Chosŏn Dynasty, 19th century.
Color on paper.

6. 김면행초상(金勉行肖像)
조선, 19세기.
종이채색. 50.1×35.1cm.
Portrait of Kim Myŏn-haeng(1702~?).
Anonymous.
Chosŏn Dynasty, 19th century.
Color on paper.

7. 초상화(肖像畵)
조선, 19세기.
종이채색. 50.1×35.1cm.
Portrait of a Korean official.
Anonymous.
Chosŏn Dynasty, 19th century.
Color on paper.

8. 남태제초상(南泰齊肖像)
조선, 19세기.
종이채색. 50.1×35.1cm.
Portrait of Nam T'ae-je(1699~1776).
Anonymous.
Chosŏn Dynasty, 19th century.
Color on paper.

9. 조영록초상(趙榮祿肖像)
조선, 19세기.
종이채색. 50.1×35.1cm.
Portrait of Cho Yŏng-rok(1702~1788).
Anonymous.
Chosŏn Dynasty, 19th century.
Color on paper.

10. 초상화(肖像畵)
조선, 19세기.

종이채색. 50.1×35.1cm.
Portrait of a Korean official.
Anonymous.
Chosŏn Dynasty, 19th century.
Color on paper.

11. 이삼초상(李森肖像)
조선, 19세기.
종이채색. 50.1×35.1cm.
Portrait of Yi Sam(1677~1735).
Anonymous.
Chosŏn Dynasty, 19th century.
Color on paper.

12. 이중경초상(李重庚肖像)
조선, 19세기.
종이채색. 50.1×35.1cm.
Portrait of Yi Chung-kyŏng(1680~1757).
Anonymous.
Chosŏn Dynasty, 19th century.
Color on paper.

13. 초상화(肖像畵)
조선, 19세기.
종이채색. 50.1×35.1cm.
Portrait of a Korean official.
Anonymous.
Chosŏn Dynasty, 19th century.
Color on paper.

14. 초상화(肖像畵)
조선, 19세기.
종이채색. 50.1×35.1cm.
Portrait of a Korean official.
Anonymous.
Chosŏn Dynasty, 19th century.
Color on paper.

15. 초상화(肖像畵)
조선, 19세기.
종이채색. 50.1×35.1cm.
Portrait of a Korean official.
Anonymous.
Chosŏn Dynasty, 19th century.
Color on paper.

16. 고몽성초상(高夢聖肖像)
조선, 19세기.
종이채색. 50.1×35.1cm.
Portrait of Ko Mong-sŏng(1693~1775).
Anonymous.
Chosŏn Dynasty, 19th century.
Color on paper.

17. 초상화(肖像畵)
조선, 19세기.
종이채색. 50.1×35.1cm.
Portrait of a Korean official.
Anonymous.
Chosŏn Dynasty, 19th century.

Color on paper.

18. 초상화(肖像畵)
조선, 19세기.
종이채색. 50.1×35.1cm.
Portrait of a Korean official.
Anonymous.
Chosŏn Dynasty, 19th century.
Color on paper.

19. 초상화(肖像畵)
조선, 19세기.
종이채색. 50.1×35.1cm.
Portrait of a Korean official.
Anonymous.
Chosŏn Dynasty, 19th century.
Color on paper.

20. 초상화(肖像畵)
조선, 19세기.
종이채색. 50.1×35.1cm.
Portrait of a Korean official.
Anonymous.
Chosŏn Dynasty, 19th century.
Color on paper.

21. 초상화(肖像畵)
조선, 19세기.
종이채색. 50.1×35.1cm.
Portrait of a Korean official.
Anonymous.
Chosŏn Dynasty, 19th century.
Color on paper.

22. 초상화(肖像畵)
조선, 19세기.
종이채색. 50.1×35.1cm.
Portrait of a Korean official.
Anonymous.
Chosŏn Dynasty, 19th century.
Color on paper.

23. 초상화(肖像畵)
조선, 19세기.
종이채색. 50.1×35.1cm.
Portrait of a Korean official.
Anonymous.
Chosŏn Dynasty, 19th century.
Color on paper.

24. 초상화(肖像畵)
조선, 19세기.
종이채색. 50.1×35.1cm.
Portrait of a Korean official.
Anonymous.
Chosŏn Dynasty, 19th century.
Color on paper.

25. 초상화(肖像畵)
조선, 19세기.
종이채색. 50.1×35.1cm.

Portrait of a Korean official.
Anonymous.
Chosŏn Dynasty, 19th century.
Color on paper.

26. 초상화(肖像畵)
조선, 19세기.
종이채색. 50.1×35.1cm.
Portrait of a Korean official.
Anonymous.
Chosŏn Dynasty, 19th century.
Color on paper.

27. 초상화(肖像畵)
조선, 19세기.
종이채색. 50.1×35.1cm.
Portrait of a Korean official.
Anonymous.
Chosŏn Dynasty, 19th century.
Color on paper.

28. 초상화(肖像畵)
조선, 19세기.
종이채색. 50.1×35.1cm.
Portrait of a Korean official.
Anonymous.
Chosŏn Dynasty, 19th century.
Color on paper.

29. 어유룡초상(魚有龍肖像)
조선, 19세기.
종이채색. 50.1×35.1cm.
Portrait of Ŏ Yu-ryong(1678〜1764).
Anonymous.
Chosŏn Dynasty, 19th century.
Color on paper.

30. 초상화(肖像畵)
조선, 19세기.
종이채색. 50.1×35.1cm.
Portrait of a Korean official.
Anonymous.
Chosŏn Dynasty, 19th century.
Color on paper.

31. 초상화(肖像畵)
조선, 19세기.
종이채색. 50.1×35.1cm.
Portrait of a Korean official.
Anonymous.
Chosŏn Dynasty, 19th century.
Color on paper.

32. 초상화(肖像畵)
조선, 19세기.
종이채색. 50.1×35.1cm.
Portrait of a Korean official.
Anonymous.
Chosŏn Dynasty, 19th century.
Color on paper.

33. 초상화(肖像畵)
조선, 19세기.
종이채색. 50.1×35.1cm.
Portrait of a Korean official.
Anonymous.
Chosŏn Dynasty, 19th century.
Color on paper.

34. 초상화(肖像畵)
조선, 19세기.
종이채색. 50.1×35.1cm.
Portrait of a Korean official.
Anonymous.
Chosŏn Dynasty, 19th century.
Color on paper.

35. 초상화(肖像畵)
조선, 19세기.
종이채색. 50.1×35.1cm.
Portrait of a Korean official.
Anonymous.
Chosŏn Dynasty, 19th century.
Color on paper.

36. 초상화(肖像畵)
조선, 19세기.
종이채색. 50.1×35.1cm.
Portrait of a Korean official.
Anonymous.
Chosŏn Dynasty, 19th century.
Color on paper.

37. 초상화(肖像畵)
조선, 19세기.
종이채색. 50.1×35.1cm.
Portrait of a Korean official.
Anonymous.
Chosŏn Dynasty, 19th century.
Color on paper.

38. 초상화(肖像畵)
조선, 19세기.
종이채색. 50.1×35.1cm.
Portrait of a Korean official.
Anonymous.
Chosŏn Dynasty, 19th century.
Color on paper.

39. 초상화(肖像畵)
조선, 19세기.
종이채색. 50.1×35.1cm.
Portrait of a Korean official.
Anonymous.
Chosŏn Dynasty, 19th century.
Color on paper.

40. 초상화(肖像畵)
조선, 19세기.
종이채색. 50.1×35.1cm.
Portrait of a Korean official.
Anonymous.

Chosŏn Dynasty, 19th century.
Color on paper.

41. 초상화(肖像畵)
조선, 19세기.
종이채색. 50.1×35.1cm.
Portrait of a Korean official.
Anonymous.
Chosŏn Dynasty, 19th century.
Color on paper.

42. 초상화(肖像畵)
조선, 19세기.
종이채색. 50.1×35.1cm.
Portrait of a Korean official.
Anonymous.
Chosŏn Dynasty, 19th century.
Color on paper.

43. 초상화(肖像畵)
조선, 19세기.
종이채색. 50.1×35.1cm.
Portrait of a Korean official.
Anonymous.
Chosŏn Dynasty, 19th century.
Color on paper.

44. 초상화(肖像畵)
조선, 19세기.
종이채색. 50.1×35.1cm.
Portrait of a Korean official.
Anonymous.
Chosŏn Dynasty, 19th century.
Color on paper.

45. 정수기초상(鄭壽基肖像)
조선, 19세기.
종이채색. 50.1×35.1cm.
Portrait of Chŏng Su-gi(1664~1752).
Anonymous.
Chosŏn Dynasty, 19th century.
Color on paper.

46. 초상화(肖像畵)
조선, 19세기.
종이채색. 50.1×35.1cm.
Portrait of a Korean official.
Anonymous.
Chosŏn Dynasty, 19th century.
Color on paper.

47. 송창명초상(宋昌明肖像)
조선, 19세기.
종이채색. 50.1×35.1cm.
Portrait of Song Ch'ang-myŏng(1689~1769).
Anonymous.
Chosŏn Dynasty, 19th century.
Color on paper.

48. 황흠초상(黃欽肖像)
조선, 19세기.

종이채색. 50.1×35.1cm.
Portrait of Hwang Hŭm(1639~1730).
Anonymous.
Chosŏn Dynasty, 19th century.
Color on paper.

49. 강현초상(姜鋧肖像)
조선, 19세기.
비단채색. 50.1×35.1cm.
Portrait of Kang Hyŏn(1650~1733).
Anonymous.
Chosŏn Dynasty, 19th century.
Color on silk.

50. 초상화(肖像畵)
조선, 19세기.
비단채색. 50.1×35.1cm.
Portrait of a Korean official.
Anonymous.
Chosŏn Dynasty, 19th century.
Color on silk.

51. 김우항초상(金宇杭肖像)
조선, 19세기.
비단채색. 50.1×35.1cm.
Portrait of Kim U-hang(1649~1723).
Anonymous.
Chosŏn Dynasty, 19th century.
Color on silk.

52. 남구만초상(南九萬肖像)
조선, 19세기.
종이채색. 50.1×35.1cm.
Portrait of Nam Ku-man(1629~1711).
Anonymous.
Chosŏn Dynasty, 19th century.
Color on paper.

53. 이주진초상(李周鎭肖像)
조선, 19세기.
비단채색. 50.1×35.1cm.
Portrait of Yi Chu-jin(1691~1749).
Anonymous.
Chosŏn Dynasty, 19th century.
Color on silk.

54. 이경호초상(李景祜肖像)
조선, 19세기.
비단채색. 50.1×35.1cm.
Portrait of Yi Kyŏng-ho(1705~1779).
Anonymous.
Chosŏn Dynasty, 19th century.
Color on silk.

55. 심수초상(沈鏽肖像)
조선, 19세기.
비단채색. 50.1×35.1cm.
Portrait of Sim Su(1707~1776).
Anonymous.
Chosŏn Dynasty, 19th century.
Color on silk.

56. 초상화(肖像畵)
　　조선, 19세기.
　　비단채색. 50.1×35.1cm.
　　Portrait of a Korean official.
　　Anonymous.
　　Chosŏn Dynasty, 19th century.
　　Color on silk.

57. 김재로초상(金在魯肖像)
　　조선, 19세기.
　　비단채색. 50.1×35.1cm.
　　Portrait of Kim Chae-ro(1682~1759).
　　Anonymous.
　　Chosŏn Dynasty, 19th century.
　　Color on silk.

58. 김치인초상(金致仁肖像)
　　조선, 19세기.
　　비단채색. 50.1×35.1cm.
　　Portrait of Kim Ch'i-in(1716~1790).
　　Anonymous.
　　Chosŏn Dynasty, 19th century.
　　Color on silk.

59. 조돈초상(趙暾肖像)
　　조선, 19세기.
　　비단채색. 50.1×35.1cm.
　　Portrait of Cho Ton(1308~1380).
　　Anonymous.
　　Chosŏn Dynasty, 19th century.
　　Color on silk.

60. 송재경초상(宋載經肖像)
　　조선, 19세기.
　　비단채색. 50.1×35.1cm.
　　Portrait of Song Chae-kyŏng(1718~1793).
　　Anonymous.
　　Chosŏn Dynasty, 19th century.
　　Color on silk.

天理大學
天理參考館

1. 마제석검(磨製石劍)
　　청동기시대.
　　길이(右) 42.4cm.
　　Daggers, polished stone.
　　Bronze Age.
　　Length(right) 42.4cm.

2. 동검(銅劍)
　　초기철기시대, 기원전 3~2세기.
　　길이(右) 19.8cm.
　　Daggers, bronze.
　　Early Iron Age, B.C. 3rd-2nd century.
　　Length(right) 19.8cm.

3. 동촉·석촉(銅鏃·石鏃)
　　초기철기시대.
　　길이(左) 5.7cm.
　　Arrowheads, bronze and stone.
　　Early Iron Age.
　　Length(left) 5.7cm.

4. 철촉(鐵鏃)
　　부여(扶餘) 출토.
　　초기철기시대.
　　길이(右) 13.9cm.
　　Arrowheads, iron.
　　From Puyŏ, Ch'ungch'ŏngnam-do.
　　Early Iron Age.
　　Length(right) 13.9cm.

5. 동제마형대구(銅製馬形帶鉤)
　　삼국시대.
　　길이(上) 9.9cm.
　　Belt hooks in the shape of a horse, bronze.
　　Three Kingdoms period.
　　Length(top) 9.9cm.

6. 철제재갈(鐵製銜)
　　경상남도(慶尙南道) 출토.
　　삼국시대.
　　길이 35.0cm.
　　Horse bit, iron.
　　From Kyŏngsangnam-do.
　　Three Kingdoms period.
　　Length 35.0cm.

7. 금동운주(金銅雲珠)
　　경상남도(慶尙南道) 출토.
　　삼국시대.
　　지름(右) 19.9cm.
　　Harness fittings for crossbelts, gilt bronze.
　　From Kyŏngsangnam-do.
　　Three Kingdoms period.
　　Diameter(right) 19.9cm.

8. 철제검릉형행엽(鐵製劍菱形杏葉)
　　경상남도(慶尙南道) 출토.
　　삼국시대.
　　길이(左) 26.5cm.
　　Knife and chestnut-shaped horse ornament, iron.
　　From Kyŏngsangnam-do.
　　Three Kingdoms period.
　　Length(left) 26.5cm.

9. 심엽형금동비(心葉形金銅轡)
　　경상남도(慶尙南道) 출토.
　　삼국시대.
　　길이 10.5cm.
　　Heart-shaped harness, gilt bronze.
　　From Kyŏngsangnam-do.
　　Three Kingdoms period.
　　Length 10.5cm.

10. 금동봉황장식칼고리(金銅鳳凰環刀裝飾)
　　삼국시대.

길이(左) 10.9cm.
Ringed sword handles with phoenix designs, gilt bronze.
Three Kingdoms period.
Length(left) 10.9cm.

11 · 12. 금제태환이식(金製太環耳飾)
경상남도(慶尙南道) 출토.
삼국시대.
길이 7.2cm.
Earrings, gold.
From Kyŏngsangnam-do.
Three Kingdoms period.
Length 7.2cm.

13. 금제세환이식(金製細環耳飾)
경상남도(慶尙南道) 출토.
삼국시대. 길이 5.9cm.
Earrings, gold.
From Kyŏngsangnam-do.
Three Kingdoms period.
Length 5.9cm.

14. 금제세환이식(金製細環耳飾)
경상남도(慶尙南道) 출토.
삼국시대. 길이 6.8cm.
Earrings, gold.
From Kyŏngsangnam-do.
Three Kingdoms period.
Length 6.8cm.

15. 금제세환이식(金製細環耳飾)
경상남도(慶尙南道) 출토.
삼국시대.
길이 7.0cm.
Earrings, gold.
From Kyŏngsangnam-do.
Three Kingdoms period.
Length 7.0cm.

16 · 17. 금동제투각금관(金銅製透刻金冠)
평양(平壤) 부근 출토.
삼국시대.
높이 14.2cm.
Crown with a latticework decoration, gilt bronze.
From near P'yŏngyang, P'yŏngannam-do.
Three Kingdoms period.
Height 14.2cm.

18. 금동제대구(金銅製帶具)
고려, 12~13세기.
길이 10.0cm.
Belt fittings, gilt bronze.
Koryŏ Dynasty, 12th-13th century.
Length 10.0cm.

19. 은제대금구(銀製帶金具)
경상북도(慶尙北道) 출토.
삼국시대.
각 길이 6.0cm.
Belt fittings, silver.

From Kyŏngsangbuk-do.
Three Kingdoms period.
Length, each, 6.0cm.

20. 동제과대금구(銅製銙帶金具)
고려, 12~13세기.
각 길이 7.2cm.
Belt fittings, bronze.
Koryŏ Dynasty, 12th-13th century.
Length, each, 7.2cm.

21. 동제수저(銅製匙箸)
개성(開城) 부근 출토.
고려, 12~13세기.
길이 26.2cm.
Spoons and chopsticks, bronze.
From near Kaesŏng, Kyŏnggi-do.
Koryŏ Dynasty, 12th-13th century.
Length 26.2cm.

22. 동제도자(銅製刀子)
개성(開城) 부근 출토.
고려, 12~13세기.
길이(左) 26.9cm.
Knives, bronze.
From near Kaesŏng, Kyŏnggi-do.
Koryŏ Dynasty, 12th-13th century.
Length(left) 26.9cm.

23. 동제화장구(銅製化粧具)
개성(開城) 부근 출토.
고려, 12~13세기.
길이(左上) 9.2cm.
Toilet set, bronze.
From near Kaesŏng, Kyŏnggi-do.
Koryŏ Dynasty, 12th-13th century.
Length(top left) 9.2cm.

24. 도기고배(陶器高杯)
가야, 5~6세기.
높이 15.9cm.
Stem cup with a cover, pottery.
Kaya period, 5th-6th century.
Height 15.9cm.

25. 도기령부배(陶器鈴附杯)
가야, 5세기.
높이 13.1cm.
Stem cup with a bell, pottery.
Kaya period, 5th century.
Height 13.1cm.

26. 도기파수부잔(陶器把手附盞)
가야, 5~6세기.
높이 6.5cm.
Cup with a handle, pottery.
Kaya period, 5th-6th century.
Height 6.5cm.

27. 도기파수부잔(陶器把手附盞)
가야, 5~6세기.

높이 10.0cm.
Cup with a handle, pottery.
Kaya period, 5th-6th century.
Height 10.0cm.

28. 도기파수부잔(陶器把手附盞)
가야, 5~6세기.
높이 9.7cm.
Cup with a handle, pottery.
Kaya period, 5th-6th century.
Height 9.7cm.

29. 도기이부배(陶器耳附杯)
가야, 5~6세기.
높이 18.2cm.
Stem cup with handles, pottery.
Three Kingdoms period, 5th-6th century.
Height 18.2cm.

30. 도기기대(陶器器臺)
가야, 5~6세기.
높이 29.6cm.
Vessel stand, pottery.
Kaya period, 5th-6th century.
Height 29.6cm.

31. 도기사문장경호(陶器蛇紋長頸壺)
가야, 5~6세기.
높이 18.1cm.
Long-necked jar with a snake design, pottery.
Kaya period, 5th-6th century.
Height 18.1cm.

32. 도기수식부장경호(陶器垂飾附長頸壺)
가야, 5~6세기.
높이 28.2cm.
Long-necked jar with dangling ornaments, pottery.
Kaya period, 5th-6th century.
Height 28.2cm.

33. 도기인화문합(陶器印花紋盒)
통일신라, 7세기.
총높이 11.1cm.
Bowl and cover with a stamped floral design, pottery.
Unified Silla period, 7th century.
Total height 11.1cm.

34. 도기인화문합(陶器印花紋盒)
통일신라, 8세기.
총높이 11.2cm.
Bowl and cover with a stamped floral design, pottery.
Unified Silla period, 8th century.
Total height 11.2cm.

35. 도기인화문합(陶器印花紋盒)
통일신라, 8세기.
총높이 35.4cm.
Bowl and cover with a stamped floral design, pottery.
Unified Silla period, 8th century.
Total height 35.4cm.

36. 도기파수부호(陶器把手附壺)
가야, 5~6세기.
높이 9.8cm.
Jar with a handle, pottery.
Kaya period, 5th-6th century.
Height 9.8cm.

37. 도기주구부호(陶器注口附壺)
가야, 5~6세기.
높이 11.9cm.
Jar with a mouth, pottery.
Kaya period, 5th-6th century.
Height 11.9cm.

38. 도기양파수부완(陶器兩把手附盌)
삼국시대, 5~6세기.
높이 17.8cm.
Stem bowl with two handles, pottery.
Three Kingdoms period, 5th-6th century.
Height 17.8cm.

39. 도기각배(陶器角杯)
가야, 5~6세기.
길이 20.5cm.
Horn-shaped cup, pottery.
Kaya period, 5th-6th century.
Length 20.5cm.

40. 도기기대(陶器器臺)
가야, 5~6세기.
높이 9.8cm.
Vessel stand, pottery.
Kaya period, 5th-6th century.
Height 9.8cm.

41. 도기대부장경호(陶器臺附長頸壺)
삼국시대, 5~6세기.
높이 25.7cm.
Long-necked jar with stand, pottery.
Three Kingdoms period, 5th-6th century.
Height 25.7cm.

42. 도기대부장경호(陶器臺付長頸壺)
삼국시대, 5~6세기.
높이 25.0cm.
Long-necked jar with stand, pottery.
Three Kingdoms period, 5th-6th century.
Height 25.0cm.

43. 도기호(陶器壺)
삼국시대, 3~4세기.
높이 24.2cm.
Jar, pottery.
Three Kingdoms period, 3rd-4th century.
Height 24.2cm.

44. 도기단경호(陶器短頸壺)
삼국시대, 4~5세기.
높이 26.5cm.
Short-necked jar, pottery.
Three Kingdoms period, 4th-5th century.

Height 26.5cm.

45. 도기양이대호(陶器兩耳大壺)
삼국시대, 5세기.
높이 54.8cm.
Large storage jar with ears, pottery.
Three Kingdoms period, 5th century.
Height 54.8cm.

46. 도기인화문호(陶器印花紋壺)
통일신라, 8세기.
높이 19.4cm.
Jar with a stamped floral design, pottery.
Unified Silla period, 8th century.
Height 19.4cm.

47. 도제횡적(陶製橫笛)
통일신라, 8세기.
길이 39.8cm.
Flute, pottery.
Unified Silla period, 8th century.
Length 39.8cm.

48. 도기인화문합(陶器印花紋盒)
통일신라, 8세기.
총높이 18.7cm.
Covered jar with a stamped floral design, pottery.
Unified Silla period, 8th century.
Total height 18.7cm.

49. 도기인화문합(陶器印花紋盒)
통일신라, 7세기.
총높이 22.3cm.
Covered bowl with a stamped floral design, pottery.
Unified Silla period, 7th century.
Total height 22.3cm.

50. 도기인화문합(陶器印花紋盒)
통일신라, 8세기.
총높이 22.7cm.
Covered bowl with a stamped floral design, pottery.
Unified Silla period, 8th century.
Total height 22.7cm.

51. 도기호(陶器壺)
고려, 12~13세기.
높이 11.5cm.
Jar, pottery.
Koryŏ Dynasty, 12th-13th century.
Height 11.5cm.

52. 도기매병(陶器梅瓶)
고려, 13세기.
높이 30.9cm.
Maebyŏng vase, pottery.
Koryŏ Dynasty, 13th century.
Height 30.9cm.

53. 흑유편병(黑釉扁瓶)
고려.
높이 23.5cm.

Flask, black-glazed.
Koryŏ Dynasty.
Height 23.5cm.

54. 청자상감운학문대접(青瓷象嵌雲鶴紋大接)
고려, 14세기.
입지름 22.1cm.
Bowl with a cloud and crane design, inlaid celadon.
Koryŏ Dynasty, 14th century.
Mouth diameter 22.1cm.

55. 분청자인화문합(粉青瓷印花紋盒)
조선, 15세기.
높이 10.7cm.
Covered bowl with a stamped floral design,
punch'ŏng ware.
Chosŏn Dynasty, 15th century.
Height 10.7cm.

56. 백자철화운룡문항아리(白瓷鐵畵雲龍紋壺)
조선, 17세기.
높이 27.8cm.
Jar with a cloud and dragon design in underglaze iron,
white porcelain.
Chosŏn Dynasty, 17th century.
Height 27.8cm.

57. 백자청화국화문병(白瓷青畵菊花紋瓶)
조선, 19세기.
높이 19.0cm.
Bottle with a chrysanthemum design,
blue and white porcelain.
Chosŏn Dynasty, 19th century.
Height 19.0cm.

58. 백자동화화문사각연적(白瓷銅畵花紋四角硯滴)
조선, 19세기.
높이 2.4cm.
Square water dropper with a floral design in underglaze
copper red, white porcelain.
Chosŏn Dynasty, 19th century.
Height 2.4cm.

59. 백자청화운룡문연적(白瓷青畵雲龍紋硯滴)
조선, 18세기.
높이 9.0cm.
Water dropper with a cloud and dragon design,
blue and white porcelain.
Chosŏn Dynasty, 18th century.
Height 9.0cm.

60. 백자투각호문필통(白瓷透刻虎紋筆筒)
조선, 19세기.
높이 11.8cm.
Brush holder with an openwork tiger design, white porcelain.
Chosŏn Dynasty, 19th century.
Height 11.8cm.

61. 백자떡살(白瓷餅製具)
조선, 19세기.
높이 5.0, 3.8, 5.2cm.

Rice-cake stamps, white porcelain.
Chosŏn Dynasty, 19th century.
Height 5.0, 3.8, 5.2cm.

62. 백자약연(白瓷藥碾)
조선, 19세기.
길이 27.5cm.
Medicinal herbs mortar, white porcelain.
Chosŏn Dynasty, 19th century.
Length 27.5cm.

63. 백자제기(白瓷祭器)
조선, 19세기.
높이 5.8cm.
Ritual vessel, white porcelain.
Chosŏn Dynasty, 19th century.
Height 5.8cm.

64. 백자제기(白瓷祭器)
조선, 19세기.
높이 9.3cm.
Ritual vessel, white porcelain.
Chosŏn Dynasty, 19th century.
Height 9.3cm.

65. 백자제기탁잔(白瓷祭器托盞)
조선, 14세기.
높이 각 9.0cm.
Ritual cup and stand, white porcelain.
Chosŏn Dynasty, 14th century.
Height, each, 9.0cm.

66. 백자제기탕기(白瓷祭器湯器)
조선, 19세기.
높이 10.0cm.
Ritual soup bowl, white porcelain.
Chosŏn Dynasty, 19th century.
Height 10.0cm.

67. 백자제기향로(白瓷祭器香爐)
조선, 19세기.
높이 7.8cm.
Ritual incense burner, white porcelain.
Chosŏn Dynasty, 19th century.
Height 7.8cm.

68. 도기장군(陶器獐本)
조선, 19세기.
높이 36.6cm.
Bale-shape rice bottle, pottery.
Chosŏn Dynasty, 19th century.
Height 36.6cm.

69. 동제주자(銅製注子)
고려.
높이 20.9cm.
Ewer, bronze.
Koryŏ Dynasty.
Height 20.9cm.

70. 동제팔릉경(銅製八稜鏡)
개성(開城) 부근 출토.

고려.
지름 22.5cm.
Eight-foliated mirror, bronze.
From near Kaesŏng, Kyŏnggi-do.
Koryŏ Dynasty.
Diameter 22.5cm.

71. 동제십이지문경(銅製十二支紋鏡)
개성(開城) 부근 출토.
고려.
지름 17.9cm.
Mirror with twelve zodiac animals, bronze.
From near Kaesŏng, Kyŏnggi-do.
Koryŏ Dynasty.
Diameter 17.9cm.

72. 동제종형경(銅製鍾形鏡)
개성(開城) 부근 출토.
고려.
길이 17.0cm.
Bell-shaped mirror, bronze.
From near Kaesŏng, Kyŏnggi-do.
Koryŏ Dynasty.
Length 17.0cm.

73. 도해대선문팔릉경(渡海大船紋八稜鏡)
개성(開城) 부근 출토.
고려.
지름 16.6cm.
Eight-foliated mirror with a ship crossing the sea, bronze.
From near Kaesŏng, Kyŏnggi-do.
Koryŏ Dynasty.
Length 16.6cm.

74. 사신음각문석관(四神陰刻紋石棺)
개성(開城) 부근 출토.
고려.
길이 85.0cm.
Coffin with four deities, stone.
From near Kaesŏng, Kyŏnggi-do.
Koryŏ Dynasty.
Length 85.0cm.

75. 장승(長栍)
조선, 20세기. 나무. 높이 227.0cm.
Village spirit poles, carved wood.
Chosŏn Dynasty, 20th century.
Height 227.0cm.

76. 목각상(木刻像)
조선, 20세기.
높이 각 17.5cm.
Figures, wood carving.
Chosŏn Dynasty, 20th century.
Height, each, 17.5cm.

77. 목각상(木刻像)
조선, 20세기.
높이 29.5cm.
Figure, wood carving.

Choson Dynasty, 20th century.
Height 29.5cm.

78. 최영장군상(崔瑩將軍像)
조선, 20세기.
나무. 높이 41.2cm.
Representation of General Ch'oe Yŏng, wood carving.
Chosŏn Dynasty, 20th century.
Height 41.2cm.

79. 남녀목각상(男女木刻像)
고려.
높이 28.8cm.
Figures(man and woman), wood carving.
Koryŏ Dynasty.
Height 28.8cm.

80. 북(巫鼓)
조선, 20세기.
지름 75.7cm.
Drum.
Chosŏn Dynasty, 20th century.
Diameter 75.7cm.

81. 활과 화살통(弓 及 箭筒)
조선.
활 길이 119.3cm, 전통높이 99.3cm.
Bow and quiver.
Chosŏn Dynasty.
Bow length 119.3cm, Quiver height 99.3cm.

82. 활의 부분
Detail of bow in plate No. 81.

83. 별전(別錢)
조선.
길이 47.0cm.
Coin pendant.
Chosŏn Dynasty.
Length 47.0cm.

84. 별전(別錢)
조선.
길이 48.5cm.
Coin pendant.
Chosŏn Dynasty.
Length 48.5cm.

85. 쌍룡(雙龍)열쇠패
조선.
지름 12.7cm.
Key holder with paired dragons.
Chosŏn Dynasty.
Diameter 12.7cm.

86. 봉황(鳳凰)열쇠패
조선.
지름 14.4cm.
Key holder with paired phoenixes.
Chosŏn Dynasty.
Diameter 14.4cm.

87. 쌍희자(雙喜字)열쇠패
조선.
길이 25.0cm.
Key holder with a *ssanghŭi* design, stone.
Chosŏn Dynasty.
Length 25.0cm.

88. 서산(書算)
조선.
22.7×3.4cm.
Counter, paper.
Chosŏn Dynasty.

89. 나전산수문이층농(螺鈿山水紋二層籠)
조선.
55.7×69.8×36.3cm.
Two-level clothes chest, wood, with a landscape design
in mother-of-pearl inlay.
Chosŏn Dynasty.

90. 나전산수문이층농(螺鈿山水紋二層籠)의 부분
Detail of the chest in plate No. 89.

91. 대모의걸이장(玳瑁衣欌)
조선.
146.5×93.2×42.3cm.
Wardrobe, wood, with a design in hawksbill turtle shell.
Chosŏn Dynasty.

92. 대모의걸이장(玳瑁衣欌)의 부분
Detail of the chest in plate No. 91.

93. 약장(藥欌)
조선, 19세기.
122.0×92.0×28.7cm.
Medicinal herb chest, wood.
Chosŏn Dynasty, 19th century.

94. 어피함(漁皮函)
조선, 18세기.
15.8×40.3×20.7cm.
Box, sharkskin.
Chosŏn Dynasty, 18th century.

95. 관복함(冠服函)
조선, 19세기.
29.5×63.2×38.5cm.
Official uniform box, wood.
Chosŏn Dynasty, 19th century.

96. 철제은입사연초합(鐵製銀入絲煙草盒)
조선, 19세기.
7.7×12.4×9.5cm.
Tobacco case with silver inlay, iron.
Chosŏn Dynasty, 18th century.

97. 철제은입사연초합(鐵製銀入絲煙草盒)
조선, 19세기.
4.7×9.5×5.6cm.
Tobacco case with silver inlay, iron.
Chosŏn Dynasty, 19th century.

98. 쌍룡문연(雙龍紋硯)
조선, 19세기.
17.8×17.8×2.4cm.
Inkstone with paired dragons, stone.
Chosŏn Dynasty, 19th century.

99. 혼백가마(腰輿)
조선.
86.2×73.8×54.3cm, 길이 138.0cm.
Small palanquin for a mortuary table.
Chosŏn Dynasty.
Length 138.0cm.

100. 개미형먹통(蟻形墨筒)
조선.
길이 15.2cm.
Ant-shaped carpenter's inkpot, wood carving.
Chosŏn Dynasty.
Length 15.2cm.

101. 먹통(墨筒)
조선.
길이 14.2cm.
Carpenter's inkpot, wood carving.
Chosŏn Dynasty.
Length 14.2cm.

102. 은입사촛대(銀入絲燭臺)
조선, 19세기.
높이 95.0cm.
Candlestick with silver inlay, iron.
Chosŏn Dynasty, 19th century.
Height 95.0cm.

103. 촛대(燭臺)
조선, 20세기.
높이 44.7cm.
Candlestick.
Chosŏn Dynasty, 20th century.
Height 44.7cm.

104. 등가(燈架)
조선, 19세기.
높이 49.2cm.
Lamp stand, iron.
Chosŏn Dynasty, 19th century.
Height 49.2cm.

105. 백자등가(白瓷燈架)
조선, 18세기.
높이 51.6cm.
Lamp stand, white porcelain.
Chosŏn Dynasty, 18th century.
Height 51.6cm.

106. 지승합(紙繩盒)
조선, 19세기.
높이 13.0cm.
Covered container, paper-string.
Chosŏn Dynasty, 19th century.
Height 13.0cm.

107. 지승발(紙繩鉢)
조선, 19세기.
지름 37.5cm.
Bowl, paper-string.
Chosŏn Dynasty, 19th century.
Diameter 37.5cm.

108. 지승바구니(紙繩籃)
조선, 18세기.
지름 33.4cm.
Basket, paper-string.
Chosŏn Dynasty, 18th century.
Diameter 33.4cm.

109. 반짇고리(縫函)
조선, 19~20세기.
지름 31.3cm.
Sewing box, paper.
Chosŏn Dynasty, 19th-20th century.
Diameter 31.3cm.

110. 빗접(梳函)
조선, 19세기.
19.5×19.3×18.8cm.
Comb box, wood and paper.
Chosŏn Dynasty, 19th century.

111. 빗접(梳函)의 전개(展開)
Comb box in plate No. 110, opened.

112. 반짇고리(縫函)
조선, 19~20세기.
20.3×36.2×35.7cm.
Sewing box, paper.
Chosŏn Dynasty, 19th-20th century.

113. 화각실패(華角絲卷棒)
조선, 19~20세기.
8.8×4.0×1.5cm.
Spool decorated with painted ox-horn sheets, wood.
Chosŏn Dynasty, 19th-20th century.

114. 죽제찬합(竹製饌盒)
조선, 19~20세기.
32.0×18.0×9.0cm.
Food container, bamboo.
Chosŏn Dynasty, 19th-20th century.

115. 떡살(餠製具)
조선, 19세기.
길이 24.8cm.
Rice cake stamps, wood.
Chosŏn Dynasty, 19th century.
Length 24.8cm.

116. 다식판(茶食板)
조선, 19~20세기.
길이 37.8(上), 31.5(下)cm.
Dasik cake molds.
Chosŏn Dynasty, 19th-20th century.
Length 37.8cm(top), 31.5cm(bottom).

117. 다식판(茶食板)
조선, 20세기.
길이 44.3cm.
Dasik cake molds.
Chosŏn Dynasty, 20th century.
Length 44.3cm.

118. 향갑노리개(香匣佩物)
조선, 19세기.
향갑 7.0×5.5×1.7cm.
Pendant with a perfume case ornament.
Chosŏn Dynasty, 19th century.
Perfume case 7.0×5.5×1.7cm.

119. 향갑·투호노리개(香匣·投壺佩物)
조선, 19~20세기.
향갑 4.8×2.8cm, 투호 3.5×1.7×1.2cm.
Pendants with perfume case and tubed jar ornaments.
Chosŏn Dynasty, 19th-20th century.
Perfume case 4.8×2.8cm, tubed jar 3.5×1.7×1.2cm.

120. 바늘집노리개(縫針佩物)
조선, 19~20세기.
길이 5.6~9.2cm.
Pendants with needle case ornaments.
Chosŏn Dynasty, 19th-20th century.
Length 5.6-9.2cm.

121. 단작노리개(單作佩物)
조선, 19~20세기.
길이 14.0(右), 16.7(左)cm.
Pendants with ornaments.
Chosŏn Dynasty, 19th-20th century.
Length 14.0cm(right), 16.7cm(left).

122. 두루주머니(夾囊)와 귀주머니(角囊)
조선, 19~20세기.
길이 9.8(左), 14.2(右)cm.
Decorative purses.
Chosŏn Dynasty, 19th-20th century.
Length 9.8cm(left), 14.2cm(right).

123. 유혜(油鞋)
조선, 19세기.
길이 25.4cm.
Wet-weather shoes, leather.
Chosŏn Dynasty, 19th century.
Length 25.4cm.

124. 태사혜(太史鞋)
조선, 19세기.
길이 22.6cm.
Decorative shoes for men, silk.
Chosŏn Dynasty, 19th century.
Length 22.6cm.

125. 탈, 포도대장(假面, 捕盜大將)
조선, 19세기.
길이 23.5cm.
Mask, *Pododaejang*, police chief, gourd.
Chosŏn Dynasty, 19th century.
Length 23.5cm.

126. 탈, 노장(假面, 老丈)
조선, 19세기.
길이 23.2cm.
Mask, *Nojang*, apostate monk, gourd.
Chosŏn Dynasty, 19th century.
Length 23.2cm.

127. 탈, 연잎(假面, 蓮葉)
조선, 19세기.
길이 22.2cm.
Mask, *Yŏnip*, high priest, gourd.
Chosŏn Dynasty, 19th century.
Length 22.2cm.

128. 탈(假面), 취발이
조선, 19세기.
길이 19.5cm.
Mask, *Ch'wibari*, prodigal, gourd.
Chosŏn Dynasty, 19th century.
Length 19.5cm.

129. 탈, 신할아비(假面, 申祖父)
조선, 19세기.
길이 21.5cm.
Mask, *Sinharabi*, white-bearded old man, gourd.
Chosŏn Dynasty, 19th century.
Length 21.5cm.

130. 탈, 옴중(假面, 疥僧)
조선, 19세기.
길이 26.5cm.
Mask, *Omjung*, monk with scabies, gourd.
Chosŏn Dynasty, 19th century.
Length 26.5cm.

131. 탈, 생원(假面, 生員)
조선, 19세기.
길이 26.5cm.
Mask, *Saengwon*, aristocrat, gourd.
Chosŏn Dynasty, 19th century.
Length 26.5cm.

132. 탈, 완보(假面, 完甫)
조선, 19세기.
길이 23.0cm.
Mask, *Wanbo*, Wanbo monk, gourd.
Chosŏn Dynasty, 19th century.
Length 23.0cm.

133. 탈, 소무(假面, 少巫)
조선, 19세기.
길이 17.5cm.
Mask, *Somu*, young shaman witch, gourd.
Chosŏn Dynasty, 19th century.
Length 17.5cm.

134. 탈, 먹중(假面, 墨僧)
조선, 19세기.

길이 29.0cm.
Mask, *Mŏkjung*, Buddhist monk, paper.
Chosŏn Dynasty, 19th century.
Length 29.0cm.

135. 나무탈(假面)
조선, 19세기.
길이 31.0cm.
Mask, wood.
Chosŏn Dynasty, 19th century.
Length 31.0cm.

136. 수발(水鉢)
조선.
높이 30.2cm.
Bowl, stone.
Chosŏn Dynasty.
Height 30.2cm.

137 철마(鐵馬)
조선.
길이 14.6cm.
Horse, iron.
Chosŏn Dynasty.
Length 14.6cm.

138. 철마(鐵馬)
조선.
길이 20.2cm.
Horse, iron.
Chosŏn Dynasty.
Length 20.2cm.

139. 도자마(陶瓷馬)
조선.
길이 13.2cm.
Horse, porcelain.
Chosŏn Dynasty.
Length 13.2cm.

140. 문자도(文字圖)
조선, 19세기.
종이채색. 각 71.0×37.5cm.
Pictorial representation of the Confucian code of ethics,
eight-panel folding screen.
Anonymous.
Chosŏn Dynasty, 19th century.
Color on paper. Each 71.0×37.5cm.

140-1. 효(孝)
Hyo, filial piety.

140-2. 제(悌)
Che, brotherly love.

140-3. 충(忠)
Ch'ung, loyalty.

140-4. 신(信)
Sin, trust.

140-5. 예(禮)
Yea, courteousness.

140-6. 의(義)
Ŭi, righteousness.

140-7. 염(廉)
Yŏm, integrity.

140-8. 치(恥)
Ch'i, shame.

●소장품목록●
List of Relics

天理大學

天理圖書館
Tenri University Central Library

회 화

번호	명 칭	수량	작 가	시대(세기)	재료·기법	크기(cm)	비	고
1	몽유도원도(夢遊桃源圖)	2	안견(安堅)	조선 1447	비단채색, 색지	38.6×106.2	22人 讚詩	★1～13
2	김치인초상(金致仁肖像)	1		조선 19	비단채색	56.1×41.2	1권	★1
3	홍낙성초상(洪樂性肖像)	1		〃	〃	〃	〃	★2
4	이은초상(李溵肖像)	1		〃	〃	〃	〃	★3
5	정존겸초상(鄭存謙肖像)	1		〃	〃	〃	〃	★4
6	서명선초상(徐命善肖像)	1		〃	〃	〃	〃	★5
7	정홍순초상(鄭弘淳肖像)	1		〃	〃	〃	〃	★6
8	이휘지초상(李徽之肖像)	1		〃	〃	〃	〃	★7
9	이복원초상(李福源肖像)	1		〃	〃	〃	〃	★8
10	조경초상(趙璥肖像)	1		〃	〃	〃	〃	★9
11	이재협초상(李在協肖像)	1		〃	〃	〃	〃	★10
12	유언호초상(兪彦鎬肖像)	1		〃	〃	〃	〃	★11
13	이성원초상(李性源肖像)	1		〃	〃	〃	〃	★12
14	채제공초상(蔡濟恭肖像)	1		〃	〃	〃	〃	★13
15	김종수초상(金鍾秀肖像)	1		〃	〃	〃	〃	★14
16	김이소초상(金履素肖像)	1		〃	〃	〃	〃	★15
17	이병모초상(李秉模肖像)	1		〃	〃	〃	〃	★16
18	윤시동초상(尹蓍東肖像)	1		〃	〃	〃	〃	★17
19	심환지초상(沈煥之肖像)	1		〃	〃	〃	〃	★18
20	서명응초상(徐命膺肖像)	1		〃	〃	〃	〃	★19
21	오재순초상(吳載純肖像)	1		〃	〃	〃	〃	★20
22	정민시초상(鄭民始肖像)	1		〃	〃	〃	〃	★21
23	서유린초상(徐有隣肖像)	1		〃	〃	〃	〃	★22
24	조돈초상(趙暾肖像)	1		〃	〃	〃	〃	★23
25	이제현초상(李齊賢肖像)	1		〃	종이채색	51.2×39.5	2권	★1
26	최치원초상(崔致遠肖像)	1		〃	〃	〃	〃	★2
27	최유선초상(崔惟善肖像)	1		〃	〃	〃	〃	★3
28	김응하초상(金應河肖像)	1		〃	〃	〃	〃	★4
29	안향초상(安珦肖像)	1		〃	비단채색	〃	〃	★5
30	정몽주초상(鄭夢周肖像)	1		〃	〃	〃	〃	★6
31	주세붕초상(周世鵬肖像)	1		〃	〃	〃	〃	★7
32	김시습초상(金時習肖像)	1		〃	〃	〃	〃	★8
33	하연초상(河演肖像)	1		〃	〃	〃	〃	★9
34	하연부인초상(河演夫人肖像)	1		〃	〃	〃	〃	★10
35	임경업초상(林慶業肖像)	1		〃	〃	〃	〃	★11
36	황정욱초상(黃廷彧肖像)	1		〃	〃	〃	〃	★12
37	이덕형초상(李德馨肖像)	1		〃	〃	〃	〃	★13
38	박순초상(朴淳肖像)	1		〃	〃	〃	〃	★14
39	이원익초상(李元翼肖像)	1		〃	〃	〃	〃	★15
40	이후원초상(李厚源肖像)	1		〃	〃	〃	〃	★16
41	김창흡초상(金昌翕肖像)	1		〃	〃	〃	〃	★17
42	김원행초상(金元行肖像)	1		〃	〃	〃	〃	★18
43	초상화(肖像畵)	1		〃	〃	〃	〃	★19
44	이유초상(李濡肖像)	1		〃	〃	〃	〃	★20

번호	명 칭	수량	작 가	시대(세기)	재료·기법	크기(cm)	비	고
45	이여초상(李畲肖像)	1		조선 19	비단채색	51.2×39.5	2권	★21
46	신임초상(申銋肖像)	1		〃	종이채색	〃	〃	★22
47	유척기초상(兪拓基肖像)	1		〃	비단채색	〃	〃	★23
48	이의현초상(李宜顯肖像)	1		〃	〃	〃	〃	★24
49	임방초상(任埅肖像)	1		〃	〃	〃	〃	★25
50	정형복초상(鄭亨腹肖像)	1		〃	〃	〃	〃	★26
51	유복명초상(柳復明肖像)	1		〃	〃	〃	〃	★27
52	조영진초상(趙榮進肖像)	1		〃	〃	〃	〃	★28
53	윤봉조초상(尹鳳朝肖像)	1		〃	〃	〃	〃	★29
54	윤봉오초상(尹鳳五肖像)	1		〃	〃	〃	〃	★30
55	김원택초상(金元澤肖像)	1		〃	〃	〃	〃	★31
56	이지억초상(李之億肖像)	1		〃	〃	〃	〃	★32
57	이천보초상(李天輔肖像)	1		〃	〃	〃	〃	★33
58	이정보초상(李鼎輔肖像)	1		〃	〃	〃	〃	★34
59	이길보초상(李吉輔肖像)	1		〃	〃	〃	〃	★35
60	이철보초상(李喆輔肖像)	1		〃	〃	〃	〃	★35
61	윤양래초상(尹陽來肖像)	1		〃	〃	〃	〃	★37
62	윤급초상(尹汲肖像)	1		〃	〃	〃	〃	★38
63	박문수초상(朴文秀肖像)	1		〃	〃	〃	〃	★39
64	이종성초상(李宗城肖像)	1		〃	〃	〃	〃	★40
65	남유용초상(南有容肖像)	1		〃	〃	〃	〃	★41
66	황경원초상(黃景源肖像)	1		〃	〃	〃	〃	★42
67	김상석초상(金相奭肖像)	1		〃	〃	〃	〃	★42
68	김재찬초상(金載瓚肖像)	1		〃	〃	〃	〃	★43
69	홍상한초상(洪象漢肖像)	1		〃	〃	〃	〃	★44
70	홍낙성초상(洪樂性肖像)	1		〃	〃	〃	〃	★45
71	조중회초상(趙重晦肖像)	1		〃	〃	〃	〃	★46
72	권도초상(權噵肖像)	1		〃	〃	〃	〃	★47
73	윤동도초상(尹東度肖像)	1		〃	〃	〃	〃	★48
74	이후초상(李珝肖像)	1		〃	〃	〃	〃	★49
75	조문명초상(趙文命肖像)	1		〃	〃	〃	〃	★50
76	송인명초상(宋寅明肖像)	1		〃	〃	〃	〃	★51
77	조현명초상(趙顯命肖像)	1		〃	〃	〃	〃	★53
78	조재호초상(趙載浩肖像)	1		〃	〃	〃	〃	★54
79	이덕수초상(李德壽肖像)	1		〃	〃	〃	〃	★55
80	오명항초상(吳命恒肖像)	1		〃	〃	〃	〃	★56
81	한익모초상(韓翼謩肖像)	1		〃	〃	〃	〃	★57
82	민백상초상(閔百祥肖像)	1		〃	〃	〃	〃	★58
83	이창의초상(李昌誼肖像)	1		〃	〃	〃	〃	★59
84	구윤명초상(具允明肖像)	1		〃	〃	〃	〃	★60
85	최유선초상(崔惟善肖像)	1		〃	비단채색	37.0×29.1	3권	★ 1
86	이제현초상(李齊賢肖像)	1		〃	〃	〃	〃	★ 2
87	김상용초상(金尙容肖像)	1		〃	〃	〃	〃	★ 3
88	이유초상(李濡肖像)	1		〃	〃	〃	〃	★ 4

번호	명 칭	수량	작 가	시대(세기)	재료·기법	크기(cm)	비 고	
89	임경업초상(林慶業肖像)	1		조선 19	비단채색	37.0×29.1	3권	★ 5
90	이후원초상(李厚源肖像)	1		〃	〃	〃	〃	★ 6
91	초상화(肖像畵)	1		〃	〃	〃	〃	★ 7
92	송시열(宋時烈肖像)	1		〃	〃	〃	〃	★ 8
93	최치원(崔致遠肖像)	1		〃	〃	〃	〃	★ 9
94	안향(安珦肖像)	1		〃	〃	〃	〃	★10
95	이덕형초상(李德馨肖像)	1		〃	〃	〃	〃	★11
96	황정욱초상(黃廷彧肖像)	1		〃	〃	〃	〃	★12
97	이이명초상(李頤命肖像)	1		〃	〃	〃	〃	★13
98	윤증초상(尹拯肖像)	1		〃	〃	〃	〃	★14
99	조태채초상(趙泰采肖像)	1		〃	〃	〃	〃	★15
100	이건명초상(李健命肖像)	1		〃	〃	〃	〃	★16
101	정호초상(鄭澔肖像)	1		〃	〃	〃	〃	★17
102	이의현초상(李宜顯肖像)	1		〃	〃	〃	〃	★18
103	조문명초상(趙文命肖像)	1		〃	〃	〃	〃	★19
104	김재로초상(金在魯肖像)	1		〃	〃	〃	〃	★20
105	유척기초상(趙拓基肖像)	1		〃	〃	〃	〃	★21
106	조현명초상(趙顯命肖像)	1		〃	〃	〃	〃	★22
107	이천보초상(李天輔肖像)	1		〃	〃	〃	〃	★23
108	민백상초상(閔百祥肖像)	1		〃	〃	〃	〃	★24
109	홍봉한초상(洪鳳漢肖像)	1		〃	〃	〃	〃	★25
110	김치인초상(金致仁肖像)	1		〃	〃	〃	〃	★26
111	조돈초상(趙暾肖像)	1		〃	〃	〃	〃	★27
112	초상화(肖像畵)	1		〃	〃	〃	〃	★28
113	한익모초상(韓翼暮肖像)	1		〃	〃	〃	〃	★29
114	윤양래초상(尹陽來肖像)	1		〃	〃	〃	〃	★30
115	조관빈초상(趙觀彬肖像)	1		〃	〃	〃	〃	★31
116	윤급초상(尹汲肖像)	1		〃	〃	〃	〃	★32
117	남유용초상(南有容肖像)	1		〃	〃	〃	〃	★33
118	박문수초상(朴文秀肖像)	1		〃	〃	〃	〃	★34
119	김창집초상(金昌集肖像)	1		〃	〃	〃	〃	★35
120	김창흡초상(金昌翕肖像)	1		〃	〃	〃	〃	★36
121	박순초상(朴淳肖像)	1		〃	〃	〃	〃	★37
122	이원익초상(李元翼肖像)	1		〃	〃	〃	〃	★38
123	김수항초상(金壽恒肖像)	1		〃	〃	〃	〃	★39
124	황흠초상(黃欽肖像)	1		〃	〃	〃	〃	★40
125	강현초상(姜鋧肖像)	1		〃	〃	〃	〃	★41
126	임방초상(任埅肖像)	1		〃	〃	〃	〃	★42
127	초상화(肖像畵)	1		〃	〃	〃	〃	★43
128	김응하초상(金應河肖像)	1		〃	〃	〃	〃	★44
129	김기종초상(金起宗肖像)	1		〃	〃	〃	〃	★45
130	초상화(肖像畵)	1		〃	〃	〃	〃	★46
131	정몽주초상(鄭夢周肖像)	1		〃	〃	〃	〃	★47
132	이색초상(李穡肖像)	1		〃	〃	〃	〃	★58

번호	명 칭	수량	작 가	시대(세기)	재료·기법	크기(cm)	비	고
133	황희초상(黃喜肖像)	1		조선 19	비단채색	37.0×29.1	3권	★49
134	하연초상(河演肖像)	1		〃	〃	〃	〃	★50
135	김시습초상(金時習肖像)	1		〃	〃	〃	〃	★51
136	주세붕초상(周世鵬肖像)	1		〃	〃	〃	〃	★52
137	조경초상(趙璥肖像)	1		〃	〃	〃	〃	★53
138	초상화(肖像畵)	1		〃	〃	〃	〃	★54
139	김재찬초상(金載瓚肖像)	1		〃	〃	〃	〃	★55
140	한용구초상(韓用龜肖像)	1		〃	〃	〃	〃	★56
141	석성초상(石星肖像)	1		〃	〃	〃	〃	★57
142	이여송초상(李如松肖像)	1		〃	〃	〃	〃	★58
143	이창수초상(李昌壽肖像)	1		〃	종이채색	50.1×35.1	4권	★1
144	김상적초상(金尙迪肖像)	1		〃	〃	〃	〃	★2
145	초상화(肖像畵)	1		〃	〃	〃	〃	★3
146	김한철초상(金漢喆肖像)	1		〃	〃	〃	〃	★4
147	초상화(肖像畵)	1		〃	〃	〃	〃	★5
148	김면행초상(金勉行肖像)	1		〃	〃	〃	〃	★6
149	초상화(肖像畵)	1		〃	〃	〃	〃	★7
150	남태제초상(南泰齊肖像)	1		〃	〃	〃	〃	★8
151	조영록초상(趙榮祿肖像)	1		〃	〃	〃	〃	★9
152	초상화(肖像畵)	1		〃	〃	〃	〃	★10
153	이삼초상(李森肖像)	1		〃	〃	〃	〃	★11
154	이중경(李重庚肖像)	1		〃	비단채색	〃	〃	★12
155	초상화(肖像畵)	1		〃	종이채색	〃	〃	★13
156	초상화(肖像畵)	1		〃	〃	〃	〃	★14
157	초상화(肖像畵)	1		〃	〃	〃	〃	★15
158	고몽성초상(高夢聖肖像)	1		〃	〃	〃	〃	★16
159	초상화(肖像畵)	1		〃	〃	〃	〃	★17
160	초상화(肖像畵)	1		〃	〃	〃	〃	★18
161	초상화(肖像畵)	1		〃	〃	〃	〃	★19
162	초상화(肖像畵)	1		〃	〃	〃	〃	★20
163	초상화(肖像畵)	1		〃	〃	〃	〃	★21
164	초상화(肖像畵)	1		〃	〃	〃	〃	★22
165	초상화(肖像畵)	1		〃	〃	〃	〃	★23
166	초상화(肖像畵)	1		〃	〃	〃	〃	★24
167	초상화(肖像畵)	1		〃	〃	〃	〃	★25
168	초상화(肖像畵)	1		〃	〃	〃	〃	★26
169	초상화(肖像畵)	1		〃	〃	〃	〃	★27
170	초상화(肖像畵)	1		〃	〃	〃	〃	★28
171	어유룡초상(魚有龍肖像)	1		〃	〃	〃	〃	★29
172	초상화(肖像畵)	1		〃	〃	〃	〃	★30
173	초상화(肖像畵)	1		〃	〃	〃	〃	★31
174	초상화(肖像畵)	1		〃	〃	〃	〃	★32
175	초상화(肖像畵)	1		〃	〃	〃	〃	★33
176	초상화(肖像畵)	1		〃	〃	〃	〃	★34

번호	명 칭	수량	작 가	시대(세기)	재료·기법	크기(cm)	비	고
177	초상화(肖像畵)	1		조선 19	종이채색	50.1×35.1	4권	★35
178	초상화(肖像畵)	1		〃	〃	〃	〃	★36
179	초상화(肖像畵)	1		〃	〃	〃	〃	★37
180	초상화(肖像畵)	1		〃	〃	〃	〃	★38
181	초상화(肖像畵)	1		〃	〃	〃	〃	★39
182	초상화(肖像畵)	1		〃	〃	〃	〃	★40
183	초상화(肖像畵)	1		〃	〃	〃	〃	★41
184	초상화(肖像畵)	1		〃	〃	〃	〃	★42
185	초상화(肖像畵)	1		〃	〃	〃	〃	★43
186	초상화(肖像畵)	1		〃	〃	〃	〃	★44
187	정수기초상(鄭壽基肖像)	1		〃	〃	〃	〃	★45
188	초상화(肖像畵)	1		〃	〃	〃	〃	★46
189	송창명초상(宋昌明肖像)	1		〃	〃	〃	〃	★47
190	황흠초상(黃欽肖像)	1		〃	〃	〃	〃	★48
191	강현초상(姜鋧肖像)	1		〃	비단채색	〃	〃	★49
192	초상화(肖像畵)	1		〃	〃	〃	〃	★50
193	김우항초상(金宇杭肖像)	1		〃	〃	〃	〃	★51
194	남구만초상(南九萬肖像)	1		〃	종이채색	〃	〃	★52
195	이주진초상(李周鎭肖像)	1		〃	비단채색	〃	〃	★53
196	이경호초상(李景祜肖像)	1		〃	〃	〃	〃	★54
197	심수초상(沈鏽肖像)	1		〃	〃	〃	〃	★55
198	초상화(肖像畵)	1		〃	〃	〃	〃	★56
199	김재로초상(金在魯肖像)	1		〃	〃	〃	〃	★57
200	김치인초상(金致仁肖像)	1		〃	〃	〃	〃	★58
201	조돈초상(趙暾肖像)	1		〃	〃	〃	〃	★59
202	송재경초상(宋載經肖像)	1		〃	〃	〃	〃	★60

•소장품목록•
List of Relics

天理大學
天理參考館
Tenri University Sankokan Museum

토기 · 도자기

번호	명칭	수량	출토지	시대(세기)	재료 · 기법	크기(cm)	유물번호	비고
1	즐문도기(櫛紋陶器)	1	沙下面 遺蹟地		片	길이 21.2	SN 5	
2	삼이도기호(三耳陶器壺)	1	百濟地域			높이 15.5	33-44	
3	각배형도기(角杯形陶器)	1				높이 20.5	朝 171	
4	도기영락부장경호(陶器瓔珞附長頸壺)	1				높이 9.8	朝 191	
5	도기소형대부호(陶器小型臺附壺)	1				높이 9.8	朝 238	
6	도기소형대부호(陶器小型臺附壺)	1				높이 14.7	朝 169	
7	도기주구부호(陶器注口附壺)	1		가야 5~6		높이 11.9	朝 170	
8	도기각배(陶器角杯)	1				길이 20.5	朝 174	★39
9	도기령부배(陶器鈴附杯)	1		가야 5		높이 13.1	朝 172	★25
10	도기소형원저호(陶器小型圓底壺)	1		가야 5~6		높이 7.9	朝 247	
11	도기개부고배(陶器蓋附高杯)	1				몸높이 12.0, 뚜껑높이 6.6	朝 276	
12	도기고배(陶器高杯)	1				높이 18.2	朝 175	
13	도기고배형촉대(陶器高杯形燭臺)	1				높이 18.0	朝 176	
14	도기원저옹(陶器圓底甕)	1				높이 22.5		
15	도기적색원저옹(陶器赤色圓底甕)	1				높이 18.1	朝 184	
16	도기대형양이부호(陶器大形兩耳附壺)	1				높이 54.8	朝 326	
17	도기개부고배(陶器蓋附高杯)	1				높이 7.1, 뚜껑높이 5.3		
18	도제횡적(陶製橫笛)	1	慶州 부근	통일신라 8		길이 39.8	37-413	★47
19	도기합형호(陶器盒形壺)	1	慶州			높이 11.0	朝 233	
20	도기완형도기(陶器盌形陶器)	2				높이 7.7, 6.6	朝 299, 朝 300	
21	도기합형골호(陶器盒形骨壺)	1				높이 35.3	朝 230	
23	도기「순화공」명호(陶器「順和公」銘壺)	1				높이 11.6		
24	도기장경병형호(陶器長頸瓶形壺)	1				높이 14.7	朝 311	
25	도기고배(陶器高杯)	1		가야 5~6		높이 15.9		★24
26	도기이부배(陶器耳附杯)	1		〃		높이 18.2		★29
27	도기기대(陶器器臺)	1		〃		높이 9.8		★40
28	도기주구부호(陶器把手附壺)	1		〃		높이 9.8		★36
29	도기파수부호(陶器注口附壺)	1		〃		높이 11.9		★37
30	도기파수부잔(陶器把手附蓋)	1		〃	口緣部外反	높이 6.5	B239	★26
31	도기파수부잔(陶器把手附蓋)	1		〃	櫛齒狀列點文	높이 10.0	B241	★27
32	도기파수부호(陶器把手附壺)	1		〃	耳形把手	높이 14.6	B162	
33	도기영락부심배(陶器瓔珞附深杯)	1		〃	鈴中空에 玉	높이 13.4	B172	
34	도기유개고배(陶器有蓋高杯)	1		〃	環狀線刻	높이 15.9	B178	
35	도기기대(陶器器臺)	1		〃	上段菱形押壓	높이 29.6	B188	★30
36	도기수식부장경호(陶器垂飾附長頸壺)	1		〃	灰墨色	높이 28.2	B191	★32
37	도기대부삼이발(陶器臺附三耳鉢)	1		〃	半球形 · 口緣部內灣	높이 18.7	B175	
38	도기사문장경호(陶器蛇紋長頸壺)	1		〃	口緣部圓筒形	높이 18.1	B185	★31
39	도기인화문합(陶器印花紋盒)	1		통일신라 8	菱形紋	높이 35.4	B230	★35
40	도기인화문합(陶器印花紋盒)	1		〃	灰墨色	높이 11.2	B297	★34
41	도기인화문합(陶器印花紋盒)	1		통일신라 7	蓋頂部寶珠形	높이 11.1	B232	★33

번호	명　　칭	수량	출토지	시대(세기)	재료 · 기법	크기(cm)	유물번호	비　　　고
42	도기호(陶器壺)	1		삼국 3~4		높이 24.2		★43
43	도기호(陶器壺)	1		삼국		높이 22.5		
44	도기광구장경호(陶器廣口長頸壺)	1		〃		높이 35.9		
45	도기장경호(陶器長頸壺)	1		〃		높이 27.0		
46	도기호(陶器壺)	1		삼국 3~4		높이 12.8		
47	도기단경호(陶器短頸壺)	1		삼국 4~5		높이 26.5		★44
48	대부장경호(臺附長頸壺)	1		〃		높이 29.7		
49	대부장경호(臺附長頸壺)	1		〃		높이 25.7		
50	대부장경호(臺附長頸壺)	1		〃		높이 34.5		
51	도기대부장경호(陶器臺附長頸壺)	1		삼국 5~6		높이 25.7		★41
52	도기대부장경호(陶器臺附長頸壺)	1		〃		높이 25.0		★42
53	소형기대(小形器臺)	1		삼국		높이 18.0		
54	고배(高杯)	1		〃		높이 14.2		
55	고배(高杯)	1		〃		높이 15.0		
56	도기호(陶器壺)	1		고려 12~13		높이 11.5		★51
57	고배(高杯)	1		삼국		높이 11.9		
58	뚜껑(蓋)	1		〃		높이 5.2		
59	뚜껑(蓋)	1		〃		높이 4.1		
60	뚜껑(蓋)	1		〃		높이 6.5		
61	뚜껑(蓋)	1		〃		높이 6.0		
62	뚜껑(蓋)	1		〃		높이 4.6		
63	뚜껑(蓋)	1		〃		높이 4.8		
64	뚜껑(蓋)	1		〃		높이 5.9		
65	뚜껑(蓋)	1		〃		높이 6.1		
66	원저호(圓底壺)	1		〃	小形	높이 8.0		
67	원저호(圓底壺)	1		〃	〃	높이 7.7		
68	평저호(平底壺)	1		〃	〃	높이 6.0		
69	대부배(臺附杯)	1		〃		높이 6.1		
70	대부호(臺附壺)	1		〃		높이 5.8		
71	도기양파수부완(陶器兩把手附盌)	1		삼국 5~6		높이 17.8		★38
72	도기파수부잔(陶器把手附盞)	1		가야 5~6	〃	높이 9.7		★28
73	파수부완(把手附盌)	1		삼국		높이 9.7		
74	파수부완(把手附盌)	1		〃		높이 9.9		
75	영락부심배(瓔珞附深杯)	1		〃		높이 13.1		
76	토우(土偶)	1		〃		높이 24.9		
77	도기인화문합(陶器印花紋盒)	1		통일신라 8		높이 18.7		★48
78	도기인화문합(陶器印花紋盒)	1		통일신라 7		높이 22.3		★49
79	도기인화문호(陶器印花紋壺)	1		통일신라 8		높이 19.4		★46
80	도기인화문합(陶器印花紋盒)	1		〃		높이 22.7		★50
81	고배(高杯)	1		〃		높이 7.2		
82	회유인화문호(灰釉印花紋壺)	1		〃		높이 10.5		
83	도기양이대호(陶器兩耳大壺)	1		삼국 5		높이 54.8		★45
84	도자마(陶瓷馬)	1		조선		높이 7.2, 길이 13.2		★139

번호	명 칭	수량	출토지	시대(세기)	재료·기법	크기(cm)	유물번호	비 고
85	도기소호(陶器小壺)	1		조선 19	양념단지	높이 16.7		
86	철유도기(鐵釉陶器)	1		20세기 후기	독	높이 59.0, 입지름 37.0		
87	도기장군(陶器獐本)	1		조선 19		높이 36.6, 길이 38.2, 지름 31.0		★68
88	도기매병(陶器梅瓶)	1		고려 13		높이 30.9		★52
89	정병(淨瓶)	1		고려		높이 23.2		
90	정병(淨瓶)	1		〃		높이 27.1		
91	항아리(壺)	1		〃		높이 28.4		
92	항아리(壺)	1		〃		높이 9.2		
93	청자상감운학문대접(靑瓷象嵌雲鶴紋大接)	1		고려 14	飯器	높이 6.0, 지름 22.1	07183	★54
94	청자발(靑瓷鉢)	1		고려		높이 6.0, 입지름 16.5	971	島四龍 기증
95	청자배대부(靑瓷杯臺附)	2		〃		잔높이 4.5, 입지름 8.0, 받침높이 2.3, 지름 14.5	973	
96	흑유편병(墨釉扁瓶)	1		고려	天目釉藥	높이 23.5, 지름 18.7		★53
97	분청자인화문합(粉靑瓷印花紋盒)	1		조선 15		높이 10.7, 지름 15.0		★55
98	백자철화운룡문항아리(白瓷鐵畵雲龍紋壺)	1		조선 17	祭器	높이 27.8, 지름 31.8		★56
99	백자청화팔각주자(白瓷靑畵八角注子)	1		조선	祭玄酒瓶銘	높이 33.4, 지름 19.2		
100	백자청화국화문병(白瓷靑畵菊花紋瓶)	1		조선 19		높이 19.0, 몸지름 13.0		★57
101	백자청화운룡문연적(白瓷靑畵雲龍紋硯滴)	1		조선 18		높이 9.0, 지름 13.4		★59
102	백자동화화문사각연적 (白瓷銅畵花紋四角硯滴)	1		조선 19	五曜紋	높이 2.4, 가로 5.3, 세로 7.2		★58
103	백자약연(白瓷藥碾)	1		〃		높이 7.2, 길이 27.5		★62
104	백자제기(白瓷祭器)	1		〃	供養器	높이 9.5, 21.6×15.7	82-238	
105	백자향로(白瓷香爐)	1		〃	朱點	높이 10.2, 몸지름 9.3		
106	백자향합(白瓷香盒)	1		〃		높이 3.0, 지름 5.0		
107	백자투각호문필통(白瓷透刻虎紋筆筒)	1		〃		높이 11.8, 지름 10.2		★60

번호	명 칭	수량	출토지	시대(세기)	재료·기법	크기(cm)	유물번호	비 고
108	백자유병(白瓷油甁)	1		조선 19		높이 23.2, 지름 13.0		
109	백자제기(白瓷祭器)	2		〃		① 높이 5.8, 지름 15.0		★63
						② 높이 9.3, 지름 19.8		★64
110	백자제기탁잔(白瓷祭器托盞)	1		조선 14	盞	높이 9.0, 최대지름 10.8		★65
111	백자제기탕기(白瓷祭器湯器)	1		조선 19	湯器	높이 10.0, 입지름 12.6		★66
112	백자제기향로(白瓷祭器香爐)	1		〃	祭器	높이 7.8, 지름 11.0		★67
113	백자강판(白瓷薑板)	1		〃		총길이 14.8		
114	백자떡살(白瓷餅製具)	2		〃		① 높이 5.6, 지름 6.5	82-237	
						② 총길이 5.3, 지름 6.5	83-648	
115	석간주옹(石間硃甕)	1		조선 후기		높이 9.5, 지름 10.4		
116	물동이(水甕)	1		20세기 초		높이 30.0, 지름 31.5		
117	자라병(鼈甁)	1		조선 후기	紙繩網	총길이 23.3, 몸지름 21.5, 바닥지름 15.2		
118	백자등가(白瓷燈架)	1		조선 18		높이 51.6		★105
119	백자떡살(白瓷餅製具)	3		조선 19		높이 5.0, 3.8, 5.2, 지름 6.4		★61

장신구

번호	명 칭	수량	시대(세기)	재료·기법	크기(cm)	유물번호	비 고
120	용두비녀(龍簪)	1	조선 19	白銅·中空	길이 31.4	00723	
121	용두비녀(龍簪)	1	조선 후기	白銅	길이 31.4		
122	매죽잠(梅竹簪)	1	〃		길이 14.6		
123	빗치개	3	〃	銀·靑銅·白銅	길이 16.8,13.5,15.6		
124	불두잠(佛頭簪)	1	고려	朱錫	길이 7.8		
125	동곳	2	조선 20 초	玉	길이 5.8, 5.4		
126	국화잠(菊花簪)	1	조선 후기	白銅	길이 14.5		
127	뒤꽂이	1	〃	合金	길이 7.8		
128	화접(花蝶)뒤꽂이	1	〃	〃	길이 9.0		
129	귀이개	1	〃	〃	길이 8.6		
130	장도(粧刀)	1	〃	銀製象嵌	길이 17.7	82-225	
131	장도(粧刀)	1	〃	白銅	길이 15.4	82-226	
132	향갑노리개(香匣佩物)	1조	조선 19	白銅·綵絲	7.0×5.5×1.7	82-227	★118
133	향낭노리개(香囊佩物)	1조	〃	具鼓	길이 4.7×3.5, 두께 1.2	82-229	
134	요식전패(腰飾錢佩)		조선 초기	靑銅錢	길이 47.0	30242	
135	단작노리개(單作佩物)	1조	조선 19~20	천·명주	길이 14.0, 16.7		★121
136	바늘집노리개(縫針佩物)	1조	〃	白銅·紙	길이 5.6~ 9.2		★120
137	귀주머니(角囊)	1	〃	천·명주	길이 9.8		★122
138	두루주머니(夾囊)	1	〃	〃	길이 14.2		★122
139	안경	1	〃	대모·연수정	지름 5.2		
140	안경집	1	〃	木·상어껍질	길이 16.5, 너비 6.8		
141	향갑·투호노리개(香匣·投壺佩物)	1조	〃		향갑 4.8×2.8, 투호 3.5×1.7×1.2		★119

목공예

번호	명 칭	수량	시대(세기)	재료·기법	크기(cm)	유물번호	비 고
142	화각경대(華角鏡臺)	1	조선 17	彩繪裝飾	12.5×22.4×16.8	84-755	
143	십이우족고반(十二隅足高盤)	1	조선 19		높이24.2,지름49.6	82-240	
144	혼백가마(腰輿)	1	조선		86.2×73.8×54.3	84-486	★ 99
145	사랑장(舍廊欌)	1	조선 17~18		73.5×87.8×40.0	82-483	
146	나전산수문이층농(螺鈿山水紋二層籠)	1	조선 19		55.7×69.8×36.3	02160, 02161	★ 89
147	화각실패(華角絲券棒)	1	조선 19~20		8.8×4.0×1.5		★113
148	반짇고리(縫函)	1	조선 후기	木·紙	높이11.7,35.1×29.4		
149	대모의걸이장(玳瑁衣欌)	1	조선	〃	146.5×93.2×42.3		★ 91
150	주칠이층농(朱漆二層籠)	1	〃	〃	116.5×69.5×32.0		
151	지장(紙欌)	1	〃		102.5×98.0×44.0		
152	반닫이	1	조선 후기		47.4×96.3×43.5		
153	안석(案席)	1	〃	刺繡裝飾	높이 49.3, 폭 48.7, 두께 11.7		
154	사방침(四方枕)	1	〃		25.0×25.0×25.0		
155	죽제찬합(竹製饌盒)	1	조선 19~20		32.0×18.0×9.0		★114
156	자개퇴침(螺鈿退枕)	1	조선 후기		높이 9.4, 폭 24.3		
157	수베개(繡枕)	1	〃		높이14.0, 20.2×9.2		
158	베갯모	1조	〃	吉詳紋	지름12.3, 두께1.2		
159	자수(刺繡)베갯모	1조	〃		지름13.5, 두께0.8		
160	빗접(梳函)	1	조선 19	木·紙	19.5×19.3×18.8		★110·111
161	먹물통(墨筒)	2	〃	白銅	높이 4.5, 4.0,		
162	지통(紙筒)	1	〃	繪飾·八隅	높이15.3, 지름17.2		
163	삼연필통(三連筆筒)	1	〃	竹角	높이 7.4		
164	고비(考備)	1	〃	竹	높이 54.5, 폭 18.2		
165	약장(藥欌)	1	〃		122.0×92.0×28.7		★ 93
166	책상반(冊床盤)	1	조선 20 초	木	높이26.2, 48.3×3.7		
167	공고상(公故床)	1	조선 후기	〃	높이28.5, 지름46.4		
168	목침(木枕)	2	〃	접힘	높이 15.8, 10.5		
169	촛대(燭臺)	1	〃	芭草扇	높이43.0, 지름22.5		
170	등가(燈架)	1	〃	木	높이55.2, 지름27.8		
171	등가(燈架)	1	〃	朱錫	높이21.2, 지름9.7		
172	등가(燈架)	1	〃		높이 7.6, 바닥지름 6.7, 폭 13.7		
173	제등(提燈)		〃		높이 32.0, 폭 13.2		
174	도시락(饌盒)		〃	竹骨	높이21.5, 지름38.4		
175	상자(箱子)	1	〃	〃	높이12.5,30.3×30.3		
176	개미형먹통(蟻形墨筒)	1	조선		길이 15.2		★100
177	어피함(漁皮函)	1	조선 18		15.8×40.3×20.7		★ 94
178	관복함(冠服函)	1	조선 19		29.5×63.2×38.5		★ 95
179	뒤주	1	조선 후기	木	109.4×105.5×73.0		
180	솔	2	조선 20 초	종려나무	길이 23.0, 20.8		
181	죽부인(竹夫人)	1	조선 후기		길이124.0, 지름19.5		
182	먹통(墨筒)	1	조선		길이 14.2, 폭 5.6		★101
183	죽침(竹枕)	2	조선 후기		14.5×10.0×7.8		

번호	명 칭	수량	시대(세기)	재료·기법	크기(cm)	유물번호	비 고
184	목침(木枕)	2	조선 후기		①15.0×12.0×7.2		
					②13.8×9.5×5.8		
185	지승안침(紙繩按枕)	1	〃		길이 38.0		
186	다식판(茶食板)	2	조선 19~20	木刻	①37.8×6.7×3.4		★116
					②31.5×5.6×3.7		
187	다식판(茶食板)	1	조선 20	〃	길이 44.3, 최대폭 8.8, 두께 4.6		★117
188	목각상(木刻像)	1	〃	석재조각가채	높이 29.5		★ 77
189	목각상(木刻像)	1	〃	목조가채	높이 17.5		★ 76
190	삼불선(三佛扇)	1	〃		높이 31.3		
191	전통(箭筒)	2	조선				
192	활(弓)	1	〃		길이 119.3		★ 81
193	화살통(箭筒)	1	〃	竹製	길이 99.3		★ 81
194	오엽선(梧葉扇)	1	조선 20 초		길이 40.0, 폭 28.4		
195	세미선(細尾扇)	1	〃				
196	나무탈(假面)	1	조선 19	木	길이 31.0		★135
197	반짇고리	1	〃	버드나무	높이21.5, 너비41.3		
198	태극문상자(太極紋箱子)	1	〃	竹骨	높이21.5, 21.2×40.3		
199	담뱃대	3	조선 20 초	白銅·竹	길이 79.7		
200	등등거리	1	조선 후기		몸길이 44.0		
201	토시(吐手)	4	〃	말갈기·竹	길이 17.3, 18.5, 18.0, 15.8		
202	나막신(木鞋)		조선 20 초		높이15.2, 길이26.8, 너비 9.3		
203	주걱	1	〃	木	총길이 49.1, 너비 17.4		
204	조리(笊籬)		〃	竹	길이 35.8		
205	광주리		〃	싸리	높이 11.5, 입지름 32.0		
206	모시저울(小稱)	1	조선 후기	竹·石	저울대길이 26.5, 추지름 7.7		
207	장고(長鼓)	1		木·皮革	총길이 69.5, 지름 41.8		
208	골패(骨牌)	1	조선 20 초	木	5.0×2.2, 두께 0.8		
209	윷		〃	〃	길이 18.3, 폭 2.2		
200	가야금(伽倻琴)	1	조선 후기		길이 153.0, 폭 23.5		
211	해금(奚琴)		조선 20 초		높이 69.5		
212	귀형화약통(龜形火藥筒)		조선	木·옻漆	총길이19.7, 폭10.3		
213	칠관(漆棺)		조선 20 초		높이 32.5, 길이 169.5, 폭 43.0		
214	점통(占筒)		조선 후기	〃	높이 4.3, 길이 7.8, 폭 5.0		
215	표주박		〃	박	높이4.6, 입지름15.2		
216	거미먹통(蜘蛛墨筒)		〃	木	길이 115.2, 폭 5.6		

번호	명 칭	수량	시대(세기)	재료·기법	크기(cm)	유물번호	비 고
217	선추(扇錘)		조선	木	3.6×3.0, 두께 1.4		
218	소달구지(牛車)	1	조선 20 초	木造·鐵輪	길이 175.5		
219	기러기(木雁)	1	조선 후기	彩色	높이 25.6, 총길이 32.3		
220	장승(長柱)	2	조선	木	높이 257.0, 225.0	00870, 00871	全羅道 産
221	대륜선(大輪扇)	1	조선 19	竹骨·紙	총길이 39.2, 길이 53.5	00834	
222	기러기(木雁)	1	〃	木	총길이 25.6, 길이 27.0	82-233	
223	손등(手燈)	1	〃	竹骨·紙	총길이 54.0, 지름 24.6	83-631	
224	다식판(茶食板)	1	조선 19~20	木	총길이31.5, 폭5.2, 두께 3.7	82-243	
225	떡살(餠製具)	2		〃	①길이7.7, 지름5.0 ②길이25.2, 폭6.7	82-327 83-328	
226	연봉촛대(蓮峰燭臺)	1	조선 후기	木·彩色	높이44.7, 지름24.5		
227	최영장군상(崔瑩將軍像)	1	조선 20	木	높이 41.2		★ 78
228	남녀목각상(男女木刻像)	1쌍	고려		높이 28.8		★ 79
229	장승(長柱)	1	조선 20	〃	높이 227.0		★ 75
230	떡살(餠製具)	1	조선 19	〃	길이 24.8		★115
231	탈, 포도대장(假面, 捕盜大將)	1	〃	박	길이 23.5		★125
232	탈, 연잎(假面, 蓮葉)	1	〃	〃	길이 22.2		★127
233	탈, 신할아비(假面, 申祖父)	1	〃	〃	길이 21.5		★129
234	탈(假面), 취발이	1	〃	〃	길이 19.5		★128
235	탈, 생원(假面, 生貝)	1	〃	〃	길이 26.5		★131
236	탈, 완보(假面, 完甫)	1	〃	〃	길이 23.0		★132
237	탈, 옴중(假面, 疥僧)	1	〃	〃	길이 26.5		★130
238	탈, 노장(假面, 老丈)	1	〃	〃	길이 23.2		★126
239	탈, 소무(假面, 小坐)	1	〃	〃	길이 17.5		★133
240	경봉(警棒)	1	조선	木	길이 43.0		

금속공예

번호	명 칭	수량	시대(세기)	재료·기법	크기(cm)	유물번호	비 고
241	철제은입사연초합(鐵製銀入絲煙草盒)	1	조선 19	鐵·銀	7.7×12.4×9.5	82-232	★ 96
242	철제은입사연초합(鐵製銀入絲煙草盒)	1	〃		4.7×9.5×5.6		★ 97
243	범자문청동경(梵字紋靑銅鏡)	1	조선 후기	梵語6字	지름 31.4		
244	백동화로(白銅火爐)	1	〃	白銅	높이 23.8, 지름 28.5		
245	은입사촛대(銀入絲燭臺)	1	조선 19	鐵·銀入絲	높이 95.0	12136	★102
246	유연대(有煙臺)	1	조선 후기	黃銅	길이 15.0, 23.4		
247	담뱃대걸이(煙草臺)	1	〃	白銅	높이 5.4, 대 6.8		
248	담뱃대걸이(煙草臺)	1	〃	〃	높이 2.8, 지름 12.5		
249	재떨이(灰臺)	1	조선 20 초	鐵	높이 7.8, 지름 32.8		
250	철연(鐵硯)	1	〃	〃	높이11.0, 8.5×13.7		
251	자물쇠(鎖子)	3	조선 후기	鐵·銅	길이 15.0,12.3,14.5		
252	다리미	2	〃	鐵·木柄·滑石	길이 40.0, 48.2		
253	인두	1	〃	黃銅·木柄	길이 31.8		
254	쌍룡(雙龍)열쇠패	1	조선	鐵	지름 12.7		★ 85
255	봉황(鳳凰)열쇠패	1	〃	〃	지름 14.4		★ 86
256	요강	1	조선 20 초	銅	높이 8.5, 지름 14.3		
257	철마(鐵馬)	1	조선		높이 4.8, 길이 14.6		★137
258	철마(鐵馬)	1	〃		높이 8.8, 길이 13.2		
259	철마(鐵馬)	1	〃		길이 20.2		★138
260	촛대(燭臺)	1	조선 20		높이 44.7		★103
261	별전(別錢)	1	조선		높이 47.0		★ 83
262	별전(別錢)	1	조선 중기		높이 48.5		★ 84
263	징(鉦)	1	조선 20 초	〃	지름 37.4, 두께 8.2		
264	마패(馬牌)	1	조선 후기	靑銅	지름 9.6, 두께 0.8		
265	쇠도리깨(鐵鞭)	1	조선 중기		길이 44.4		
266	등가(燈架)	1	조선 19	鐵	높이 49.2		★104

금속공예 외

번호	명 칭	수량	시대(세기)	출토지	크기(cm)	유물번호	비 고
267	동검(銅劍)	1	초기철기		길이 19.8	40-237	★ 2
268	동검(銅劍)	1			길이 34.7	36-195	
269	동촉(銅鏃)	2	〃		길이 5.7, 5.5	40-242	★ 3
270	마제석촉(磨製石鏃)	2			길이 8.5, 10.1	40-238	
271	마탁(馬鐸)	1			길이 4.5	40-244	
272	마탁(馬鐸)	2			길이 3.6, 3.1	40-243	
273	금동제개궁모(金銅製蓋弓帽)	5			길이 3.2~3.3	40-239	
274	내행화문동경(內行花紋銅鏡)	1		平壤 부근 樂浪墓	지름 21.7	36-215	
275	경(鏡)	1		〃	지름 11.4	36-214	
276	방격규구사신동경(方格規矩四神銅鏡)	1		〃	지름 13.7	36-212	
277	금동장철검(金銅裝鐵劍)	1		〃	지름 45.0	36-208	
278	당초문선각칠도이배(唐草紋線刻漆塗耳杯)	1		〃	길이 14.3	37-402	
279	용문채화칠도반(龍紋彩畵漆塗盤)	1		〃	지름 22.3	36-209	
280	용문채화칠도반(龍紋彩畵漆塗盤)	4		〃	길이 20.5, 22.5, 22.6, 23.1	37-29, 37-30	
281	동제증(銅製甑)	1조		〃	높이 37.0	中 36·37	
282	호형도기(壺形陶器)	1		〃	높이 33.2	朝 193	
283	금동제투각금관(金銅製透刻金冠)	1벌	삼국	平壤 부근	높이 14.2	067-131	★16·17
284	금제태환이식(金製太環耳飾)	1벌	〃	慶尙南道	길이 7.2	朝 7	★11·12
285	금제태환이식(金製太環耳飾)	1벌			길이 6.4	朝 8	
286	금제세환이식(金製細環耳飾)	1벌			길이 6.8	朝 14	王·附 ★14
287	금제세환이식(金製細環耳飾)	1벌		〃	길이 5.9	朝 11	★13
288	금제세환이식(金製細環耳飾)	2벌		〃	길이 7.0, 8.0	朝 12, 朝 10	★15
289	동제마형대구(銅製馬形帶具)	3	〃		길이 9.9, 8.6, 8.9	40-125, 40-129, 40-130	★ 5
290	은제대금구(銀製帶金具)	3	〃	慶尙北道	길이 6.0	朝 16	★19
291	은제요식(銀製腰飾)	1			길이 68.8	36-198	
292	금동제환두병두(金銅製環頭柄頭)	3			길이 10.9, 5.2, 6.4	40-255, 40-257	
293	철촉(鐵鏃)	6	초기철기	扶餘古墳	길이 13.9, 11.2, 11.1, 13.0, 12.0, 9.3	朝 322, 朝 331	★ 4
294	철부(鐵斧)	1		慶尙南道	길이 21.2	朝 749	
295	금동제경판(金銅製鏡板)	1		〃	길이 10.5	朝 746	馬具
296	철제재갈(鐵製銜)	1	삼국	〃	길이 35.0	40-267	〃 ★ 6
297	철제검릉형행엽(鐵製劍菱形杏葉)	4		〃	길이 26.5, 27.5	朝 747	〃 ★ 8
298	금동운주(金銅雲珠)	1	〃		길이 19.9	朝 23	〃 ★ 7
299	금구(金具)	5			길이 12.6, 17.9, 17.3, 12.6, 12.1	朝 745, 朝 26, 朝 25, 朝 744, 朝 24	〃
300	청동대금구(靑銅帶金具)	3			길이 3.3~3.4	朝 36~38	
301	청동대금구(靑銅帶金具)	2			길이 3.0, 2.8	朝 39, 朝 40	
302	청동제대금구(靑銅製帶金具)	2			길이 6.4, 9.04	朝 34, 朝 33	
303	금동제대금구(金銅製帶金具)	1조	고려 12~13		길이 10.0	朝 31·32	7點 ★18
304	황동용문금구(黃銅龍紋金具)	3			길이 7.2, 6.7, 6.9	朝 28, 朝 29, 朝 30	
305	청동체도(靑銅剃刀)	2		開城 부근	길이 9.2, 10.5	朝 57, 朝 59	
306	청동모발구(靑銅毛拔具)	4			길이 6.8, 8.5, 8.9, 11.2	朝 50~53	
307	청동이소(靑銅耳搔)	1			길이 7.5	朝 227	

번호	명 칭	수량	시대(세기)	출토지	크기(cm)	유물번호	비 고
308	청동차자(靑銅釵子)	8		開城 부근	길이 5.3, 5.3, 5.6, 7.5, 7.7, 7.9, 8.0, 15.6	朝 44~49, 朝 65 · 66	
309	동제수저(銅製匙箸)	1조	고려 12~13	〃	길이 26.2	朝 64	★21
310	황동시(黃銅匙)	4		〃	길이 25.3, 27.3, 25.5, 23.9	朝 63, 朝 67~69	
311	동제도자(銅製刀子)	2	〃	〃	길이 26.9, 13.7	朝 58, 朝 43	★22
312	청동초(靑銅鞘)	1		〃	길이 17.9, 18.9	朝 61, 朝 60	
313	동제십이지문경(銅製十二支紋鏡)	1	고려	〃	지름 17.9	朝 73	★71
314	동제팔릉경(銅製八稜鏡)	1	〃	〃	지름 22.5	朝 350	★70
315	도해대선문팔릉경(渡海大船紋八稜鏡)	1	〃	〃	지름 16.6	朝 74	★73
316	동제종형경(銅製鍾形鏡)	1	〃	〃	지름 17.0	朝 77	★72
317	합(盒)	1			높이 7.1	朝 161	
318	금동화변형합(金銅花辮形盒)	1		江華島	높이 2.0	朝 162	
319	금동개부완(銅製蓋附盌)	1			높이 5.6	朝 168	
320	동제대부배(銅製臺附杯)	1			높이 4.5	朝 197	
321	동호(銅壺)	1		平壤 부근	높이 20.1	朝 164	
322	동제주자(銅製注子)	1	〃		높이 20.9	朝 163	★69
323	마제석부(磨製石斧)	1		沙下面 遺蹟地	길이 9.3	SN 19	
324	마제석부(磨製石斧)	1		〃	길이 10.0	SN 18	
325	마제석부(磨製石斧)	2			길이 12.6, 8.0	朝 455	
326	마제석검(磨製石劍)	1	청동기		길이 42.4	朝 255	★ 1
327	마제석검(磨製石劍)	1			길이 22.9	0881-2	
328	마제석검(磨製石劍)	1			길이 22.3	朝 224	
329	심엽형금동비(心葉形金銅轡)	1	삼국	慶尙南道	길이 10.5		★ 9
330	금동봉황장식칼고리(金銅鳳凰環刀裝飾)	3	〃		길이 10.9		★10
331	동제과대금구(銅製銙帶金具)	3	고려 12~13		각 길이 7.2		★20
332	동제화장구(銅製化粧具)	15	〃	開城 부근	길이 9.2		★23

종이 · 천공예

번호	명칭	수량	시대(세기)	재료·기법	크기(cm)	유물번호	비고
333	투전(鬪牋)	1	조선 20 초	紙·水墨	15.0×1.2		
334	먹중탈(墨僧假面)	1	조선 19	紙·彩色	길이 29.0, 폭 21.2		★134
335	지승바구니(紙繩籃)	1	조선 18	〃	높이13.3, 지름33.4		「天啓四年月日宮內 ★108 山臺」銘
336	탈(假面)	5	조선 17경		길이 23.2, 폭 19.3		
337	지승합(紙繩盒)	1	조선 19	彩色	높이13.0, 지름14.8		★106
338	지승발(紙繩鉢)	1	〃		높이 9.8, 지름 37.5		★107
339	색지봉투(色紙封套)		조선 20 초		7.0×27.5		
340	서산(書算)	1	조선	紙	22.7×3.4		★ 88
341	수저집(匙匣)		조선 후기	비단자수	전장 29.5, 폭 9.4		
342	상보(床褓)		조선 20 초	〃	33.3×26.2		
343	탕건·망건(宕巾·網巾)		조선 후기	말총	탕건높이 14.2, 망건높이 56.4,		
344	정자관(程子冠)		〃	〃	높이 18.0		
345	미투리(麻鞋)		조선 20 초	紵麻	길이 27.5, 폭 7.8		
346	유혜(油鞋)	1조	조선 19	가죽	전장 25.4, 너비 9.2		★123
347	태사혜(太史鞋)	1조	〃	〃	전장 22.6, 너비 6.7		★124
348	갓집		〃	紙·彩色	높이 18.4, 최대지름 33.5		
349	갓		〃	말총	높이12.8, 지름27.0		
350	타래버선(足件)		조선 20 초	명주	길이 33.2, 18.5		
351	운혜(雲鞋)		〃	비단紋識	길이 23.7		
352	분첩(粉貼)		조선 후기	紙	8.5×26.5		
353	북(巫鼓)	1	조선 20 초	나무·가죽	최대지름 75.7, 두께 23.8		★ 80
354	전립(戰笠)		〃	말갈기	지름 27.5		巫具
355	무복(巫服)		〃	천·비단			
356	한삼(汗衫)		〃	비단	길이 50.0, 폭 27.0		
357	반짇고리(縫函)	1	조선 19~20	紙	높이18.5, 지름31.3		★109
358	반짇고리(縫函)	1	〃	〃	20.3×36.2×35.7		★112

석조공예

번호	명칭	수량	시대(세기)	기법·형태	크기(cm)	유물번호	비고
359	사신음각문석관(四神陰刻紋石棺)	1	고려		길이 85.0	朝 222	開城 부근 ★74
360	사신문석관(四神紋石棺)	1	〃	片岩系, 內面牡丹紋刻	길이 87.8	B222	
361	쌍룡문연(雙龍紋硯)	1	조선 19	石刻·雲龍	17.8×17.8×2.4		★98
362	심자연(心字硯)		조선	石刻·長濡面	21.7×13.8, 두께3.3		
363	팔각형연(八角形硯)		조선 후기	〃	13.8×13.8, 두께2.8		
364	어룡문연(漁龍紋硯)		〃	紫石·雲龍	지름 30.4, 두께 4.7		
365	벼루(硯)		〃	〃	9.6×12.5, 두께 1.7		
366	인합(印盒)		조선	滑石	높이 5.7, 7.0×8.8		
367	사파수부석부(四把手附石釜)		조선 후기	〃	높이 37.2, 최대지름 72.3	82-239	
368	현무형토수석섬(玄武形吐水石蟾)		조선 19		높이30.2, 길이47.6	83-625	蔚山 産陽 出土
369	석사자(石獅子)		〃	〃	높이 33.5, 폭 18.7, 길이 26.4		
370	석향로(石香爐)		조선 후기	〃	높이 14.5		
371	담배합(煙草盒)		〃	〃	높이6.0, 14.0×10.2		
372	약탕관(藥湯罐)		〃	〃	높이 15.5, 최대지름 21.6		
373	전골냄비		조선 20 초	〃	높이 3.4, 최대지름 19.8		
374	화로(火爐)		조선 후기	〃	높이 13.8, 최대지름 25.0		
375	돌솥(石釜)		〃	〃	높이 37.2, 최대지름 72.0		
376	석침(石枕)		조선		길이 24.0, 최대폭 12.7		死者用
377	쌍희자(雙喜字)열쇠패	1	〃	〃	길이 25.0		★87
378	수발(水鉢)	1	〃		높이 30.2		★136
379	약연(藥碾)	1	〃		높이20.2, 길이56.6		

회 화

번호	명 칭	수량	시대(세기)	재료·기법	크기(cm)	유물번호	비 고
380	산신도	1	조선 20 초	종이채색	84.5×45.3		幀畵
381	최영장군상(崔瑩將軍像)	1	〃	〃	84.0×45.0		
382	각씨부인상(閣氏婦人像)	1	〃	〃	83.0×45.0		
383	문자도(文字圖)	8폭	조선 19	〃	각 71.0×37.5	83-665	民畵　　★140

번호	명 칭	수량	시대(세기)	재료·기법	크기(cm)	유물번호	비 고

일본소장 한국문화재 ④

天理大學
天理圖書館
天理參考館

발행인 : 김정원
발행처 : 한국국제교류재단
　　　　서울 중구 남대문로 5가 526
　　　　중앙우체국 사서함 2147
　　　　전 화 : (02) 753-3462
　　　　FAX : (02) 757-2041, 2047, 2049
편 집 : 금운한편집
인 쇄 : (주)유정캄파니

1997년 12월 발행
(비매품)

THE KOREAN RELICS IN JAPAN ④

Tenri University Central Library
Tenri University Sankokan Museum

Publisher/Editor
Joungwon Kim
THE KOREA FOUNDATION
526, Namdaemunno 5-ga, Chung-gu,
Seoul 100-095, Korea
C. P. O. Box 2147
TEL : (02) 753-3462
FAX : (02) 757-2041, 2047, 2049
Printed in December 1997
(Not for Sale)
ISBN 89-860-9014-7